광주문학 100년

1950년대까지를 중심으로

이동순 지음

광주문학 100년
– 1950년대까지를 중심으로

초 판 1쇄 찍은 날 2016년 12월 1일
초 판 1쇄 펴낸 날 2016년 12월 7일

지은이 이동순

펴낸곳 (재)광주광역시 광주문화재단
펴낸이 서영진
편찬위원 이계표·조광철·천득염
발행 담당 박종현 **팀장** 정혜영
발행부서 (재)광주광역시 광주문화재단 정책연구팀
      61636 광주광역시 남구 천변좌로 338번길 7(구동)
      광주문화재단 062-670-7400

만든곳 도서출판 심미안
주소 61489 광주광역시 동구 천변우로 487(학동) 2층
전화 062-651-6968
팩스 062-651-9690
메일 simmian21@hanmail.net
등록 2003년 3월 13일 제05-01-0268호

ISBN 978-89-6381-183-3

1950년대까지를
중심으로

이동순 지음

광주문학
100년

광주문학, 뿌리를 찾아가다

이동순 교수의 『광주문학 100년-1950년대까지를 중심으로』는 지난해 발간된 광주학 총서 『광주 1백년Ⅲ』, 『광주산책(下)』에 이어 일곱 번째 책입니다. 광주 태생이거나 광주와 인연을 맺은 문인들의 자료를 객관적으로 검증하여 광주문학을 통사적으로 복원하려 한 저자의 애정이 곳곳에서 빛을 발하고 있습니다.

1905년 을사늑약이 체결되자 국권회복을 목적으로 조직된 단체나 학회의 잡지에서 광주문학의 여명을 찾으려 한 시도도 그렇고, 인물로는 당시 언론인이자 문학인으로 '동경유학생학우회' 와 '계유구락부' 를 결성하여 민족운동과 지역운동에 앞장선 최원순을 그 중심에 놓은 것도 의미심장합니다. 1920년대의 소년운동과 동요운동이 문학적으로 승화되는 과정과 김태오 시인, 1930년대 '시문학파' 의 출현과 박용철, 김현승, 한이직 등의 활동을 보면 광주문학이 1950년대에 본격적으로 시작됐다는 말이 그저 통념에 불과한 것이었음을 깨닫게 됩니다.

한국전쟁 이후 광주문학의 교두보를 마련한 『신문학』과 『시정신』, 광주가 시인들의 요람으로 불리게 된 계기를 마련한 『영도』 동인과 광주고등학교 문예부, 그리고 일일이 열거할 수 없는 수많은 문인들의 활동은 한국문학사에서 광주문학이 차지하는 위상을 가늠하기에 부족함이 없습니다. 특히 독자의 이해를 돕기 위해 광주문학 관련 단체나 전문지, 예술인들의 등단과 활동에 대한 상세한 내용을 각주를 통해 밝힌 저자의 꼼꼼한 배려가 돋보입니다.

넉넉지 않은 시간 동안 광주문학의 발자취를 찾아 집필해주신 이동순 교수님과 바쁜 와중에도 이 책이 나올 수 있도록 애써주신 편찬위원님들께 감사드립니다.

저희는 내년에도 지속적으로 광주의 인문과 역사가 담긴 광주학 총서 발행에 심혈을 기울이겠습니다.

2016년 12월
재단법인 광주광역시 광주문화재단 대표이사 서영진

광주문학에 작은 주춧돌을 놓으며

　문학, 한국문학, 세계문학, 그리고 광주, 전남, 이 명사들 사이에서 서성거리며 걷다 보니 어느 날부터인가 광주전남문학은 내가 걸어가야 할 연구의 방향이 되어 있었다. 그때부터 자료를 찾아나섰고, 작가들의 가족들을 수소문하며 찾아다니기 시작했다. 이 책은 그것으로부터 나온 결과물의 일부이다.

　근현대 광주문학의 사적인 흐름을 어떻게 쓸 것인가. 개별적인 연구가 미비한 상태에서 감히 광주문학의 사적인 전개과정을 쓸 수 있을 것인가. 아니 쓸 자격이나 있는가. 이런 고민과 질문이 오랫동안 꼬리에 꼬리를 물고 따라다녔다. 그럼에도 불구하고 광주문학의 사적인 흐름을 감히 정리해보기로 했다. 한 나라의 문학사든, 한 지역의 문학사든 어느 날 갑자기 어떤 특별한 존재가, 혹은 특별한 사건이 문학사를 이끌어갈 수는 없다. 그런데 광주의 문학은 마치 1950년대부터 누군가에 의해서 혹은 누군가를 중심으로 형성된 것처럼 굳어져 있다. 그것은 문학의 사적인 맥락을 일거에 소거시켜 버릴 위험이 있고, 광주문학의 역사성을 부인하는 결과를 가져올 수도 있다. 그것을 조금이나마 바로잡지 않으면 광주문학의 역사성에 많은 균열이 발생할 수 있겠다는 생각이 들었다. 그래서 누군가가 언젠가는 정리할 일에 작은 주춧돌 하나쯤 놓기로 했다.

우선 광주문학의 외연적인 범위는 지역문학 연구자들마다 다소 이견이 있지만, 이 책에서는 타향에서 이주하여 광주에 창작적 기반을 둔 문인과 광주에서 태어나 자랐으나 출향한 작가들 모두를 포함하였다. 타향에서 이주하거나 잠시 거주하면서 창작활동을 한 작가들은 시대적 현재성 안에서 광주를 경험하고 느끼고 작가들과 교류하면서 광주의 문학을 공유하고 창작활동을 하였기 때문이다. 출향한 작가들은 광주에서의 원초적 경험의 장소감이 어떤 식으로든 광주의 정서를 문학적으로 반영하고 있기 때문이다. 그래야만 광주문학의 본 모습을 복원할 수 있을 것으로 판단했다. 그리고 광주문학의 공간적 범위는 현재의 행정구역인 광주광역시를 기준으로 한정하였다. 다만 행정구역이 전라남도 광주군, 전라남도 광주시였을 때는 전라남도에 속해 있었기 때문에 전남문학과 광주문학을 엄밀하게 분류하기는 어려운 점이 있었다.

광주문학의 한 부분, 즉 1900년도부터 1950년대까지 통사적으로 정리한 이 책은 총 7장으로 구성되어 있다. 제1장은 「근대 광주의 풍경과 광주문학의 태동」으로, 1910년대 광주의 여러 풍경을 열거했다. 그 안에 광주지역사회에 기여한 인물들과 〈동아일보〉 기자였지만 여러 지면에 글을 발표했던 최원순을 중심으로 근현대 광주문학의 여명기의 모습을 정리했다.

　제2장은 「광주의 민족운동과 광주문학」으로, 1920년대와 1930년대에 걸쳐 광주의 첫 시인 김태오를 중심에 놓고 그가 광주에서 시작했던 소년운동과 민족운동, 그리고 전국적으로 전개되었던 동요운동의 지형을 살핀 다음, 그것이 문학적으로 승화되는 과정을 정리했다. 김태오는 동요 「강아지」와 「봄맞이 노래」를 쓴 일제하 광주를 대표하는 민족운동가요 시인이었기에 광주문학이 결코 1950년대에 들어서 본격적으로 시작된 것이 아니라는 사실을 확인할 수 있다.

　제3장은 「광주문학의 지형, '시문학파'」로, 박용철이 탄생시킨 것이나 다름없는 '시문학파'의 출현이 광주문학의 지평을 확장했으며, 김현승이 〈동아일보〉를 통해서 등장했고, 한이직이 〈조선일보〉에 희곡을 발표했으며, 고재기는 평론을, 서두성은 대중가요의 가사를 쓰는 등 광주문학 장르의 폭이 넓어졌다는 사실들을 정리했다. 또한 한시적 전통을 이은 최석휴과 정상호 등의 활동도 정리했다.

　제4장은 「해방기, 침묵의 문학」은 해방기에는 작가들의 활동이 활발하지 못했기에 조선대학교의 개교와 함께 시인 김기림이 강의를 하면서 「조선대교가」를 썼다는 것을 간략하게 살폈으며, 제5장은 「한국전쟁, 광주문학의 역동」은 1950년 한국전쟁을 겪는 과정에서 광주문인들이 문총구국대를 중심으로 활동했으며, 『신문학』을 창간, 발행하면서 광주문학은 확실한 교두보를 마련하였다는 것, 시전문지 『시정신』은 순수문학을 지향하여 시인들의 역량을 집결하였다는 것을 정리했다. 이 시기에 서정주는 조선대학교에서 2년간 시를 가르쳤고, 이수복이 그의 추천을 받아 등단하면서 광주가 점차 시인들의 도시가 되어가는 과정을 정리했다. 그 때 유일한 평론가로 정래동이 있음도 적었다.

제6장은 「광주, 시인들의 요람」에서는 동인지 『영도』의 창간과 발행 과정, 그들이 문단에 일으킨 신선한 반란이 기성 시인들을 긴장시켰다는 사실과, '영도' 동인인 박봉우, 강태열, 주명영, 윤삼하, 박성룡, 정현웅, 김정옥 등이 공식적으로 등단함에 따라 광주가 시인들의 요람으로 자리매김 되는 과정을 소상하게 밝혀 정리했다. 그리고 이 시기 지역 언론인 〈호남신문〉과 〈전남일보〉가 광주와 전남의 문학 발전에 기여한 공로와, 문화부장인 이해동과 허연의 활약도 정리했다. 또한 광주가 시인들의 요람이 될 수 있게 한 광주고등학교 문예부 1세대와 2세대의 활동을 살피면서 그들이 성장하는 과정을 볼 수 있도록 정리했다. 그리고 시인 권일송, 정소파가 등단했고, 시인 조종현이 광주일고에서 교사로 머물면서 광주문학에 기여하였음도 적었다. 광주고등학교 교사들의 활약과 시인 박흡, 그리고 특히 김현승이 광주의 시인들을 『현대문학』에 대거 추천하여 문인들을 키워 낸 장본인이라는 사실도 밝혀 적었다.

　　제7장은 「1960년, 눈부신 비약」은 1950년대 광주문단의 반향에 힘입은 세대들이 중앙문단을 장악하는 수준으로 등장하여 한국문학을 가격하는 모습을 등단과 추천 과정으로 요약했다. 이들의 활약상을 살펴보면 광주 혹은 광주와 전남이 없는 한국문학은 논할 수 없다는 연구자들의 주장이 과장이 아님을 알 수 있다. 원래 1950년대까지만 쓸 예정이었으나 비록 소략하게나마 등단하는 과정을 적은 것은 그들의 등장과 활약이 광주문학의 내면과 외연의 지형에 어떤 변화를 몰고 오는지 가늠할 수 있도록 하기 위해서였다.

　　이 외에도 독자들의 이해를 돕기 위해 많은 각주를 달았는데 특히 인물들에서 그랬다. 그것은 작가들, 혹은 인물들의 교류양상을 알기 쉽게 하려는 목적, 광주 지역사회에 기여한 바들을 기억하기 위한 목적에서

이다. 그럼에도 불구하고 물리적인 시간의 한계로 모든 인물들을 추적하고 정리하지 못했으며, 기록만 있고 실물을 확인하지 못한 동인지 『초점』과 『동인문학』도 살피지 못했다. 이 과정에서 혹시라도 호명되지 않은 작가가 있다면 널리 양해를 구한다.

지방자치체가 실시된 이후 지방자치단체가 중심이 되어 지역학에 대한 논의와 연구가 활발하다. 그런데 광주는 광주문화재단이 '광주학 총서'로 발간한 『광주 1백년』과 『광주산책』 등이 있을 뿐, 타 지역에 비해 '광주학'에 대한 구체적인 논의와 연구는 미미한 실정이다. 이런 상황에서 광주문학사의 한 부분을 정리함으로써 '광주학'에 조금이나마 기여할 수 있었으면 하는 마음을 가져본다. 그렇다고 이 책이 광주문학에 대한 본격연구라고 자신 있게 말할 수는 없다. 다만 객관적인 자료에 근거하여 통사적인 흐름에 따라 광주문학을 복원하고자 애썼다는 것을 말해 두고 싶다. 그렇기 때문에 작가 개인에 대한 연구는 대부분 생략했으되, 한 명의 작가라도 빠뜨리지 않으려 노력했으며, 시대 안에서 활동한 모습을 보여주고자 했다.

아직 확인되지 않은 자료들과 작가들의 흔적이 있다. 앞으로도 광주문학사를 형성해 온 수많은 작가들을 호명하여 그들의 작품을 공유하며 문학정신을 쫓아가려고 한다. 그 자료들을 찾아서, 작가들을 찾아서 이 연구의 성긴 부분을 하나하나 채워 나갈 것이다. 그것이 광주에 살고 있는 사람으로서, 문학을 연구하는 사람으로서 최소한의 도리이며, 지역공동체에 보답하는 길이라 믿기 때문이다.

책이 나오기까지 많은 분들의 도움이 있었다. 광주문화재단 서영진 대표님과 광주문화재단 식구들, 기꺼이 출판을 맡아주신 심미안 송광룡 대표님과 출판사 식구들, 광주학 콜로키움의 천득염 선생님을 비롯한 여러 선생님들의 지원과 지지가 없었다면 이 책이 나오기는 어려웠을 것이다. 진심으로 감사드린다. 그리고 보이지 않는 곳에서 두 손 모아 주는 학문의 벗들과 내 오랜 친구들, 사랑하는 가족들께도 고맙다는 말을 전한다.

2016년
무등산의 나뭇잎,
익어가는 날
이동순

차례

근대 광주의 풍경과
광주문학의 태동

1910년대 광주의 여러 풍경을 열거했다. 그 안에
광주지역사회에 기여한 인물들과 〈동아일보〉 기자였지만
여러 지면에 글을 발표했던 최원순을 중심으로
근현대 광주문학의 여명기의 모습을 정리했다.

근대 광주의 풍경과 광주문학의 태동

근대 광주의 풍경

근대 광주문학은 다가올 새날을 준비하는 여명기였다. 1920년대까지 광주의 역량은 국권을 상실한 국민으로서 민족교육에 심혈을 기울이면서 일제의 탄압에 맞선 지역사회운동에 집중되었다. 따라서 이렇다 할 문학인들이나 단체들이 거의 없다시피 했다. 대신 1905년 을사늑약이 체결되자 국권회복을 목적으로 민족의식을 반영한 단체나 학회를 조직하였다. 당시의 학회는 대개 지연이나 학연을 중심으로 발기되고 조직되었다. '학보'는 지역에 지반을 둔 지식인 그룹이 만든 학술잡지로, 이 시기의 학회들은 조선의 근대를 어떻게 구성하고 계획해야 하는지 고심에 찬 모색을 하였다.[1]

1_ 홍인숙, 정출헌, 「'대한자강회월보'의 운동성과 지향연구」, 『동양한문학연구』 30집, 355쪽.

1 지금의 전일빌딩 자리에서 광주 동부 시가지와 지산유원지 쪽을 바라보고 찍은 1928년의 광주 오른쪽 멀리 서석
국교, 바로 앞 오른쪽 돌담이 지금 상무관 돌담이며 왼쪽 2층 양옥이 금융조합연합회(훗날 농협 도지부 자리), 그
뒤로 광주여고, 전남도립사범학교가 보이고 장원봉(왼쪽), 향노봉(오른쪽)이 멀리 보인다.

2 광주공원 쪽에서 본 1909년경 광주 앞의 다리는 광주교이고 오른편의 화살표는 북문(공북문)이다.

가장 먼저 발기 조직된 것이 '호남학회湖南學會'다. '호남학회'는 57군으로 형성된 전라남북도 지방의 인사들이 중심이 되어 1907년 7월 6일에 창립되었다. 호남학회가 창립되자 1908년 1월에 경기도와 충청남북도를 망라한 '기호흥학회'가 조직되었고, 1908년 3월에는 경상남북도 중심의 '교남교육회'가 조직되었다. 그리고 '서우학회'와 함경도 중심의 '한북학회'가 통합되어 '서북학회'가 조직되었다. 이 학회들은 특정 지역 출신의 인사들이 지역 특성에 기반을 두고 학보를 발간하였고, 민족교육에 중점을 두고 구국계몽운동에 앞장선 언론지 역할[2]도 겸하였다.

　'호남학회'는 1907년 7월 6일 서울 대동문우회관에서 112명의 창립 발기인이 모여서 조직되었다. '호남학회' 창립식에서는 "발기인 강엽姜曄이 회합의 요지를 설명하고, 임시회장에 윤자선尹滋善을 천거하여 회중의 찬성을 얻고, 부회장 강운섭姜雲燮, 총무 백인기白寅基, 평의원 김낙구金洛龜, 윤주신尹注臣, 박영철朴榮喆, 최우락崔禹洛, 윤경중尹敬重, 정규삼鄭奎三"[3]이 피선되었다. 이후 몇 차례의 총회과정을 거쳐 임원진이 꾸려졌다. '호남학회' 회장에는 고정주高鼎柱, 부회장에는 유희열劉禧烈, 총무에는 강엽姜曄, 박영철朴榮喆, 평의원에는 최준식崔俊植, 양회원梁會源, 구본형具本淳, 김낙구金洛龜, 박남현朴南鉉, 소석정蘇錫政, 김봉선金鳳善, 윤경중尹敬重, 박해창朴海昌, 김경중金璟中, 정규삼鄭奎三, 양한묵梁漢默, 윤주현尹柱峴, 이석현李石俔, 윤상오尹相五, 장명상張明相, 한남수韓南洙, 강운섭姜雲燮, 교육부장에는 이기李沂, 재무부장에는 백인기白寅基, 서기원에는 이시우李時雨, 정달영鄭達永, 그리고 회계원에는 최우락崔禹洛, 이채李採, 간사원에는

<hr />

2_ 최덕교, 『한국잡지1백년』 1권, 현암사, 120쪽.
3_ 호남학회, 『호남학회월보』 1호, 53쪽.

이근용李根容, 우성해禹成海, 이경로李敬魯였다. '호남학회'는 『호남학보』를 간행하였다. 『호남학보』는 1908년 6월 창간하였으며, 1909년 3월 9호를 발간한 후 폐간되었다. 호남학회는 근대 지식인들의 민족혼을 담은 애국계몽운동으로 호남지역의 정체성을 보여주었다.

일제의 탄압에 맞서는 지역사회운동 단체 중에 '전남구락부全南俱樂部'가 있었다. '전남구락부'는 순회강연단을 조직하였다. 제1대 연사는 양원모梁源模, 김안식金安植, 최영욱崔泳旭, 설병호薛炳浩, 박봉의朴鳳儀, 오석균吳錫均이고, 제2대 연사는 정수태丁秀泰, 서우석徐禹錫, 차남진車南鎭, 국기열鞠錡烈, 최남립崔南立이었다. 장소는 담양, 곡성, 영광, 함평, 목포, 나주와 해남, 강진, 장흥, 병영, 영암이었다.[4] 전남 중요 각지를 순회 강연하면서 지역의 사회운동을 이끌었다.

한편 호남은행이 설립되었다. 1920년 8월 16일에 광주에서는 '호남은행 창립총회'가 열렸다. 취체역에 김형옥金衡玉, 현준호玄俊鎬, 김상섭金商燮, 문재철文在喆, 차남경車南鏡, 김병로金炳魯, 정수태丁秀泰, 고광준高光駿, 최종남崔鍾南이, 감사역에 박현경朴賢景, 박하준朴夏駿, 지응현池應鉉, 박종식朴鍾息, 오완기吳完基가 피선되었다. 다음 날 취체역 회의를 개최하고 선한 결과 두취頭取에 김상섭金商燮, 전무 취체역에 현준호玄俊鎬, 지배인에 이항종李恒鍾이 피선되었다.[5] 호남은행은 일제에 맞서는 민족자본을 형성하기 위하여 설립한 은행이었다. 민족자본으로 대응하는 한편, 지역민들을 위한 유지들의 기부 문화도 형성되었다. 최명구가 가장 앞장섰다.

4_ 〈동아일보〉, 1920. 8. 8.
5_ 〈동아일보〉, 1920. 8. 22.

全南 光州郡 효천면 陽林리 崔命龜氏는 만여 원의 자기 財産을 들여 光州邑內에 興學館이라는 집을 크게 建築하여 公會堂과 같이 사용하기로 광주 一般社會에 寄贈하였다. 지난 3일 回甲을 맞이하여 官民 300명을 招待하고 興學館 落成式을 거행하였다. (…) 다음 날에는 崔命龜가 임의 주최한 湖南庭球大會를 열었는데 1등 선수 김용훈과 최석채에게는 20원이나 되는 모본단 우승기와 70원이나 되는 銀時計 2개를 상으로 수여하였다. 그리고 5등까지 多數의 上品을 授與하였는데 一代 盛況을 이뤘다. 湖南 일대에 이러한 公共事業의 慈善家는 오늘날 처음으로 나타났다.[6]

지금의 양림동에 살았던 최명구崔命龜(1852~1931)는 1921년 4월, 자신의 회갑에 맞춰 흥학관을 완공하여 광주사회에 기증하였다. 그 자리에는 관민 300명을 초대되었으며 한바탕 잔치가 벌어졌다. 다음 날은 호남정구대회를 열기까지 했다. 최명구는 거금을 들여 광주 지역사회에 흥학관을 기증함으로써 '호남 최초의 공공사업의 자선가'가 되었다.

흥학관은 광주지역사회의 모든 중요한 일을 결정하는 장소가 되었다. 그곳에서는 광주노동야학이 열렸고, 광주부인회가 조직되었으며, 광주청년회와 광주청년연맹, 광주소년운동연맹, 신간회 광주지부가 탄생하였다. 광주물산장려회가 광주장날을 이용하여 물산장려운동을 펼치기로 한 곳도, 광주소작인대회를 비롯한 전남 123개 단체 노동연합대회 등, 차별 문제를 해결하기 위하여 고군분투했던 곳도 흥학관이었다. 흥학관은 광주전남 지역사회의 현안과 문제를 진단하고 토론하고 결정을 내린 진보

6_ 〈매일신보〉, 1921. 4. 15.

지응현과 서로득 목사 지응현은 서로득 목사가 운영하는 '숭명교' 낙성식 때 학생들의 운동장으로 150평을 기부하였다. (《동아일보》, 1927. 12. 5.)

적 활동의 거점이자, 시대를 고민하고 그 시대를 돌파하고자 하였던 사람들이 결집하여 목소리를 높였던 민족운동의 근거지가 되었다. 그리고 흥학관은 광주 교육의 거점이기도 하였다. 일본인 교장이 광주고등보통학교 학생 400명에게 무기정학을 내리자 이에 항의하는 전남도민대회가 열렸으며, 학교에 다니지 못하는 조선인 남녀를 교양하기 위해 국문을 모르는 남녀를 대상으로 무료 강습도 하였다. 또한 궁세민의 자녀교육을 위하여 조선 최초로 도시 간이학교를 설립하여 교육하였다. 그리고 방학 때면 광주유학생회가 어린 학생에게 공부를 가르치며 미래를 도모하였다.

또 대지주였던 지응현池應鉉은 서로득(Martin Swinehart) 목사가 운영하는 '숭명교崇明校' 낙성식 때 학생들의 운동장으로 150평을 기부하였다.[7] 그는 지금의 쌍촌동에 '응세농사훈련소應世農事訓練所'를 세우고 훈련생에게 농사경영법을 전수하였는데 24명 전원에게 1개월 동안의 강습비를 비롯한 학용품과 식사비 등 일체를 무료로 제공하기도 하였다.[8] 최명

정낙교 광주청년회관이 소실된 것을 신축하기 위해 1,300평의 토지를 기증하고 건물을 신축하여 이 또한 기증하였다. (〈동아일보〉, 1926. 4. 28.)

구와 지응현에 이어 '양파정'을 지은 정낙교鄭洛敎(1863~1938)는 1925년에 광주청년회관이 불에 타 소실된 것을 신축하기 위하여 부지 1,300평과 3만 원을 들여 건물을 신축하고 이를 기증[9]하였다. 그런데 광주청년회가 침체되어 부지를 이전 받을 법적 주체가 없어지자 그 부지활용에 대한 토론회를 열기도 하였다.[10] 최명구의 기부에 이은 정낙교의 기부로 지주들은 지역사회와 더불어 사는 공동체를 모색하였다.

그런 분위기 속에서도 일제는 우리 민족의 정기를 말살하고자 문화유산을 약탈하여 일본으로 반출하기도 했다.

7_ 〈동아일보〉, 1927. 12. 5.
8_ 〈동아일보〉, 1934. 12. 19.
9_ 〈동아일보〉, 1926. 7. 28.
10_ 〈동아일보〉, 1935. 6. 13.

탐진 최씨의 조상되는 최사전(崔思全)씨의 묘지석(墓誌石)이 어대로간
지를 몰나서 그 후손들은 다년지석을 찻기에 고심중이더니 그 지석이 동
경제국대학박물관에 잇다함을 듯고 여러 가지로 조사하여본바 관연 사
일임으로 그 잔손들의 련명으로 전라남도지사에게 교섭하야 그 지석을
차저오랴한다함은 그 당시에 본지에 보도한바이어니와 그 지석
이 동경에서 광주에 도착하야 그 자손들은 광주군청에서 그 지석을 차저
다가 광주군 효천면 양림리에 제각을 짓고 영구히 보존할터이라는데 그
비석은 팔백년전의 고물로서 최사전씨는 고려시대의 명의로 당시 조정
에 공로도 만흔 인물이라더라.[11]

우리 문화유산의 약탈을 눈감지 않고 자손들의 끈질긴 노력으로 묘지
석을 찾아온 이 기사는 자손들의 노력뿐만 아니라 광주의 분위기를 잘
보여준다.

춘원 이광수와 겨룬, 최원순

최원순崔元淳(1891~1936. 7. 6.)[12]은 언론인이자 문학인으로, 학문적
글쓰기를 통해 지식인의 전통을 이어간 사람이다. 그는 근대 광주 지식
인으로서 광주의 정체성을 잘 보여준 인물이기도 하다.

11_ 〈동아일보〉, 1921. 11. 25.
12_ 최원순의 아들 최상옥(崔象沃)은 1949년 신생유치원을 세우고 유치원교육에 힘쓰면서 아
    동문학가로도 활동하였다. 1954년 신생보육학교를 설립하여 유아교육 교사와 사회복지
    요원을 양성하였다. 그는 『최상옥동요집』을 내기도 하였다. 최상옥의 아들 최영훈(崔榮勳)
    은 조선대 미술대학을 졸업하고 조선대 미대 학장을 지냈다.

솔직하게 말하면 거짓말로 남을 살살 꾀여 먹으려는 자도 가증하고 엇던 권력이나 금력의 뒤에 딱 부터서서 사냥개 모양으로 혜를 흘근흘근하는 놈도 可憎하지만 그것보다도 나는 廻避述에 怜悧한 인간들이 제일 가증하다고 생각합니다.

보십시오. 우리 社會에서 소위 무엇을 하느니 무엇을 하느니 하는 인간들이 그 언으것이 회피에는 능하지 안습닛가. 뒤에 안저서는 떠들고 당면하야서는 회피하고 입으로는 大河를 드리킬 듯하고 발로는 細川 하나를 못 건너뛰는 인간이 얼마나 만습닛가. 그리고 우리 사회에는 질적, 自力的, 强骨的, 투사적 기풍은 업고, 氣分的, 依他的, 屈從的으로 始終되고 마는 것이 거의 전부입니다. 가증하다기보다 통탄한 일입니다. 그리고 우리의 인간들은 정말 相當者와는 싸우지 못하고 싸울 의사도 못내고 자기편끼리 싸우려 드는 것이 가장 가증합니다.[13]

그는 위의 글에서, 시대를 떠나 변하지 않는 것이 있는데, 그것은 힘 있는 자들에게는 어떻게 잘 보일까 궁리하고 아첨하다가 불리할 때는 군상들과 회피술에 능한 사람들이 있다는 것을 꼬집었다. 사람이라면 그보다 먼저 "질적, 자력적, 강골적, 투사적 기풍"으로 "기분적, 의타적, 굴종적으로 시종"되는 일이 없도록 힘쓰면서 "싸우지 못하고 싸울 의사도 못 내고 자기편끼리 싸우려 드는 것"부터 고쳐야 한다고 강조하였다. 그는 일제 식민치하에서 일제에 협조하거나 부역하는 사람들의 모습을 직시하였던 것이다. 그는 민족운동진영의 한가운데서 그런 자들에

13_ 최원순, 「廻避述에 能한 人間들」, 『별건곤』 9호, 1927. 10.

최원순 언론인이자 문학인으로, 주로 학문적 글쓰기로써 지식인의 전통을 이어간 사람이다. (〈동아일보〉, 1936. 7. 7.)

게 논리적으로 대응하였다.

　최원순은 "조선일보사 간부 신석우, 안재홍 등과 신간회 조직 계획을 세우고 신석우 집에서 회합을 갖고 강령을 채택"[14]한 〈동아일보〉 정치부장이었다. 그는 '공산주의자는 모두 검거되고 언론기관은 정지되고 금지된 집회단체는 위협을 받는다' 는 기사로 경성복심법원에서 징역 3월을 구형(1926. 12. 20.)받았고, 동아일보 제1면 「횡설수설」이라는 제목의 '총독정치는 악당정치' 라는 기사로 경성고등법원에 보안법위반으로 기소(1927. 2. 17.)되는 등 권력 앞에 한 치의 흔들림 없이 '질적, 자력적, 강골적, 투사적 기풍' 을 유지하였다. 뿐만 아니라 일본 유학중에 쓴 글 「李春園에게 問하노라」[15]는 이광수가 조선의 민족성 쇠퇴의 원인

14_ 경성지방법원 검사국, 「사상문제에 관한 조사서류2」, 1927. 1. 22.

이 '허위, 비사회적 이기심, 나태, 무신, 사회성의 결핍'이라고 본 것에
대해 공개적으로 반박하였다. 그는 누구보다도 일찍 춘원 이광수가 주
장한 「민족개조론」의 실체를 파악했던 것이다.

최원순은 광주에서 최의준崔儀俊의 3남 중 차남으로 태어났으며 광주
공립보통학교 4회 졸업생으로 경성고등보통학교 사범과에 재학 중에
교내 항일사건으로 퇴학을 당하였다. 그 뒤 동경으로 유학, 와세다대학
에 진학하여 '동경유학생학우회'를 결성하는 등 독립운동의 방향을 모
색해 나갔다. '동경유학생학우회'는 1920년 여름방학을 이용하여 제1
회 전국 순회강연을 하였다. 최원순은 '동경유학생학우회' 총무였다.
순회강연으로 1920년 7월 11일 울산에서 「개조시대와 청년의 사명」이
라는 주제로 강연하였고, 1920년 7월 12일에는 「인류해방의 근본문제」
를 경주 공립보통학교에서 강연한 뒤 7월 13일에는 부산 초량좌에서
「문화발전과 언론자유」라는 주제로, 14일에는 대구좌에서 강연하였고
15일에는 공주에서 「시대와 도덕」을 강연하였다.

그 다음 해에도 '동경유학생학우회'는 제2회 전국 순회강연을 실시
하였다. 이때도 최원순은 전국을 돌며 순회강연을 하였다. 1921년 7월
16일 서울 천도교당에서 첫 강연회를 열었는데 그 자리에서 최원순은
「책임 관념의 도덕적 지위」를 강연을 하였다. 그는 강연에서 "시대를 따
라 도덕의 변천이 있음을 말하여 도덕의 근본의 뜻을 밝히고 새 시대의
새 도덕은 오직 자유평등에 근거를 두었는데 평등은 사람마다 자유만
얻게 되면 자연히 평등이 될 터이니 현대도덕의 근본은 오직 자유에 있

15_ 〈동아일보〉, 1922. 6. 3.~1922. 6. 4. (박선홍의 『광주 1백년』에는 『개벽』에 발표된 것으로
　　기록하였지만 〈동아일보〉에 발표된 글이다.)

다. 그러나 자유라는 것은 스스로 제 몸을 다스릴 능력이 있는 사람에게 자유가 있으니 만일 제 몸을 스스로 다스리지 못하면 자유가 없을 뿐만 아니라 자유가 있어서도 도리어 남을 해할 염려가 있으니 여러분이 자유를 얻고자 하면 먼저 남의 자유를 옹호하는, 곧 책임 관념이 있어야 하겠다"고 말하였다. 이때 "말이 점점 가경에 들어갈수록 변사의 태도는 칼날을 들고 청중의 심장을 찌르는 듯하고 맙살과 혀에서는 불비가 쏟아지는 듯하여 급히 쏟아지는 소낙비 같은 박수가 뒤를 이어 일어났다. 이때 강연 시작할 때부터 한마디를 빼지 아니하고 필기하던 5, 6인의 형사와 서슬이 푸르게 경계하던 경관은 입을 모으는 듯하더니 종로서 통도樋渡경부는 돌연히 변사에게 중지를 명하였다. 이에 흥분된 청중은 한참 동안 박수를 끊이지 아니하여 장래에는 살기가 충만하였으나 결국 사회자의 주의로 해산[16]"하였다.

그리고 7월 19일에는 강경 아소교 부속 만동학교여자부 앞마당에서 「개성의 발휘와 현대의 문화」를 강연하였는데 현대문명은 오직 개성의 발휘에 그 터를 세웠다는 내용으로 열변을 토하였다.[17] 7월 20일에는 전라북도 이리 이리좌에서 「무의식적 생활에서 유의식적 생활에」라는 주제로 강연하였다. 8월 9일 오후 2시에는 광주 양림리 오웬기념각에서 광주학부형회, 광주야소교회, 노동공제회 광주지회, 동아일보 광주지국 등 5개 단체의 후원 하에 강연회가 열렸다. 이 자리에서도 최원순은 「비평적 판단과 인생의 진화」를 강연하였고 숭일학교 동창회 강연회에서는 「생활의 개조와 현대인의 각오」를 강연하였다. 이처럼 최원순은

16_ 〈동아일보〉, 1921. 7. 18.
17_ 〈동아일보〉, 1921. 7. 22.

金喜誠　高光寅　崔相彩　崔錫休

崔冕植　金光鎮　崔元淳　朴琠柱

金□善　崔興琮　癸酉俱樂部

계유부락부 2주년 기념 사진　최원순은 최흥종 목사와 함께 빈민구제사업과 민중계몽운동을 목적으로 계유구락부를 만들었다(가운데 줄 왼쪽에서 세 번째가 최원순).

뛰어난 강연자이기도 하였다. 그리고 광주여자야학 1주년 기념식이 열린 흥학관 특설식장에서 축사를 하기도 하였다. 후에 소설가가 되는 박화성朴花城 (본명 박경순)은 이때 광주여자야학원의 교사로 기념식장에서 야학사업을 소개하였다.[18]

또한 최원순은 「천부인권론天賦人權論」[19]으로 인권의 가치를 역설하였다. 그리고 월남 이상재 선생의 일생을 영구히 기념하기 위하여 이상재 선생의 전기, 일화, 유고, 유묵, 유상 등을 모아 『이월남기념집』을 발행할 편집위원으로도 활약하였다. 여기에는 김필수, 정인보, 이권용, 이시완, 신흥우, 안재홍, 윤치호, 최남선, 홍명희 등이 함께하였다.[20] 그는 뒤에서 '대하'를 외치지 않고 앞에서 '대하'를 먼저 건너간 사람이었다. 〈동아일보〉 편집국장 대리를 지냈으나 건강이 좋지 않아 광주로 내려와 무등산 자락에 '석아정'을 짓고 요양하면서도 '계유구락부'의 일원으로 지역사회에서도 활동을 게을리하지 않았으나 끝내 요절하고 말았다. 최원순의 문학활동은 오래가지 못하였지만 그가 남긴 글들은 근대 광주를 널리 알리는 역할을 하고도 남았다.[21] 광주문학의 출발은 최원순에서부터 발아하였다고 해도 과언이 아니다. 그는 "우리지방의 자랑거리는 외와 수박입니다. 그리고 또 하나는 호남은행을 들 수 있으니 조선인의 손으로 되었고 그 업적이 양호하야 지반이 튼튼하야 조선인의 상공업을 돕는 의미에서 자랑거리입니다."[22]고 공헌할 만큼 광주를 사랑했다.

18_ 〈동이일보〉, 1921. 9. 9.
19_ 최원순, 「天賦人權論」, 『학지광』 21호, 1921. 1.
20_ 〈매일신보〉, 1927. 4. 16.
21_ 최원순의 부인 현덕신은 광주 최초의 여의사로 신생보육학교를 설립하여 1957년 2월 23일 첫 졸업생을 배출하였다.
22_ 〈동아일보〉, 1930. 4. 4.

광주의 민족운동과
광주문학

1920년대와 1930년대에 걸쳐 광주의 첫 시인 김태오를
중심에 놓고 그가 광주에서 시작했던
소년운동과 민족운동, 그리고 전국적으로 전개되었던
동요운동의 지형을 살핀 다음, 그것이 문학적으로
승화되는 과정을 정리했다.

제2장
광주의 민족운동과 광주문학

광주의 소년운동

최원순은 서울에 거주하면서 언론인으로 활동, 여러 잡지에 글을 발표하면서 광주사람으로서 정체성을 확실하게 드러냈다. 그가 민족의 미래를 도모하는 데 열중이었다면 김태오는 광주에서 민족운동을 전개하면서 중앙에까지 활동영역을 넓혀갔다. 김태오는 동요작가이자 시인으로 활동하였다. 그는 광주 최초의 시인이다. 김태오의 문학을 이해하려면 먼저 광주의 민족운동 속에서 접근해야 한다. 그의 민족운동은 자연스럽게 문학으로 승화되었기 때문이다. 여기서는 부득이 김태오를 중심에 놓고 광주 민족운동의 양상을 짚어 보고자 한다.

일제하의 소년운동은 항일 민족운동의 일환으로 전개되었다. 소년운동이 전개된 데에는 일찍이 근대교육을 받은 덕분에 주체적인 자질을 갖춘 것이 큰 영향을 발휘했다. "근대주체의 대표적 표상이며, 과거와 결별하고 미래를 선취해야 하는 이상적 주체 모델"[1]이 된 '소년'들은 "항상

全南少年聯盟創立大會解散

일천구백이십팔년팔월오일 광주(光州)에서 전남소년련맹(全南少年聯盟)을 창립하려다가 경찰의 금지를 당한후 동디명승디 무등산(無登山)으로 커뷕밥들을 먹으려간것이 문뎨가되어 뎐진한 소년사십여명이 경찰에게걸거되어 여러십결뎡으로 공판뎡에붗지가 서귈국 김태오(金泰午) 외 륙인이 금고(禁錮)사개월의 처분을바든 일이잇는것이 조선에서 소년운동자의 첫번희생이엇다

전남소년연맹 창립대회 해산 관련 기사 김태오 외 6명이 금고 4개월의 처분을 받았다는 기록이 보인다.(《동아일보》, 1929. 1. 4.)

생활 불안과 사상의 고통으로 불만의 기분과 태도를 취치 않을 수 없"[2]는, 일제하의 조건을 극복하기 위하여 주체적인 기표가 되었다. 그에 따라 사회변혁의 주인공으로 소년들이 활동한 게 바로 소년운동이다.

소년운동은 소년회, 동화회, 독서회, 야학 등 다양한 방면으로 전개되었다. 그런데 여기서 주목할 것은 소년운동이 "지역운동으로 출발했다는 점, 운동의 성격을 철저히 실력양성론에 맞추었다는 점, 운동의 대상 연령을 뚜렷이 범주화했다는 점, 분명한 목표의식을 내세웠다는 점"[3]이다. 소년운동은 지역에서 먼저 일어난 지역운동이었지만 적극적으로 조

1_ 소영현, 『문학청년의 탄생』, 푸른역사, 2008. 67쪽.
2_ 김태오, 「정묘 일년간 조선소년운동」, 〈조선일보〉, 1928. 1. 12.
3_ 최명표, 「국권침탈기 전북 지역의 소년운동」, 『한국근대소년운동사』, 선인, 2011. 290쪽.

직화해 나감으로써 조선소년운동이 되었다. 당시 광주전남 지역에는 목포소년회, 목포소녀회, 광주기독소년부, 광주화성단, 영암소년단, 영암구립소년단이 있었다.[4]

광주의 소년운동은 김태오가 광주기독소년부를 중심으로 "1919年 여름 양파정에서 동지 십여 인이 회집하여 고고의 성을 발하여 소년단을 조직하고 씩씩한 동지를 규합"하여 출발하게 되었다. 그에 따라 "조선소년운동의 최초 발상지를 진주라고 하지만, 그 실은 광주"[5]로, 광주의 소년운동은 일제치하에서 전개되었던 조선소년운동의 출발점이 되었다. 양파정[6]에서 시작된 소년운동은 광주라는 "지역에 기반을 두고 일어난 구체적 실천운동"[7]이었다. 16세에 불과한 소년 김태오가 주체적이고 자발적으로 지역사회 변혁에 앞장선 것이다.

광주에 이어서 진주와 안변 등지에서도 소년단이 조직되어 소년운동이 일어났다. 그러자 천도교에서도 1921년 5월에 천도교소년회를 출범시켰다. 천도교에서 천도교소년회를 출범시킨 것은 소년운동이 민족운동으로 파괴력을 가질 수 있다는 생각에서 비롯된 교단의 결단이었다. 하지만 얼마 가지 않아 천도교가 종단 유지를 위하여 일제와 협력하게 되면서 천도교소년회는 동력을 상실하고 말았다. 그러나 소년운동은 일제치하 억압받던 민족의 운명을 짊어질 주체가 된 소년들이 중심이 되

4_ 경종경고비 제8566호, 「조선소년연합회 발기 대회에 관한 건」, 국사편찬위원회, 1927. 8. 3.
5_ 김태오, 「소년운동의 당면과제」, 〈조선일보〉, 1928. 2. 12.
6_ 독립기념관 한국독립운동사연구소가 펴낸 『광주전남 독립운동사적지1·2』(국가보훈처·독립기념관, 2010)에는 '양파정'이 사적지로 올라와 있지 않다. '양파정'은 '흥학관'과 더불어 민족운동을 전개하기 위한 모임들이 잦았던 장소였으며 또한 소년운동의 구체적인 장소라는 점에서 반드시 사적지로 지정되어야 한다.
7_ 최명표, 「'조선적' 소년운동의 논리와 실천」, 『한국근대 소년문예운동사』, 경진, 2012. 195쪽.

양파정 흥학관과 더불어 민족운동을 전개하기 위한 모임들이 잦은 장소였다.

어 " '소년에 의한 운동'과 '소년을 위한 운동' "을 전개, "소년운동 자체가 독립운동과 직결"[8]되었고, 광주의 소년운동은 일제하 민족운동에 있어서 역사적으로 큰 의의가 있다.

김태오를 중심으로 한 소년운동은 문화예술 분야에서도 드러난다. 그는 광주소년군으로 광주 최초의 취주악대인 5인조 악단을 조직하여 최순오, 이태직, 김태봉, 이수경과 함께 코넷, 클라리넷, 바리톤, 드럼 등을 연

8_ 장석홍, 「근대 소년운동의 독립운동사적 위상」, 『한국독립운동사연구』 45집, 2013. 254쪽.

주하면서 소년들에게
악기 연주를 지도하였
다. 이 활동은 1921년
부터 1929년까지 8년
동안이나 지속되었다.
또 최윤상과 함께 수
피아여학교 학생들과
가극 「초영생」, 「열세

양파정 현판

집」을 무대에서 공연하기도 하였다. 그뿐만 아니라 1922년에 광주의 첫
관현악단을 조직하여 최윤상과 흥학관에서 '황해도 수재민 돕기 구호금
품 모집을 위한 가극, 음악, 무용의 향연'을 기획하고 개최하기도 하였
다.[9] 그는 광주의 소년들에게 문화예술을 경험하고 향유할 수 있는 토대
를 제공하면서 이를 구체적인 실천으로 이어나갔다.

그의 문화예술 분야의 활동은 1925년 5월 1일 광주어린이회에서 주
최하여 양림기념각에서 열린 '어린이날 기념식'으로까지 이어진다.
500여 명의 청중이 모인 자리에서 토론회 사회를 보면서 어린이들을
독려하기도 하였다. 1927년 9월 17일 광주기독교청년회관에서 열린 광
주의용소년회 창립총회에서 강순명[10]과 함께 지도위원으로 위촉되어
활동하면서, 1928년 1월 17일 광주사립보통학교에서 광주소년동맹 대

9_ 광주YMCA역사편찬위원회, 『광주 YMCA 90년사』, 광주YMCA, 120~121쪽 참조.
10_ 강순명은 1926년 12월 광주기독교청년회 농촌부에서 농촌야학 업무에 관여했으며(〈중외
　　일보〉, 1926. 12. 28.), 1927년 광주 흥학관에서 열린 광주청년동맹 창립대회에서 위원으
　　로 피선되었다.(〈중외일보〉, 1927. 11. 29.) 1928년 3월 22일부터 23일까지 광주 양림교
　　회에서 조선기독교청년회 전남연맹 창립대회에서 위원으로 선출되었다.(〈중외일보〉,
　　1928. 3. 28.)

강연회를 개최하였고 「소년운동의 지도정신」을 강연하였다.[11] 광주 소
년운동은 이렇게 소년들이 지역사회 운동의 주체가 되어 어린이들의 계
몽과 문화예술공연 등 소년들이 할 수 있는 최대한의 활동을 펼쳤다.

이렇게 소년운동을 전개하다 보니 광주 지역사회에서 해결해야 할 문
제를 일찍 인식하게 되어 다음과 같은 글을 발표하였다.

> 금반 전선을 통하야 광고 미증유의 대수난은 실로 처절 참절하였도다.
> 당시 전사회 급 각 개인이 총출동원하야 그 구호와 부조와 진력한 것은
> 실로 흔하 찬탄하는 바이다.
>
> 그러나 그 응급책은 그들을 영구히 근본적으로 구제할 수는 없었다.
> 그럼으로 그들을 기갈과 병에서 어떻게 구호할기 하는 것이 목하의 급무
> 이다. 그러면 이 구호의 책임과 능력을 가진 자가 그 누구일가? 나는 무
> 엇보다도 기사실에 있어서 유산자, 즉 실력 있는 자의 분기를 고대하지
> 마지 않는 바이다.
>
> 우리 광주에서도 그들을 만일이라도 구제하겠다는 정신 하에서 이미
> 수재 구제회를 조직하고 음악회까지 개최한 일이 있었는데, 참으로 가슴
> 속에서 우러나온 열정으로 동정하는 자는 오직 무산자일 분이오, 소위
> 유산자 양반들의 동정이라고는 눈을 씻고 보아도 얻어 볼 수가 없었다.
>
> 광주 부자 제군이여!
>
> 제군도 이목이 잇는 이상, 이재민의 참상을 이문목도하였을 것이 아닌
> 가! 인면수심이 아닌 이상, 엇지 피안의 화보만 보고 있을 수가 잇나!

11_ 이 강연회에는 강석천은 「소년운동의 지위」, 강석원은 「소년운동과 임무」, 그리고 강해석,
현덕신, 홍마리아 등의 강연이 예정되어 있었다.(〈중외일보〉, 1928. 1. 15.)

제군의 부는 길게 말할 것 없이 무산자의 피땀으로 된 결정체이다. 인지는 발달되고 시대는 변하야 우금까지 유유순종하든 무산대중은 인제는 제군에게 향하야 전선을 정돈하는 중이다. 엇지 제군에게만 한하야 영원히 그 안일을 허할소냐!

제군아!

호상부조는 인류의 본성이니, 차 기회에 반성 참회하야 저들 이재 동포 구제에 그 성의를 다할지어다.

－「光州 有産者에게」[12]

조선의 현안이었던 '수재민'을 구제하기 위한 방편으로 구제회를 조직하고 음악회까지 여는 열성을 기울였지만 상호부조에 무심했던 광주 지역의 유지들에게 구제에 동참할 것을 촉구한 글이다. "미증유의 대수난"에 "우리 광주에서도 그들을 만일이라도 구제하겠다는 정신하에서 이미 수재 구제회를 조직하고 음악회까지 개최"하였음에도 불구하고 "가슴속에서 우러나온 열정으로 동정하는 자"들은 "오직 무산자"뿐 이라며 광주의 유산자들도 "반성 참회하야 저들 이재 동포 구제"에 동참할 것을 호소하고 있다. 최명구와 정낙교 등이 광주 지역사회에 기부를 하였지만 특히 수재민 구제를 위한 직접적인 동참을 촉구함으로써 광주 지역사회에 변혁을 요구하였다. 소년은 조국의 광복을 위한 새로운 기표이자 민족의 운명을 이끌어 갈 주체였고 실질적으로 민족운동을 전개할 수 있는 행동하는 주체였다. 그래서 그는 "소년운동의 임무가 제이

12_〈동아일보〉, 1925. 8. 25.

김태오가 발표한 「소년운동의 지도정신」(《중외일보》, 1928. 1. 13.)

국민으로의 교양에 있고, 현실을 떠나서 살 수 없는 민족적 생활이 불가
능"[13]한 "현실을 경시하는 소년운동은 민족적 일부문으로의 소년운동
의 임무를 수행하지 못할 것"[14]이라고 우려하였다.

　광주의 소년운동은 전국적인 조직을 갖게 됨에 따라 김태오는 소년회
의 중심인물로 부상하게 되었다. 그러나 조선소년운동은 식민지라는 시
대적 현실을 직시하면서도 '오월회'와 '소년운동자협회'로 나누어져
있었다. 이때 그는 '오월회'와 '소년운동자협회'가 하나의 조직으로 통
일되어야만 단결된 힘으로 식민지 현실을 타파할 수 있다고 판단, "조
선의 어린 영들을 위하야 아동 옹호 기관인 소년운동의 고조를 의미한
소년회 가파이 지금에 이백여 단체"[15]의 통일을 위하여 방정환, 정홍교

13_ 김태오, 「소년운동의 지도정신」, 〈중외일보〉, 1928. 1. 14.
14_ 김태오, 「소년운동의 지도정신」, 〈중외일보〉, 1928. 1. 13.

등과 함께 앞장섰다. 그 결과 '오월회'와 '소년운동자협회'는 '전조선
소년연합회'로 통일되었다. 그 주장의 일부이다.

> 一. 朝鮮 少年運動은 統一的 조직의 충실과 발달의 敏活의 圖함
> 二. 朝鮮 少年運動에 관한 硏究와 實現을 도함
>
> 이란 이대 標語下에 全朝鮮少年聯合會 發起 準備회를 새로히 조직하
> 고, 각 地方에 잇는 단체에서도 이에 대한 공명이 즘짓부터 큰 바 잇서,
> 이제 六十 個體 團體와 四個 聯盟 團體의 승인을 得하고 래 삼일을 기하
> 야 발기대회를 소집케 됨을 무엇보다도 조선 어린이의 다시 업는 길잡이
> 가 되고 장래 조선의 행복이 이에 잇슬 줄 확신한다.
>
> 그러나 의사별론으로 파열적 감정을 창도하는 기개 단체가 잇슬는지
> 모른다. 그러나 재래의 인순과 습관으로 상전의 화를 짓는 인색의 적이
> 되지 말어야 한다. 자 노노히 말할 것 업시 조선 각지에 산재한 소년 세
> 포 단체를 총합하야 중앙집권적 최대 기관을 조성하는 것이 급무이며,
> 가장 적절한 방법이오 무기이다.
>
> 자! 우리의 처지와 환경이 가튼 백의 대중아. 일치적으로 공명하여 한
> 데 뭉치자! 그러면 우리의 운동과 사명을 다함에는 기 무기는 무엇인가.
> 일. 통일, 이. 조직, 삼. 개체, 이것을 우리는 유일한 무기로 활동하며 나
> 아가자는 것이다.[16]

이 글에서 확인되는 것처럼 김태오는 "조선 각지에 산재한 소년 세포

15_ 〈동아일보〉, 1927. 7. 29.
16_ 김태오, 「전조선소년연합회 발기대회를 압두고 一言함」, 〈동아일보〉, 1927. 7. 29.

제2장 광주의 민족운동과 광주문학 41

단체를 총합하야 중앙집권적 최대 기관을 조성하는 것이 급무이며, 가장 적절한 방법이요, 무기"로 판단하였다. 그리고 "육십 개체 단체와 사개 연맹 단체"가 단일 조직체가 되어야 한다고 주장하였다. 또 "백의 대중아, 일치적으로 공명하여 한데 뭉치자!"라고 호소하였다. 그것은 망국민의 처지를 타파할 수 있는 유일한 '무기'를 소년운동이라고 본 결과이다. 소년운동만이 "조선 어린이의 다시 업는 길잡이가 되고 장래 조선의 행복이 이에 있을 줄 확신"하였던 것이다.

당시 광주에서는 "청년운동의 파쟁을 청산"하고 "광주청년운동을 통일시키"[17]기 위해 광주청년연맹을 해체하고 광주청년동맹을 창립하였

17_ 〈동아일보〉, 1927. 11. 9.(창립준비위원은 오홍근, 이덕기, 강영석, 장석천, 김재명, 강해석, 오영, 서재익, 정윤모, 국채진, 김창열이었다.)

다.[18] 광주청년동맹은 흥학관에서 창립대회를 개최하였는데 광주청년 동맹 창립대회 당시 김태오가 위원으로 선출[19]되었다. 그에 따라 전국 의 소년회들과 연대해 나갔다.

김태오가 〈동아일보〉와 〈중외일보〉의 후원으로 서북지방을 1927년 8 월 10일부터 1개월 동안 순회강연을 한 것은 그의 활동영역과 소년운동 가로서의 위치를 말해준다. 「서북 지방 동화 순방기」[20]에는 신의주, 의 주, 안동현, 선천, 정주, 안주, 평양을 거치는 여정과 소년운동을 비롯한 각 민족운동 단체들의 활동상이 자세하게 기록되어 있다. 이를테면 신 의주에는 사회단체가 미약하다고 지적하면서 "신의주 사회여! 좀 더 민 중을 위하여 노력"해 줄 것을 당부하는가 하면, 의주는 "소년운동도 북 선에는 가장" 잘 하는 지역으로 기록하였다. 평양에서는 조만식 선생에 게서 많은 것을 느꼈다는 감회를 기록하기도 하였다. 그의 서북지방 순 회는 '동화구연'이 목적이었지만 각 지역의 소년운동상을 확인함으로 써 소년운동의 전국적인 조직의 실체를 확인하기 위한 목적도 있었다.

그 후 김태오는 '광주 피의자 사건'의 2차 검속에 걸려 강석원, 김만 년[21], 김판암[22], 김재천[23], 박광신 등과 함께 구금되었다가 방면되었다.

18_ 광주청년동맹 임원으로 위원장 김재명, 위원 조칠성, 김기열, 김창석, 박학규, 강순명, 오 홍근, 노석규, 이동환, 김용, 김태오, 강영석, 장석천, 강해석, 이형기, 지창수, 김명규, 검 사위원 김홍석, 최한영, 강석봉 등이다.(〈중외일보〉, 1927. 11. 29.)

19_ 〈중외일보〉, 1927. 11. 29.(창립일은 1927년 11월 26일이다.)

20_ 김태오, 「서북 지방 동화 순방기」, 『아이생활』, 1927. 2.

21_ 김만년은 방면 후 동맹원 김판암, 광주고등보통학교 5학년생 김재천 등과 다시 구금되었 다.(〈중외일보〉, 1928. 4. 25.)

22_ 김판암은 1928년 3월 광주 누문리 유치원의 상무로 취임(〈중외일보〉, 1928. 3. 22.), 5월 11일 구례청년동맹 집행위원회에서 후보로 선출되었으며(〈중외일보〉, 1928. 5. 15.), 7월 2일 구례청년회관에서 열린 구례청년동맹임시회의에서 집행위원회에서 집행위원으로 선 출되었다.(〈중외일보〉, 1928. 7. 30.)

그러나 전남소년연맹을 조직하려는 집회를 일경이 불허하자 무등산 중심사에서 비밀회합을 갖던 중 40여 명과 함께 다시 검거되었다. 그때 대부분 석방되었으나 김태오를 비롯하여 이현[24], 유혁[25], 조병철[26], 강자수[27], 고장환, 정홍교 등은 보안법 위반으로 재판에 회부되어 금고 4

23_ 김재천은 김판암과 함께 1928년 3월 광주 누문리 유치원의 상무로 취임하였고(《중외일보》, 1928. 3. 22.), 1932년 1월 20일 열린 광주협동조합 창립총회에서 평의원으로 선출되었다. (《중외일보》, 1928. 7. 30.) 그는 광주기독교소년회 소속이었고 조선소년연합회 발기인으로 참여하였다. 이로 미루어 김태오와 함께 소년운동을 시작한 것으로 추정된다.

24_ 이현(李鉉, 1907~?, 이재배, 이대희)은 전남 함평 출신으로, 1931년 2월 광주에서 조선공산당 재건설준비위원회에 가입했다. 고려공산청년회 전남재건준비위원회를 결성했다. 5월경 용산경찰서에 검거되어 6월 불기소처분을 받고 석방되었다.(강만길·성대경 편, 『사회주의운동인명사전』, 창작과비평사, 1996. 388쪽.)

25_ 유혁(柳赫, 1892~1966. 3. 16.)은 전남 영암군 신북면 모산리 출신으로 1909년부터 1913년까지 일본에 체류했다. 1925년 2월 광주에서 전남해방운동자동맹에 참여하고 집행위원이 되었다. 4월 전조선노농대회에 영암대표로 참가했다. 1926년 영암 신북청년회 간부를 지냈다. 광주형평청년회를 결성하고 집행위원이 되었다. 1927년 6월 신간회 목포지회 설립에 참여했고, 7월 목포지회 주최 연설회에서 「사회운동과 신간회의 사명」이라는 제목의 강연을 했다. 이 무렵 조선공산당에 입당해 목포야체이카에 배속되었다. 12월 신간회 목포지회 제1차 정기대회에서 상무간사로 선출되었다. 1928년 7월 전남청년연맹 집행위원이 되었다. 8월 전남소년연맹 창립총회에 참가했다가 집회 금지 명령을 위반했다는 이유로 체포 구금되어 4월을 선고받고 12월 만기 출소하였다. 그 직후 조선공산당 검거 사건에 연루되어 다시 수감되었으며, 1932년 4월 영암공산주의자협의회 결성에 참여하고 외부 조직 연락부를 맡았다. 6월 이 협의회가 주도한 메이 데이를 기념한 시위운동에 참여했다가 검거되어 1933년 징역 5년을 선고받고 복역했다(강만길·성대경 편, 『사회주의운동인명사전』, 창작과비평사, 1996. 302~303쪽). 유혁의 아들로는 국회의원을 지낸 유인학이 있고, 광주정무시장을 지낸 유수택이 그의 장손이다.

26_ 조병철(1901~?, 조영선)은 전남 화순 출신으로 1926년 사상단체 육성회, 화순농민조합에 참여했다. 1927년 전남청년연맹 중앙집행위원, 능주농민단체연합위원회 간부, 광주청년동맹원으로 활동했다. 5월 고려공산청년회에 가입하여 화순야체이카에 배속되었다. 1928년 8월 전남소년연맹 창립대회 사건으로 검거되어 9월 광주지법에서 금고 4월을 선고받았다. 1929년 1월 만기 출옥했으나, 조선공산당 활동으로 다시 종로경찰서에 검거되어 7월 경성지법에서 징역1년을 선고받았다. 출옥 후 광주에서 활동하던 중 검거되었다.(강만길·성대경 편, 『사회주의운동인명사전』, 창작과비평사, 1996. 455쪽)

27_ 강자수는 전남 완도군 금당도의 '금당학교 동맹휴교 사건'에 직업이 현 교원으로 표기되어 있다.(《중외일보》, 1928. 10. 12.)

월형을 선고받았다.[28] 김태오는 이들과 함께 조선소년운동가의 첫 번째 희생자로 기록되었다.[29]

광주 소년척후대의 활동도 같은 맥락에서 전개한 운동이었다. 광주에 소년척후대가 조직된 것은 1931년 10월인데 김후옥이 용진소년단을 중심으로 척후대를 조직하였다. 당시 11세에서 15세까지의 소년들로 구성된 광주의 소년척후대는 "독립운동가들과 내통한 것이라 해서 시종 감시와 미행을 그치지 않았"고 "소년운동에까지 일경의 간섭과 압박"[30]이 가해졌다. 김태오는 「아기는 자라는 대한의 꽃」이라는 동요로 소년운동의 이념을 상징적으로 보여주면서 소년척후대와 소년들에게 슬기와 용기를 불어넣는 데 힘썼다.[31] 광주 지역사회의 유지였던 최흥종, 최원순, 남궁혁, 최영균은 광주 소년척후대에 후원을 아끼지 않았다.

이렇게 김태오로부터 시작된 광주의 소년운동은 전국에서 최초로 일어난 소년운동이었고, 주체적인 실천운동이었다. 그럼에도 불구하고 소년운동사에는 소년운동의 발상지가 진주라고 기록되어 있다. 광주학생독립운동이 전국으로 확산될 수 있었던 것은 이미 소년운동을 비롯한 지역의 민족운동이 성숙되어 있었기 때문이다.

광주 청년운동과 신간회

1925년 현재 광주에는 19개 단체가 활동하고 있었다. 그 단체는 십팔

28_ 〈동아일보〉, 1928. 8. 26.
29_ 〈동아일보〉, 1929. 1. 4.
30_ 광주YMCA역사편찬위원회, 앞의 책, 130쪽.
31_ 광주YMCA역사편찬위원회, 앞의 책, 128쪽.

회, 광주청년회, 광주근로공제회, 광산회, 광주소작인회연합회, 광주임금노동조합, 자동차운전사조합 토목공조합, 광주소작인회, 광주소년군, 광주기독교청년회, 북문외일려청년회, 남문외일려청년회, 여자기독청년회, 양림일려청년회, 광주정구단, 화성단, 육영단이었다.[32] 이 단체들은 상호협력하고 연대하면서 지역사회운동과 민족운동에 심혈을 기울였다.

신간회는 시대적 요청에 부응해서 민족주의 독립운동세력과 사회주의 독립운동세력이 의기투합하여 창립된 민족운동단체다. 신간회는 '완전독립'·'절대독립'의 민족운동노선을 확고히 하고 '비타협적 민족협동전선' 형성을 목적으로 홍명희·안재홍·신석우 등이 천도교의 권동진·박래홍, 기독교의 박동완, 불교의 한용운, 유교의 최익환, 북경의 신채호가 의기투합함으로써 발기되었다.[33] 신간회 창립을 준비할 당시의 명칭은 '신한회新韓會'였으나 일제총독부에 거절당하자 홍명희의 제안으로 '신간회新幹會'로 고쳤는데 '한韓'과 '간幹'이 같은 의미로 쓰였다.[34] 신간회는 완전한 독립 국가를 추구하였다. 1927년 1월 19일에 열린 신간회 발기인대회 발기인에는 최원순이[35]있었다. 이때 신간회는 "모든 우경적 사상을 배척하고 민족주의 중 좌익전선을 형성하려는 것"[36]에 목표를 두었다.

32_ 〈시대일보〉, 1925. 6. 30.
33_ 신용하, 『신간회의 민족운동』, 한국독립운동사편찬위원회, 2007.
34_ 〈조선일보〉, 1927. 1. 20.
35_ 전남 광주군 광주면 수기옥정이 본적으로, 당시 주소는 경성부 종로 육정목 칠이번지였으며 직업은 동아일보 정치부장이었다. 그의 나이 22세였고 직책은 간사였다.(국사편찬위원회 한국사데이타베이스 신간회 임원명단 참조)
36_ 〈동아일보〉, 1927. 1. 20.

일제가 합법적으로 승인한 신간회는 전국의 민족운동을 주도하게 되면서 민족해방운동을 위해 각지에 지부를 설립하였다. 광주에도 1927년 10월 29일 지회가 설립되었다. 설립에 앞서 신간회 광주지회 설립준비위원회가 결성되었다. 신간회 광주지회 설립준비위원회의 최흥종은 광주사립보통학교에서 취지를 설명하였다. 임시의장에 최흥종, 서기에는 김재명[37]이 선출되었다. 신간회 광주지회의 창립대회는 흥학관에서 개최[38]되었다. 흥학관에서 열린 신간회 광주지회 창립대회에는 서울본회에서 박동완이 참석하였고 회장에는 최흥종, 서기 김재명, 김용기 등이 피선됨으로써 진용을 구축하였다. 그리고 각 지회 분포상황을 보고하고 강석봉 등을 집행위원으로 선출하여 각지에서 도착한 축문과 축전을 낭독하려다가 임석경찰관으로부터 전남청년연맹, 광주청년회, 담양청년회에서 보낸 세 통의 축문을 압수당하였다. 또한 목포, 나주, 장성, 구례, 김제 등에서 참석한 수십 명의 축사도 금지되어 예산안 편성은 신간회에 일임하고 만세 삼창으로 신간회 광주지회 창립대회를 끝냈다.

37_ 김재명(金在明, 1901~1930. 1. 12. 김헌식, 김여수)은 전남 광주 출신으로 1923년 1월 경성 북성회 계열의 사상단체 건설사 창립을 시작으로 1924년 7월 해방운동사 결사에 참여하여 전남 지역 책임을 맡았다. 1925년 5월 광주청년회 임원, 1926년 1월 광주청년회 체육부 위원으로 재직 중 강석원 등과 화요회 계열의 광주노동공제회를 습격했다. 이로 인해 그해 3월 벌금형에 처해졌다. 그 무렵 광주해방운동자동맹 정기총회에서 집행위원으로 선출되었다. 1926년 고려공산당청년동맹 중앙위원, 11월 광주청년동맹 중앙집행위원, 12월 신간회 광주지회 대표회원으로 선출되었다. 1927년 봄부터 조선공산당 전남도당 위원으로서 당 선전부 업무를 담당하고, 고려공청 전남도책이 되었다. 4월 전남청년연맹을 해체하고 광주청년동맹을 결성하여 중앙집행위원장에 취임했다. 1928년 2월 조선공산당 제3차 대회 전남대표로 참석하여 중앙집행위원에 선출되었고, 3월 고려공산청년회 책임비서가 되었다. 7월 경기도 경찰부에 검거되었으나 1929년 12월 폐결핵이 악화되어 병보석으로 출옥했다. 1930년 1월 12일 서울 불교 자혜병원에서 사망했다.(강만길·성대경, 『한국사회주의운동 인명사전』, 창작과비평사, 1996. 184~185쪽)
38_ 〈동아일보〉, 1927. 10. 17.

최흥종 목사 25세 때 기독교에 입교, 북문밖교회 목사, 시베리아 선교사, 나병 근절협회장, 결핵환자 수용소를 창설하는 등 기독교 사회사업에 헌신했다.

창립 당시 임원은 다음과 같았다.

회장	최흥종(崔興琮)
부회장	정수태(丁洙泰)
간사	최종섭(崔鐘涉), 한용수(韓龍洙), 전용기(全龍基)
	김태오(金泰午), 최장전(崔張塡), 김흥선(金興善)
	김 철(金 哲), 최한영(崔漢泳), 최당식(崔當植)
	범윤두(范潤斗), 국채진(鞠采鎭), 문태곤(文泰坤)
	김응규(金應奎), 전 수(全 濤), 정해업(鄭海業)[39]

39_ 〈동아일보〉, 1927. 11. 1.

신간회 광주지회 창립 당시에 김태오는 간사로 피선되었다.[40] 신간회 광주지회는 설립을 마친 다음 최흥종의 사회로 총무간사와 각 부서를 배정, 김태오는 출판정치문화부 간사[41]로 배치되었다. 신간회 광주지회는 '재만동포옹호동맹'[42]을 결성하고 지원한 방법을 모색하는 한편으로 광주의 유지들과 동정금을 모집하는 등의 활동을 펼쳤다. 1927년 12월 16일 제2회 정기대회는 광주경찰서에서 정사복 경찰관 10여 명이 출동하여 방청을 불허하고 회원의 입장을 불허하였다. 그럼에도 불구하고 정기대회를 강행하였고 결의안을 채택하였다. 이 결의안은 신간회 광주지회의 활동상을 잘 보여준다.

決議案

본 支會 대회는 本會의 綱領에 기인한 左記 問題의 具體的 行動綱領을

制定하야 本 郡大會에 堤出한 事

一, 政治에 關한 問題

一, 經濟에 關한 問題

一, 社會에 關한 問題

一, 本會組織體 及 規則에 關한 草案

40_ 신간회 광주지회 설립과 관련한 기록은 오류가 많다. 즉 김태오(金泰午)를 김봉오(金奉午)로, 김응규(金應奎)를 김경규(金慶奎)로, 정해업(鄭海業)을 정해영(鄭海榮)으로 기록하고 있는가 하면, 범윤두(范潤斗), 국채진(鞠采鎭), 전수(全濤)는 임원명단에서 제외하고 있다. (신용하, 『신간회의 민족운동』, 국사편찬위원회, 2007. 104~105쪽.)

41_ 〈동아일보〉, 1927. 11. 3.

42_ 재만동포옹호동맹 위원은 정수태, 최흥기, 전홍, 서광설, 인두환, 심덕선, 최상식, 김상순, 김용철, 현준호, 최한영, 김양실, 강태성, 차문걸, 문태곤, 김용환, 김태오, 조우선, 최종섭, 서우석, 전문기, 최선식, 장석천, 김재명, 지창선, 손종채, 최영균 등이다.(〈중외일보〉, 1927. 12. 24.)

一, 본회 財政權 確保의 件

一, 在滿同胞擁護同盟에 關한 件(禁止=解散)[43]

신간회 광주지회에서는 채택한 결의안대로 관북지방의 수해를 접하
고「피해 동포의 구제를 권함」이라는 글을 배포하고 의연금을 수합하려
고 하였다.[44] 그러나 일경에 금지를 당하였다. 또한 화재와 수해가 겹친
농촌의 환경을 조사하기 위해 부대를 편하고 담당구역을 배하여 조사에
착수하기도 하였다.[45] 신간회 광주지회의 활동은 단순히 광주지회 활동
에 국한한 것은 아니었다.

신간회 광주지회는 "조선의 모든 운동—소년, 청년, 노동, 농민, 형평,
여성, 각 운동을 신간회로 총역량을 집중하여야 할 것"[46]이라고 설파하
면서 민족운동에 힘을 모으기 위해 애썼다. 신간회 광주지회 회장이었
던 최흥종이 사임하자 그 자리는 정수태[47]가 이어받게 되었다.[48] 당시
김태오는 신간회 활동뿐만 아니라 최흥종, 현준오, 최선진이 설립한 서
북여자야학원의 원장으로 재직하면서 교육에 힘쓰기도 하였다.[49] 신간
회 광주지회는 광주학생독립운동이 일어나자 광주학생독립운동을 적

43_ 〈동아일보〉, 1927. 12. 19.
44_ 〈동아일보〉, 1928. 9. 16.
45_ 〈동아일보〉, 1928. 9. 15.
46_ 김태오,「소년운동의 당면과제」,〈조선일보〉, 1928. 2. 11.
47_ 정수태(丁洙泰, 1890~1949)는 곡성 출신으로 신간회 광주지회장을 역임하였을 뿐만 아니
라 곡성유치원을 설립하였다. 재정의 어려움으로 위기에 있던 광주 누문리유치원을 인수
하기도 하는 등 민족교육에 심혈을 기울였다. 후에 곡성면장으로 재직하였다. 정래혁 전
국방부장관의 부친이기도 하다.(〈시대일보〉, 1924. 6. 12,〈중외일보〉, 1928. 3. 22. 참조)
48_ 〈동아일보〉, 1929. 1. 1.
49_ 〈동아일보〉, 1929. 1. 7.(소설가 박화성과는 오래도록 인연을 유지하였다. 김태오의 회갑
연에 참석하여 축하의 글을 남기고 있다)

극적으로 지원하면서 일제 탄압의 부당성에 항의하는가 하면 광주학생독립운동이 전국적인 학생운동으로 전개될 수 있도록 하였다. 광주학생독립운동은 광주농업학교생 6명이 조직한 비밀결사체인 성진회가 "일본제국주의를 타도하는 것"[50]을 강령으로 채택하고 있었다. 그리고 조선공단상 재건 조직의 야체이카였던 강석봉[51]과 조선공산당 중앙 간부이자 고려공산청년회 책임비서였던 김재명도 광주학생독립운동에 적극적으로 활동하였다.

광주기독교 청년운동

한편 미국 남장로회는 1897년 3월 목포에 배유지 선교사를 파견하여 목표 선교부를 설치함과 동시에 목포교회를 설립하였다. 그리고 광주에는 1904년 4월부터 광주선교부 설립준비에 들어갔다. 광주의 선교부는

50_ 한정일, 『일제하 광주학생민족운동사』, 전예원, 1981. 141쪽.

51_ 강석봉(姜錫奉, 1898~1966)은 광주에서 태어나 광주제일보통학교를 졸업하고 광주공립농업학교를 다니다가 중퇴했다 광주에서 3·1운동에 참가했다. 대구복심법원에서 징역 1년을 선고받고 1921년 만기출옥했다. 1923년 광주청년회, 광주 비아면소작인회에 참여했고, 1924년 목포무산청년회에 참여했다. 1925년 전남청년대회 준비위원, 사상단체 전남해방운동자동맹 집행위원, 조선청년동맹 중앙집행위원, 전조선노농대회 준비위원이 되었다. 1926년 전남청년연맹 교양부 위원이 되었으며, 광주협회, 신우회에 가입했다. 12월 조선공산당 제2차대회에 참석했다. 1927년 2월 조공 전남도책으로 선정되었다. 그해 광주청년동맹, 신간회 광주지회에서 활동했다. 1928년 3월 조공중앙검사위원 후보로 선임되었다. 그해 제4차 조공검거사건 당시 검거를 모면하기 위해 잠시 일본으로 피신했다. 1934년 귀국하여 목포에서 여객선 운항업, 해산물 수출업에 종사했다. 1945년 9월 건국준비위원회 전남지부 부위원장, 전남도인민위원회 부위원장으로 선임되었다. 이 무렵 조공 전남도당 결성에 주도적으로 참여했고, 이후 미군정 포고령 위반으로 2년간 투옥되었다. 1950년 7월 조선인민군 점령하에 광주시인민위원회 위원장으로 선출되었으나 곧 반동분자로 몰려 투옥되었다. 1961년 2월 민족자주통일중앙협의회 결성대회에 참석했다. 그해 5·16군사쿠데타 발발 후 박정희정권에 의해 체포되어 징역 2년을 선고받았다. 출옥 후 사망했다.(강만길·성대경, 『한국사회주의운동 인명사전』, 창작과비평사, 1996. 12~13쪽.)

1 광주기독교청년회관(1932) 2 광주기독교청년창립회원(뒷줄 오른쪽이 김태오, 1928) 광주기독교청년회는 조선기독청년회의 한 지체로 조직되었고 숭일학교 학생Y가 선도적인 역할을 했다.

광주군 효천면 양림리에 두었다. 1904년 12월 20일 배유지 선교사와 오웬 선교사의 가족이 광주로 이사하였고 배유지 선교사 집에서 첫 예배를 봄으로써 광주기독교의 역사가 시작되었다.[52] 배유지 선교사는 광주 최초의 근대 사학인 숭일학교를 설립하여 1909년 4월 10일 2년제 소학교 제1회 졸업생을 배출하였다.[53] 광주숭일학교는 "보통과 4년, 고

등과 2년제의 학제였지만 6년간 숭일학교에서 배웠던 교육내용은 일반 공립학교에서는 찾아볼 수 없는 민족교육이어서 학생들은 누구보다도 애국심이 강하였다. 1923년부터 학제가 개편되어 일반 보통학교와 같이 보통과 4년제를 초등과 6년제로 하고, 새로이 중등과정인 고등과 4년제를 신설"[54]하였다. 김태오는 이 숭일학교를 졸업하였다.[55] 김태오의 소년운동이 기독교와도 관련이 깊은 것은 숭일학교의 민족교육과 교회에서 유아교육을 담당한 것들이 복합적으로 작용한 결과이다.

김태오는 금정교회의 신자로 초대 광주기독교사에서 그의 이력이 확인될 만큼이나 독실하였다. 광주 북문안교회는 1919년 북문 안에서 금정으로 예배당을 옮긴 후 "금정교회는 1930년 9월 4일 북문밖 교회가 분립되었고, 1924년 9월 30일 광주양림교회로 분립"[56]하였다. 양림교회의 예배당 건축비에 "김창국은 칠십 원, 최흥종은 육십 원"을, 김태오는 "이십오 원"[57]을 출연할 만큼 광주 초대 기독교의 형성과 발전에 기여하였다. 그는 금정교회의 서리집사뿐만 아니라 주일학교 유년부 부장으로 "일요일 오후 2시부터 공과 책을 가지고 교육"[58]을 하면서 유아교육에 힘썼다. 1922년 3월 19일 금정유치원 제1회 졸업식은 양림동 오웬

52_ 광주제일교회 광주교회사연구소, 『광주제일교회100년사』, 2004, 쿰란출판사, 210~215쪽.
53_ 광주숭일고등학교 홈페이지 참조.
54_ 광주제일교회 광주교회사연구소, 위의 책, 267~268쪽.
55_ 숭일학교 학생부는 한국전쟁 때 대부분 소실되어 명부를 확인할 수는 없으나 『숭일학교 100년사』에 1917년 소풍 때 찍은 사진이 실려 있다. 사진은 장맹섭과 김철주, 김태오, 주형옥, 김금용이라는 제목이 붙어있는 것으로 보아 김태오가 숭일학교를 졸업하였다는 것을 알 수 있다.
56_ 광주제일교회 광주교회사연구소, 앞의 책, 248쪽.
57_ 〈기독신보〉, 1925. 1. 7.(광주제일교회 광주교회사연구소, 『광주제일교회100년사』, 2004, 쿰란출판사, 248쪽에서 재인용)
58_ 광주제일교회 광주교회사연구소, 『광주제일교회100년사』, 2004, 쿰란출판사, 283쪽.

광주기독청년회가 무등산 증심사에서 연 강습회 관련기사 '천당설은 버리고 빵을 먼저 구하라' 는 제목이 눈에 띈다.(〈중외일보〉, 1928. 8. 3.)

기념각에서 열렸는데 졸업 인원은 15명이었다.[59] "김태오 집사는 주일학교 유년부 부장의 직책을 맡은 경험으로 금정유치원에 공헌을 하였으며, 1924년부터 계속 집사로 수고하면서 교회 안의 중추적인 청년 지도자로서 유치원 간사 일을 맡았다. 1927년 2월 26일 유치원 재정을 보충하기 위해서 자선 음악회를 주관"[60]하였다. 그런 활동은 광주기독청년회 활동으로 이어졌다.

광주기독청년회는 조선기독교청년회의 한 지체로 조직되었는데 숭일

59_ 〈동아일보〉, 1922. 4. 2.
60_ 재직회 회록 1927. 3. 7.(광주제일교회 광주교회사연구소, 『광주제일교회100년사』, 2004, 쿰란출판사, 291~292쪽 재인용)

학교 학생Y가 선도적인 역할을 하였다.[61] 미국에서 돌아와 Y학생부 담당간사를 맡았던 이승만은 1911년 숭일학교를 찾아와 Y학생부를 결성하도록 하였다. 그렇게 해서 결성된 숭일학교 학생Y는 1914년 당시 "정회원은 24명, 준회원은 4명"[62]이었다. 김태오도 숭일학교 학생Y 소속으로 광주기독청년회 활동을 시작하였다. 숭일학교 학생Y 활동의 대부분은 "망국을 슬퍼하고 나라를 되찾기 위한 민족의식, 애국심을 불러일으키는"[63] 데 있었다.

> 광주기독교학생회는 김정련 선생이 재직 중 가장 씩씩하고 왕성하였다. 매주 토요일마다 토론회와 웅변대회가 열려 용호상박의 기백이 넘쳐흐르고 비분강개한 애국투혼은 용솟음치고 불꽃이 튀는 듯한 그의 열화같은 강평은 천지가 뒤박힐 듯했다. 경찰에 검속된 많은 학생들의 사식을 위해 그의 피끓는 현하의 웅변이 터지자 당장에 많은 금품이 쏟아져 나와 철장에서 굶주린 학생들의 배는 채워주었으나 이것이 죄가 되어 경찰에 끌려가 전신이 피투성이가 되고 그의 얼굴은 완전히 변형이 되고 말았다. 그 외에 대동단 사건등이 탄로되어 계속하여 철창의 옥고를 겪다가 출옥 직후 김태오와 필자를 불러 비밀리에 독립결사대를 조직하였다.[64]

위 글에 의하면 김정련은 김태오와 최윤상을 불러 비밀 독립결사대를

61_ 광주YMCA역사편찬위원회, 앞의 책, 90쪽.
62_ 광주YMCA역사편찬위원회, 앞의 책, 90쪽.
63_ 광주YMCA역사편찬위원회, 앞의 책, 93쪽.
64_ 최윤상, 「광주60년사」(광주YMCA역사편찬위원회, 『광주YMCA90년사』, 광주YMCA, 2010, 123쪽에서 재인용.)

조직하며 비밀리에 움직였다는 것을 알 수 있다. 김정련은 김태오, 최윤상과 함께 연극반을 조직하여 크리스마스 때 시민들과 교인들 앞에서 연극공연을 하였고 또한 나주, 금성, 반남 사거리, 고창 등의 농촌을 순회하면서 농민들의 계몽에도 힘썼던 인물로, 이 활동은 "광주 YMCA운동의 효시"[65]가 되었다. 김태오는 활극배우 역할을 잘해서 청중들의 호응이 깊었는데 이것은 농민과 어린이들을 계몽하는 데 효과적이었다. 그는 오방 최흥종 목사와 함께 광주기독교청년회의의 핵심에서 활동하면서 광주 기독교 청년회가 지역사회 안에서 뿌리를 내리는 데 중요한 역할을 담당하였다. 그가 펼친 민족운동을 인정하여 대한민국 정부는 국가공훈을 내렸다. 아래는 김태오의 공훈록이다.

광주사람이다. 1919년 3·1독립운동 다시 광주에서 학생대표로 독립선언서를 등사하여 뿌리면서 시민 수천 명과 함께 만세시위에 참가하였으며, 1922년 5월 김정련(金正連)등과 함께 한국독립단(韓國獨立團)을 조직하고 독립결사대(獨立決死隊)를 편성하여 군자금 모집과 일제 관공서 폭파 등의 활동을 벌였던 것으로 전해진다. 1927년 10월 16일 서울에서 방정환, 고장환, 등과 함께 조선소년연합회를 조직하고 중앙집행위원 겸 교양부 부원으로 선임되어, 우리 민족의 장래 기둥이 될 어린이의 보호와 계몽에 힘썼다. 그 후 신간회 광주지회 간사, 광주청년동맹 소년부 집행위원, 광주소년동맹 교양부 집행위원, 광주기독교청년회 간사로 활동하였다. 또한 1928년 8월 5일 정홍교, 고장환 등과 함께 광주소년회관에

65_ 광주YMCA역사편찬위원회, 앞의 책, 93쪽.

건 국 훈 장 (애족장)

제2945호

고 김 태 오 (金泰午)

이 이는 우리나라 자주독립과 국가발전에 이바지한 바가 크므로 대한민국 헌법의 규정에 의하여 다음 훈장을 추서함.

건 국 훈 장 (애족장)

1993년 8월 15일

대 통 령 김 영 삼

국 무 총 리 황 인 성

국가유공자 (독립유공자) 증

제15 - 4758호

고 김 태 오 (金泰午)

우리 대한민국의 오늘은 국가유공자의 공헌과 희생위에 이룩된 것이므로 이를 애국정신의 귀감으로 항구적으로 기리기 위하여 이 증서를 드립니다.

1994년 6월 1일

대 통 령 김 영 삼

총 무 처 장 관 최 창 윤

국 가 보 훈 처 장 이 춘 길

애족장 증서 정부는 김태오에게 비밀결사운동인 '대동단 사건'의 공로를 인정하여 건국공로훈장과 건국훈장 애족장을 수여하였다.

서 전라남도 소년연맹 창립대회를 개최하려 하였으나 일경의 집회 금지 조치로 실패하자 그날 밤 광주 증심사에서 수십 명의 동지들과 모임을 갖고 위 소년연맹의 조직에 관한 협의를 하던 중 피체되어, 동년 9월 29일 광주지방법원에서 소위 보안법 위반으로 금고 4월을 받고 옥고를 치렀다. 출옥 후 1936년 12월 서울에서 조선아동애호연맹이 창립될 때 준비위원에 선임되어 활동하였다. 그 외에도 「비야비야 오너라」 등의 동요를 창작하여 보급하고 우리말로 된 어린이책 『설강동요집』을 펴내는 등,

일제의 소위 황민화정책에 대항하면서 어린이들의 민족정서 함양에 힘썼다. 정부에서는 고인의 공훈을 기리어 1993년 건국훈장 애족장을 추서하였다.[66]

정부는 김태오에게 1963년 3월 1일 비밀결사운동인 '대동단 사건'의 공로를 인정하여 건국공로훈장을 수여하였고, 1993년에는 건국훈장 애족장을 수여함으로써 그가 펼친 민족운동에 확실한 의미를 부여하였다.[67] 이처럼 '일제의 소위 황민화정책에 대항하면서 어린이들의 민족정서 함양에 힘썼'던 김태오의 활약은 광주에서 전개되었던 민족운동 양상을 집약적으로 보여준다.

조선 동요운동

일제치하에선 여러 방면에서 민족운동이 전개되었다. 해외로 망명하여 온몸으로 항일에 앞장섰던 사람들이 있는가 하면, 사회주의 이론으로 무장하여 항일운동을 편 사람들이 있었고, 독립군을 조직하거나 비밀결사체를 조직하여 일본의 무력화에 진력한 사람들이 있었다. 그리고 작품으로 항일운동을 전개한 작가들이 있었고, 우리말을 지키려 몸부림친 한글학자들이 있었다. 살아 있는 모든 것들이 민족운동에 앞장섰던 그때 또 다른 형태의 민족운동으로 동요운동이 전개되었다. 소년운동과는 같으면서도 다른 동요운동이 전개된 것이다.

66_ 국가보훈처, 「국가공훈록」.
67_ 그는 대전 국립현충원에 안장되어 있다.

근대 한국문학은 문학 장르 간의 습합과 이접의 양상이 활발하게 전개되는 가운데 형성되었다. 문학 장르의 형성과 이접의 양상 속에는 식민지라는 시대적 조건이 깊이 연관되어 있다. 그 속에서 발견된 어린이는 서구와 일본에서 발견된, '순진무구한 존재·인간성의 긍정적인 원형·근대시민의 씨앗'으로서 뿐만 아니라 일제 식민지 조건에서 '민족적 계몽의 대상'[68]이 됨으로써 풍경이 아닌 주체로 부상하였다. 어린이의 발견은 동요를 탄생시켰으며 식민지적 상황 하에서 가장 발 빠르게 움직인 장르가 되었다. "한글 운동이 곧 애국운동이요, 민족운동이요, 구국 운동이요, 갱생운동이어서 온갖 박해를 받았던 것과 마찬가지로, 자라나는 제2세를 위한 어린이 운동 역시 그들 일본인 위정자에게는 식민지 동화 정책의 암이요 가시"[69]였다. 때문에 동요는 어린이뿐만 아니라 어른들에게까지 남다른 장르가 되었다.

동요 탄생의 배경에는 여러 조건이 복합적으로 작용하였다. 우리의 근대는 기형적인 것이어서 내부적으로도 혼란을 겪고 있었고 거기에 외부적인 힘이 더해져서 자주적인 근대는 한계를 가질 수 밖에 없었다. 일제의 침략과 함께 물밀듯이 들어온 근대문물은 봉건사회를 유지하고 있던 조선을 혼란에 빠트렸다. 그 혼란한 와중에 민족적 자부심을 지키기 위한 문화운동을 선도적으로 이끈 것은 천도교였다. 특히 천도교소년회가 가장 활발하게 움직였다. 천도교소년회는 천도교청년회[70] 산하에 결성된 단체로 그들이 전개한 소년운동은 장유유서를 악용하는 어른들의 부

68_ 한영란, 「1920~30년대 동요의 존재양상과 전승」, 『동남어문논집』23, 동남어문학회, 2007, 220쪽.
69_ 윤석중, 『우리나라 소년운동의 발자취』, 웅진출판, 1988, 39쪽.

도덕·몰인정을 나무라면서 유년해방은 인격존중에서 시작하고 우선 말 버릇부터 바로 잡아야 한다는 것에서 출발하였다.[71] "그 시절 소년운동 은 '절하여 바치는' 식이었으니, 뭇사람의 비웃음과 업신여김과 흘겨봄 과 배 아파함 속에서 싹"[72]텄지만 "우리나라에서 처음으로 시작된 어린 이 문화운동과 어린이 인권운동"[73]이었다. 이것은 해월 최시형이 반포 한 "내수도문內修道文 제4조에 나와 있는 '어린아이를 때리지 말라, 이는 한울임을 치는 것이니라' 하는 정신을 실천하는 행위"[74]의 일환이었다.

이후 천도교소년회는 전국적인 조직인 소년운동협회를 결성하여 "압 박에 눌이어 말 한 마디, 소리 한 번 자유로 하여 보지 못하던 어린이"를 위하여 "소년문제를 세상에 널리 선전하는 동시에 이 문제를 성심으로 연구"[75]하게 되었고 "물려받은 유산이 없는 우리나라 소년 운동이나 아 동문학은 소년 스스로 제 앞길을 개척"[76]하였다. 이와 더불어 일본에서 방정환을 중심으로 조직된 색동회는 "씩씩하고 참된 소년이 됩시다. 그

70_ 김용휘, 『우리 학문으로서의 동학』, 책세상, 2007, 147쪽.
(1921년 5월 1일 김기전, 방정환 등의 주도로 천도교 청년회 산하에 결성된 모임으로 천 도교 청년회의 활동은 3·1운동 후 의 천도교 지도부 공백으로부터 비롯되었다. 3·1운동 후 의암을 비롯한 2·1운동에 가담한 천도교 지도자들이 대거 투옥되자 청년지도층은 1919년 9월 2일 천도교 교리강연부를 결성하여 안으로는 신앙의 정독과 단결, 밖으로는 사상의 고취와 문화촉진을 추구하면서 교리강연부는 1920년 4월 25일 천도교청년회로 명칭을 고치고 확대 개편한 뒤 그 산하에 포덕부, 편집부, 지육부, 음악부, 체육부, 실업 부 등의 6개 부서를 갖추고, 월간잡지 『개벽』을 창간하면서 여성운동, 소년운동, 농민운 동, 체육운동을 전개하는 동시에 순회강연으로 대중 계몽에 앞장섰다.
71_ 金小春, 「長幼有序의 末弊-幼年男女의 解放을 提唱함」, 『開闢』2, 개벽사, 1920, 52~58 쪽. 『독립운동사』10권, 「소년편」, 1024쪽 참조.
72_ 윤석중, 『어린이와 한평생2』, 웅진출판사, 1988, 26쪽.
73_ 도종환, 『정순철 평전』, 고두미, 2011, 102쪽.
74_ 도종환, 위의 책, 103쪽.
75_ 〈동아일보〉, 1923. 4. 20.
76_ 윤석중, 위의 책, 61쪽.

리고 늘 서로 사랑하며 도와 갑시다."를 선언하며 『어린이』를 창간하였다. 어른들에게 종속된 풍경에 불과했던 '어린이'는 이렇게 일제의 식민이데올로기를 피해가면서 내부적인 결속력을 강화하는 매개적 존재가 되었다.

동요가 탄생하게 된 배경에는 강제로 이식된 일제의 교육제도의 영향이 있었다. 1905년 통감부가 관장한 한국 공립학교의 교육은 사실상 일본의 식민정책의 일환으로 진행되었다. 일제는 공립학교에 '창가'와 '음악'이라는 명칭의 학과목을 공식적으로 채택하고 학교 제도를 일본식으로 개편하였다. 그리고 일본의 음악교과인 『심상소학창가』와 『신편교육창가집』를 한국의 학부에서 편찬한 『보통교육창가집』(1910)이 나올 때까지 음악교과서로 사용했다.[77] 『보통교육창가집』도 전래동요는 「달」 1편을 제외한 나머지는 일본 창가였다. "지방 가사 사립학교에서 편술하는 불량의 창가를 무시케 한다함을 누보한 바이어니와 교육에 관한 보통적 창가를 학부에서 목하 편술"[78]하여 저항적이고 애국적인 창가가 널리 불리는 것을 방지하기 위한 조치의 일환이었다.

그럼에도 불구하고 한일병합 강제조약이 체결되자 반일 민족교육에 힘쓰기 위한 민족사립학교 수는 급격히 증가하였다. 당시 "일반학교 1,402개, 종교계 학교 823개교로 사립학교가 2,225개교"에 이르렀는데 이들 학교에서는 "우국정신을 높이는 창가, 독립을 부르짓는 창가, 일본 제국주의에 반항하는 창가"[79]를 주로 불렀던 터라 일제는 그것을 감시

77_ 민경찬, 「한국 근대 양악사 개론」, 『동아시아와 서양음악의 수용』, 음악세계, 2008, 41쪽.
78_ 〈황성신문〉, 융희 4년. 1910. 1. 9.
79_ 한용희, 『창작동요 80년』, 한국음악교육연구회, 2004, 31~33쪽.

하고 통제할 수단으로 일본의 음악교과를 발 빠르게 이식하였다. 『심상소학창가』와 『신편교육창가집』의 창가를 부르게 한 것도 식민화 전략의 일환으로 노래가 갖는 침투력과 전파력을 이용하기 위한 술책이었다.

또 동요의 탄생에 기여한 것은 기독교이다. 기독교는 서양의 교육제도, 의료제도와 함께 들어왔는데 찬송가는 아동문학에 지대한 영향을 미쳤다. 찬송가는 원래 교리의 전파를 위한 수단이었다. 초기 미션스쿨은 "서양식 멜로디로 찬송을 통해 종교의식을 고취시켰고 결과적으로는 창가교육의 모체"[80]가 되었다. 찬송가가 "종교의 목적을 떠나 세속적인 목적과 내용을 가지고 새로운 노래 형태"[81]로 나타난 것이 개화기의 창가였다. 개화기 창가는 찬송가의 악곡에 노랫말만 바꾸어 불렀다. 찬송가가 한국에서 손쉽게 보급될 수 있었던 것은 첫째, 한국인들이 음악적인 민족이라는 점, 둘째 기독교가 전도의 대상을 신흥 평민층으로 선정했던 점, 셋째 당시의 민족적 감정이던 독립이나 애국·애민 사상들이 기독교 정신과 부합했다는 점[82]이 작용했다. 찬송가는 점차 서양식 곡조나 리듬에 맞춘 새로운 시 형식을 탄생하게 하였다. 그 영향이 동요에도 미치게 된 것이다. 그 과정에서 주일학교가 동요운동의 한 축을 담당하였다. 찬송가만으로 어린이들의 마음을 움직일 수 없었기 때문에 동요를 가르치면서 주일학교를 운영한 것이다. 일제하의 주일학교는 어린이들에게 많은 꿈을 심어주었을 뿐만 아니라 서양음악 전파의 통로가 되었다.

80_ 김병선, 『창가와 신시의 형성연구』, 소명출판, 2007, 21쪽.
81_ 황병기, 「전통음악과 현대음악」, 『종족음악과 문화』, 민음사, 1982, 219쪽.
82_ 민원득, 「개화기의 음악교육」, 『세계음악교육사』, 학문사, 1985, 414~416쪽.

우리의 동요가 탄생하게 된 또 하나의 배경에는 교육이 자리하고 있다. "조선의 장래는 오직 '어린이'에게 소년에게 있다. 제군보다 나이도 어리고 지식도 천단한 소년들의 손에 있다. 제군이 어떠한 포부를 가졌는지는 별문제다. 다만 제군의 흉중에 가지고 있는 포부를 지금부터 시설할 곳도 소년을 벼리고는 한 곳도 없다."[83]는 시대적 인식이 일제에 대항하는 어린이 문화운동의 성격을 지니게 했다. 그리고 어린이의 순진무구함을 옹호하는 운동으로 집중되는 모양새를 갖추었다. 동요는 그동안 억눌린 감정을 표출할 수 있는 돌파구이자 교묘하게 가장한 일제의 식민교육담론을 거부하면서 동요를 탄생시켰다. 그리고 동요운동으로까지 확장되었다.

동요의 탄생에 영향을 미친 또 하나는 개화가사와 창가이다. 개화가사와 창가는 "의미상의 변주와 형태상의 변형과정을 거치면서 창작동요를 형성한 기반"[84]이 되었다. 최초의 찬송가집인 『찬양가』(1892)는 1897년 설립된 평양의 숭실학교를 중심으로 널리 불렸다. 찬송가는 특히 젊은 이들 사이에 보급되었고 찬송가 멜로디에 우국충정을 담은 가사를 얹어 부르면서 애국의 노래로 퍼져나갔다. 이것이 "찬송가식 창가"[85]이다. '창가'는 일본에서 신교육령이 반포되던 1879년, 서양음악을 다루는 연구기관인 '음악취조소'에서 펴낸 『소학창가집』에서 비롯되었다. 우리나라에서는 "찬송가가 모체가 되어 창가로 변천되어 갔는데 한국적인 토양에 창가와 찬송가의 음악적 기능이 섞여 독자적으로 형성"[86]되었다.

83_ 이돈화, 「夏休 中 歸鄕하는 學生 諸君에게」, 『開闢』49호, 1924. 7.
84_ 최명표, 「'鄕土芸術'의 이론과 실천 – 金泰午 童謠論」, 『아동문학평론』136, 2010, 71쪽.
85_ 한용희, 앞의 책 22~23쪽.
86_ 한용희, 앞의 책, 24쪽.

창가는 "옛날에 창하던 시조나 가사가 아니고 서양식 악곡에 의해 신식으로 부르는 노래"이며 "우리나라 근대 서양음악의 시작이요, 동시에 근대식 가사가 여기서 시작"되었다. 그래서 "개화기의 '신생활의 음악적 표현'이며 그것은 집단적 형태"[87]로 나타났다. 우리에게 창가는 '서양의 노래 또는 서양식의 악곡에다 계몽사상, 애국사상 등 시대상을 반영한 가사를 붙인 노래'라는 의미였다. 그러니까 '창가'라는 용어는 "음악장르를 가리키는 것이며, '애국가'는 가사의 내용을 의미하는 것"[88]이었다. 이것의 확대가 동요의 탄생을 촉발시키는 역할을 한 것이다.

현재적 의미의 동요라는 명칭은 『어린이』에 「현상글뽑기」에 학교 작문시간에 쓴 '동요를 투고하라'고 요청하는 글에서 처음으로 사용되었다.[89] 그 당시 『어린이』에서는 동요의 명칭이 '전래동요'와 '창작동요'를 모두 포함하는 용어로 혼용되어 사용되다가 『신소년』 3권 7호부터 '재래동요'와 '창작동요'를 구분[90]하여 사용하였다. 이때부터 동요에 대한 인식이 깊어지고 명칭상 독립되어 쓰인 것으로 보인다.[91] 1920년대 동요는 소년들의 문학적 열정을 쏟아붓게 한 대표적 장르였다.[92] 어

87_ 김병선, 앞의 책, 30쪽.
88_ 민경찬, 앞의 책, 50쪽.
89_ 『어린이』1권 1호, 1923.
90_ 『新少年』3권 7호, 1925.
91_ 본고에서 창작동요를 동요로 표기하며, 재래동요는 '전래동요'로 표기한다.
92_ '소년'과 '어린이'는 개념의 의미역이 다르다. 문예지의 독자층도 7세부터 20세에 이르기까지 다양해서 현재적인 의미의 어린이와는 다르다. 특별한 개념 규정이 없이 '소년'과 '어린이'로 혼용해서 사용되었기 때문에 혼란스러움이 있다. 대체적으로 '소년'은 결혼하지 않은 미성년을 의미하기 때문에 당시의 독자투고작품들은 현재적 의미의 '어린이'라기보다는 청년들이 쓴 작품이다. 그래서 독자투고는 '어린이'가 아닌 '소년'들로 보고자 한다. 이들이 소년회의 지도자 역할을 하고 있기 때문이기도 하다. (최명표, 「어린이 문화 운동과 식민 담론의 상관관계」, 『아동문학의 옛길과 새길 사이에서』, 청동거울, 2007. 참조)

린이에 대한 계몽적 의지와 어린이들이 부르는 노랫말이라는 당대 아동문학이 갖는 특수한 위치 때문이었다.

천도교소년회가 『개벽』을 발간하여 '아동'에 대한 논의를 시작하고, 색동회를 조직하여 『어린이』를 창간하는 등의 근대적 기획을 통해 어린이를 풍경이 아니라 주체로 부상시킨 것은 큰 변혁이었다. 방정환을 비롯한 천도교단의 조직적인 소년운동과 계몽운동은 어린이를 위한 전문 잡지의 발간으로 이어졌다. 방정환은 "학대받고 짓밟히고 차고 어둔 속에서 우리처럼 또 자라는 불쌍한 영혼들을 위하여 그윽히 동정하고 아끼는 사랑"[93]으로 색동회를 조직, 『어린이』의 간행, 어린이날을 제정함으로써 "어린이가 곧 한울"이라는 것을 보여주었다. 그의 어린이관은 동요의 창작으로 이어졌고, 조직적인 소년회 활동은 아동문학의 대중화를 선도하였다. 그의 등장은 소년운동과 아동문학운동의 출발점이었으며, 지역의 소년회가 많은 작품을 창작, 수집하여 신문과 잡지에 게재하여 읽을거리를 확보할 수 있는 토대가 되었다.

동요운동을 추동한 동력은 단연 어린이 잡지였다. 잡지 『어린이』(1923. 3)가 창간되었고, 『신소년』(1923. 10), 『샛별』(1923)이 창간된 데 이어 『선명』(1925. 8), 『새벗』(1925. 11), 『소년계』(1926. 1), 『아동세계』(1926. 3), 『아이생활』(1926. 3), 『별나라』(1926. 3)가 창간되었다. 그리고 『영데이』(1926. 6), 『소녀계』(1927. 7)가 창간됨으로써 1920년대는 "어린이 잡지 홍수 시대"[94]가 되었다. 이렇게 많은 어린이 잡지의 출현은 많은 작품을 필요로 하였다. 그래서 어린이 잡지사들은 독자의 작품

93_ 방정환, 『사랑의 선물』, 개벽사, 1922.
94_ 윤석중, 『어린이와 한 평생(1)』, 1988, 38쪽.

을 공모하였다. 어린이 잡지에는 공모를 통해 독자들의 작품이 실렸고 소년 작가의 출현이 줄을 이었다. 동시에 소년들이 절대적인 독자층을 형성해 나갔다. 뿐만 아니라 소년들의 작품에 곡이 붙어 악보와 함께 실리기도 하면서 소년들이 동요운동의 중심에 서게 되었다. 어른 작가와 소년들의 작품이 노래로 만들어지는 이 특별한 현상은 동요운동에 활력을 불어넣었다. 유래를 찾아보기 힘든 어른과 소년의 합작은 동요를 더욱 동요다워지게 하였고, 오늘날까지 두고두고 불리게 하였다. 소년들이 자신들의 노래를 쓰고 부르게 되면서 어린이 잡지의 작품 공모는 더욱 탄력을 받아 동요운동을 절정에 이르게 했다. 이렇다 보니 어린이는 훈육의 대상에서 문학의 향유자로 급부상하게 되었고 소년들 또한 창작자 역할까지 담당하게 되었다. 소년들을 창작자로 인정하는 사회적 인정은 "어린이 세상에는 이것이 있기 때문에 쓸쓸하지 않"고 "어린이들의 기쁘고 노엽고 슬프고 즐거움에 느끼는 정을 가르치고 키워주는 큰 힘"[95]이 되었다. 이렇게 해서 소년들의 동요작품은 "왱왱 읽어버리게 되지 않고 저절로 노래로 부르게 되어" "읽는 글이 아니요 부르는 노래"[96]가 되었다. 그만큼 소년들의 작품은 독자와 감응이 빨랐다.

잡지 『어린이』는 2권 6호에 「새현상—작품모집」 공고를 낸 이후 1934년 폐간될 때까지 계속되었다. 작품 모집은 독자들의 절대적인 지지를 받았다. 독자들의 열렬한 지지는 많은 작품의 응모로 이어졌다. 거기에 작품을 투고한 소년들과 작품을 간단히 나열하면 윤석중의 「오뚜기」[97], 서덕출의 「봄편지」[98], 최영애 「꼬부랑 할머니」[99], 최순애 「오빠 생각」

95_ 버들쇠, 「동요를지시려는분께」, 『어린이』2권 2호, 25쪽.
96_ 버들쇠, 「동요 짓는 법」, 『어린이』2권 4호, 1924. 4. 32~33쪽.

100, 신고송 「우체통」[101], 이정구 「나는 가요」[102], 이원수 「고향의 봄」[103], 윤복진 「종달새」[104], 김태오 「강아지」, 목일신 「자전거」 등이다. 이 소년들의 등장은 1920년대 동요의 황금기를 예고하는 것이었다.

조선소년운동문화전선에서 조직된 조선동요연구협회는 "동요의 연구와 현실을 기하고 그 보급"을 목적으로 "소년문예 대강연회와 동요, 음악, 승무대회를 개최"[105]하면서 「년간동요選集」을 발간[106]하여 동요운동을 적극적으로 이끌었다. 조선동요연구협회에는 유지영, 홍난파, 윤극영, 윤석중, 신고송, 서덕출, 최순애, 최경화, 이원수, 윤복진, 정상규, 박애순, 박노춘, 최인준, 김귀환, 박영호, 이정구, 박팔양, 곽노엽, 김사엽, 방정환, 김영희, 모기윤, 유도순 등이 참여하였다. 이 동요작가들 덕분에 동요는 전 국민에게 보급되어 국민의 노래가 되었고 이른바 "동요황금시대"[107]를 열게 되었다.

동요의 장르적 변환과 대중적 보급에는 근대 미디어도 큰 역할을 하였다. 〈동아일보〉와 〈조선일보〉, 〈중외일보〉 등의 일간 신문의 학예면은 '동요'의 대중화에 폭발적인 도화선 노릇을 하였다. 〈동아일보〉는 '소년소녀란'과 '어린이 소식'란을 두고 작품을 현상공모하고 발표할

97_ 『어린이』3권 3호, 35쪽.
98_ 『어린이』3권 3호, 34쪽.
99_ 『어린이』3권 3호, 35쪽.
100_ 『어린이』3권 11호, 58쪽.
101_ 『어린이』3권 11호, 58쪽.
102_ 『어린이』3권 12호, 60쪽.
103_ 『어린이』4권 4호, 62쪽.
104_ 『어린이』4권 4호, 63쪽.
105_ 〈동아일보〉, 1927. 11. 12.
106_ 〈중외일보〉, 1928. 6. 26.
107_ 이재철, 『아동문학개론』, 서문당, 1976.

수 있도록 하였고, 〈중외일보〉도 1928년부터 아예 '어린이란'을 따로 정해 동화나 옛날이야기 등을 연재하였다. 특히 〈동아일보〉와 〈중외일보〉는 새로운 노랫말을 창작해야 할 당위성과 창작을 적극적으로 유도하면서 주도적으로 동요운동을 이끌었다. 김태오의 「동요잡고단상」이 4회에 걸쳐 연재되었으며,[108] 〈조선중앙일보〉에는 송창일의 「동요운동 발전성」이 2회에 걸쳐 연재되었다.[109] 이 시기의 〈동아일보〉에 투고, 공모를 통해 발표된 작품만도 헤아리기 어려울 정도에 이르렀다. 〈동아일보〉의 '본사 일천 호 기념 현상당선동요'[110]나, '신춘문예당선동요'[111] 공모에는 수백 명의 독자들이 참여하였고, 〈중외일보〉에 실린 동요와 동시는 무려 454편에 이른다. 이것만 보아도 일간지가 담당했던 역할이 얼마나 지대했는지 알 수 있다.[112]

1920년대 이전까지만 해도 전래동요는 "'민요'와 동격으로, 혹은 민요를 포괄하는 노래로 당대 노래 갈래의 저변으로 서서히 가라앉고"[113] 있었다. 그러나 이 시기부터는 민요와 동격으로서의 동요가 아니라 전

108_ 김태오, 「동요잡고단상」, 〈동아일보〉, 1929. 7. 1.~1929. 7. 5.
109_ 송창일, 「동요운동발전성」, 〈조선중앙일보〉, 1934. 2. 13.
110_ 〈동아일보〉, 1923. 5. 25.
111_ 〈동아일보〉, 1925. 3. 13.
110_ 〈동아일보〉, 1923. 5. 25.
111_ 〈동아일보〉, 1925. 3. 13.
112_ 〈중외일보〉의 전신은 〈시대일보〉이다. 이 작품의 편수는 〈시대일보〉와 〈중외일보〉에 전하는 작품 편수와 같다. 〈시대일보〉가 1924년 3월 31일에 창간되어 1926년 8월 중순 종간되었다가 1926년 9월 18일에 재창간 되었고 1930년 10월 14일 휴간했다가 1931년 2월 15일 속간되었으나 1931년 6월 19일 지령 1492호를 끝으로 종간되었다. 여기의 작품 편수는 일부 망실된 〈중외일보〉의 지면에는 몇 편이 있는지 알 수 없기 때문에 현재 전하고 있는 지면의 작품 편수이다. (『시대일보, 중외일보의 학예면』영인본, 국학자료원, 2001. 참조.)
113_ 한영란, 앞의 논문, 225쪽.

래동요와 창작동요라는 두 갈래를 포괄하여 "어린이의 노래라는 동요의 독자적 갈래성"[114]을 갖추게 되었다. 전래동요는 "오랫동안 어린이의 것이 되어 내려왔고, 어린이의 생각, 살림, 넋"[115]이 살아 있는 "신랄한 풍자의 주체"[116]였다. 그렇기 때문에 이 시기의 전래동요 모집운동은 시기적으로도 적절한 것이었고 동요운동을 추동하는 데에도 일조하였다.

아동문학가들은 '어린이'를 바라보는 시각에 따라 각종 동요와 동요론과 동요 창작법을 발표하였다. 창작동요보다 동요 이론가로서의 면모가 돋보이는 김태오는 어린이를 "지상에서의 진리와 선미와 자비와의 엄존을 입증할 새 천사"[117]라고 봄으로써 어린이들의 천진성을 형상화[118]하는 데 창작동요의 초점을 맞추었다. 그의 창작동요론은 "아름다운 꽃을 보고 미감이 생기는 것이라든지, 말갛게 개인 하늘에서 노래하는 종달새를 보고 흥에 겨워 같이 노래하고 싶은 마음이라든지, 산골짜기에서 꼬리치며 흘러가는 맑은 샘물을 볼 때 그 물에 들어가 물장난하고 싶은 것, 물결치는 넓은 바다를 볼 때나 달 밝은 밤에 달을 보고 무슨 말을 걸어보고 싶은 맘이 생기는 것, 그 모든 자연만상을 볼 때 그것을 본후에는 나도 모르게 아름다운 느낌이 생기고, 사랑하는 마음이 생기고, 노래하고 싶은 마음"[119]으로 쓰는 것이다. 또한 그가 『아이생활』에 연재한 「현대동요연구」는 "'동요의 가치와 의의', '창가와 동요의 구별',

---

113_ 한영란, 앞의 논문, 225쪽.
114_ 한영란, 앞의 논문, 225쪽.
115_ 방정환, 「어린이 찬미」, 『신여성』2 (안경식, 『소파 방정환의 아동교육 운동과 사상』, 학지사, 1994. 재인용)
116_ 박지영, 앞의 논문, 258쪽.
117_ 김태오, 「全朝鮮少年聯合會 發起大會를 압두고 ─言함 (2)」, 〈동아일보〉, 1927. 7. 30.
118_ 최명표, 앞의 논문, 81쪽.

김태오와 그의 시집 『초원』 그는 소년운동가로서 활동했을 뿐만 아니라 동요이론가이자 동요작가로서 동요이론 정립에도 힘썼다.

'시와 동요와의 차이점', '인식의 시상과 상상의 시상에 대한 예리한 분석'"으로 동요의 개념과 창작법을 아우르고 있다. 동요의 음악적인 요소가 동시의 문학성으로 조금씩 자리를 옮겨가면서 동요는 동시에 자리를 서서히 내주게 되었다. 이 동요운동에는 광주 출신인 김태오, 고흥 출신인 목일신, 조종현이 참여하였다. 특히 광주의 김태오는 소년운동뿐만 아니라 동요운동에서도 빼놓을 수 없다.

광주의 첫 시인, 김태오

　김태오金泰午(1903. 7. 16.~1976. 7. 25.)는 광주 최초의 시인이다. 그는 1903년 7월 16일 전라남도 광주군 광주읍 금계리 124번지에서 김윤

119_ 김태오, 「동요 짓는 법- 童謠 作法」, 『雪崗童謠集』, 한성도서, 1933.

홍金允興과 김덕연金德然의 차남으로 태어났다. 앞서 살핀 것처럼 광주에서 전국 최초로 소년운동을 시작한 사람으로, 한국소년사의 핵심인물이다. 뿐만 아니라 정지용, 윤극영, 한정동, 신재항, 고장환, 유도순 등과 함께 '조선동요연구협회'를 창립[120]하여 동요운동을 전개하였다. 광주 지역사회의 중심인물들이 민족운동에 앞장섰던 그때 그는 소년운동가로서 활동했을 뿐만 아니라 동요이론가이자 동요작가로서 동요이론 정립에도 힘썼다. 또한 「동요 잡고 단상」[121]을 비롯한 수편의 글을 통해 동요의 장르개념과 동요창작법 등을 자세하게 기술하였다.

> 동요란 것은 예술적 냄새가 풍부한 어린이들 노래이니, 마치 종달새가 맑아케 개인 푸른 하늘을 볼 때 노래 부르지 않고는 견댈 수 없는 것과 같이, 제절로 터저나와서 부르는 어린이들 시(詩)를 동요라고 한다. 영원히 없어지지 않는 아동성이 잇고, 가장 숭고한 예술적 가치가 있는 것은 물론이오, 어운(語韻)까지 음악적이어야 하며, 따라서 동요 유희로 할 수 있는 것이어야 할 것이다.[122]

그는 동요 창작법으로 "느낌感興이 생기고 사랑스러운 맘愛着이 생기고 노래 쓸 맘이 생기는" "예술감"이 있어야 하며, "한번 놓치면 붓잡기가 어려운" "싱싱想像의 시싱詩想"[123]이 있어야 한다고 주장하였다. 그의 동요창작이론은 동요를 쓰면서 깨우친 것이었다. 그는 "까맣게 잊어버

120_ 〈동아일보〉, 1927. 9. 3.
121_ 〈동아일보〉, 1929. 7. 1.~1929. 7. 4.
122_ 『아이생활』, 1932. 7.~1932. 10.

렸던 아동적 생각이 은근히 가슴속에 떠돌"[124]아 마음의 평화를 가져다 주는 동요를 "소년문학 건설의 기초"로 인식하고 있었다. 호가 설강雪岡 인 그는 소년운동을 비롯한 민족운동을 하면서도 꾸준히 동요와 시를 써서 발표하였다. 소년운동과 민족운동, 그리고 창작활동은 따로 논의 할 수 없는 한 차원의 활동이었다. 그가 낸 『설강 동요집雪岡 童謠集』[125]은 윤석중이 낸 2권의 동요집에 이은 한국아동문학사에서 세 번째로 나온 동요집이다. 이 동요집은 소년운동과 함께 여러 지면에 발표했던 동요 76편을 수록했고 「동요작법」을 「부록」으로 넣었다. 그는 이미 중앙에까 지 널리 알려진 동요작가요, 동요창작이론가였다. 동요집의 서문 「향토 鄕土의 노래」는 잡지 『신동아』의 주간이며, 소설 「사랑손님과 어머니」의 작가 주요섭이 썼다.

조선 사람은 누구나 다 그 가슴속 깊이 향토의 노래 전원의 시를 품고 있다. 그것은 우리 생활이 농촌과 떠지 못할 관계를 맺고 있음으로 서이 다.

이제 다재(多才)의 人이오 남달리 어린 사람과 친함이 많은 동요시인 설강(雪岡兄)은 이 억제할 수 없는 동정과 찬미를 우리 대신 맡아 노래해 주고 읊어 주었다. 그리고 다년간 심혈을 경주하여 짜아논 이 『설강 동 요집』이라는 아름다운 선물로써 우리 육백만 소년소녀에게 내어 주시는 것이니 우리는 이 책자를 통하여 동심에 비친 조선향토의 맥박을 느낄

123_ 김태오, 「現代 童謠 研究」, 『아이생활』, 1932. 10.
124_ 김태오, 「童謠 雜考 斷想」, 〈동아일보〉, 1929. 7. 1.
125_ 김태오, 『雪崗 童謠集』, 한성도서, 1933.

수 있을 것이다.

동무들아! 이 노래의 애끊는 '멜로디'를 들어보라! 그것이 곧 우리의
환희이며 우리의 비애가 아니냐? 이 속에 담은 노래에 곡조 맞추어 같이
웃고 같이 울어보자!

소년운동을 하면서 함께 옥고를 치른 고장환도 「어린동무들께」라는
서문에 "설강형은 특히 동요문제에 연구가 깊을 뿐 아니라 어린 사람을
누구보다도 위해줄 줄 알며 사랑하는 점에서 존경하지 않을 수 없습니
다. 더욱이 '조선동요연구협회'의 초창기부터 오늘까지 조선의 동요운
동을 한층 새롭기 하기 위하야 꾸준히 노력하신 선생입니다."라고 덧붙
임으로써 소년운동의 과정에 동요가 함께했다는 것을 역설했다. 김태오
가 쓴 「머리말」에서 동요창작의 목적이 어디에 있었는지 알 수 있다.

나는 일찍부터 조선의 농향(農鄕)을 노래하기에 힘썼다. 특히 어린이
세계에 있어서 많이 노래하였다. 그것은 가난하고 설음 많은 우리 농향
(農鄕)의 어린이들을 어떠한 방법으로써 앞길을 열어줄까 함이 그 선결
문제가 됨으로 서이다.

여기에 있어서 흙(土)을 기조로 한 새로운 글! 예술적 향기가 풍부한
노래, 건전한 노래, 굳센 지도성을 가진 흙의 문예를 요구한다. 물론 향
토동요(鄕土童謠) 전원시(田園詩)는 그 일부분이 될 것이다.

그리하여 나는 이 흙냄새 나는 노래들을 적은 정성으로나마 여러 해를
두고 모아서 우리 조선의 소년소녀에게 '선물'로 바치는 것이니 이 속에
담은 사상, 감성, 언어가 우리 민중의 말과 같이 울리는 것이 된다면 이
어찌 다행이 아니랴!

癸酉년, 닭소리 우렁찬, 새해 첫새벽에

동방의 새날은 바야흐로 동트려 할 때

光州에서 작가 아룀[126]

그는 가장 먼저 "가난하고 설음 많은 우리 농향農鄕의 어린이들을 어떠한 방법으로써 앞길을 열어줄까"하는 것을 고민하였다. 그래서 "조선의 농향"을 노래했고 "노래들을 적은 정성으로나마 여러 해를 두고" 썼던 것이다. 그가 "새해 첫새벽"에 "새날이 동트려 할 때" 쓴 이 서문에 "광주"에서 쓴 것임을 밝혀 적었다. 다른 많은 작품을 발표할 때도 늘 빠뜨리지 않고 '광주'를 표기했다. 그는 광주를 사랑하는 시인이었던 것이다. 1917년부터 동요를 썼는데 「그림자」, 「겨울아침」, 「눈온아침」이 첫 작품들이다.

무듬산도 중턱에는

아롱아롱 아지랑이

솔솔부는 봄바람에

너울너울 춤을추네.

앞집색씨 뒷집따님

모다모다 불러오소

무듬산과 명내갱변

나물캐기 한철일세.

126_ 김태오, 「머리말」, 위의 책, 한성도서, 1933. 5쪽.

솟아나는 꽃다지며

달랑달랑 달롱개도

논뚝밭뚝 시냇가에

나픈나픈 돋아나네.

무듬산의 고사리며

명내갱변 미나리도

가주가주 캐어다가

저녁상에 올려놓세.

– 「나물캐는 노래」,
* 무듬산은(光州 無等山) 갱변은(江邊), 1922.

이 작품의 시기에서 그가 소년운동을 전개하면서 동요 또한 열심히 썼다는 것을 알 수 있다. 1922년에 쓴 이 작품은 무엇보다도 광주 지역의 언어를 시어로 활용하고 있다. 민중들이 쓰는 말대로 '무등산'을 '무듬산'으로 '강변'을 '갱변'으로 쓰는 등 일제치하에서 우리 지역어를 활용하여 동요를 썼다는 점에서 의의를 가진다. 그의 뛰어난 언어감각은 향토애와 민족애를 작품으로 승화시켰다. 그것이 바로 민중이 말이고 그의 문학정신이다. 그는 "사상, 감정 언어가 민중의 말과 울리는 것"임을 동요 「봄맞이 노래」[127]로 보여주었다.

127_ 발표 당시의 원문의 제목은 1930년에 쓴 「봄맞이노래」이며, 원문이 부분적으로 수정 되어 약간 다르다.

동요 「봄맞이 가자」, 「강아지」 이 동요들은 친구들과 함께 나물캐러 다녔던 풍경
과 강아지와 함께 마을을 돌았던 기억을 호명한다.

동무들아 오너라 봄맞이가자

너도나도 바구니 옆에끼고서

달래냉이 씀바귀 나물캐오자

종다리도 높이떠 노래부르네

동무들아 오너라 봄맞이가자

시냇가에 앉아서 다리도쉬고

버들피리 만들어 불면서가자

꾀꼬리도 산에서 노래부르네

- 「봄맞이 가자」 전문

    시골의 봄 풍경을 아주 잘 보여주는 이 동요를 모르는 사람은 드물 것이다. 이 동요는 1930년에 쓰여졌으며, 산과 들로 나물을 캐러 다니는 어린이들의 모습을 담았고, 산과 들과 내로 조선을 상징화한 작품이다. 동요 「강아지」도 마찬가지다.

우리집 강아지는 복슬강아지

어머니가 빨래가면 멍멍멍

쫄랑쫄랑 따라가며 멍멍멍

우리집 강아지는 예쁜강아지

학교갔다 돌아오면 멍멍멍

고리치고 반갑다고 멍멍멍

- 「강아지」 전문

이 동요들은 친구들과 함께 나물 캐러 다녔던 풍경과 강아지와 함께 마을을 돌았던 기억을 호명한다. 그는 "까맣게 잊어버렸던 아동시절의 생각이 은근히 가슴속에 떠돌"[128] 게 하고 유년으로 데려다주는 동요를 "소년문학 건설의 기초"로 인식하였다. 그가 광주에서 행한 민족운동과 동요쓰기는 일제하 독립운동의 성격을 지닌다. 그것은 근대 광주정신을 반영한 것이기도 하다. 김태오는 동요 외에도 22편의 동화와 3편의 동극을 썼다. 한편 일본경찰의 불허가 출판물이 된 『동방東方의 광명光明』도 존재한다.[129]

뿐만 아니라 김태오는 시와 시조를 썼고 시집 『초원草原』을 냈다. 정인섭은 김태오의 시집 『초원』[130]의 서문에 "향수가 그 어느 작품에서든지 직간접 느껴진다"면서, "정들인 고향을 떠날 수 없는 심경을 그 창작기저로 하고 있어 그것을 상상이라는 꿈과 낭만적인 수법"으로 표현하고 있다고 간파하였다. 이처럼 그의 많은 시편은 고향에서 출발하여 고향으로 귀착된다. 시 「회고懷古의 정情」은 원초적 고향에 대한 끝없는 그리움을 담고 있다.

동무여!

그때가 발서 옛날이엇구려!

『아까시야』 욱어진 楊林숲속으로 거닐면서

128_ 김태오, 「童謠 雜考 斷想」, 〈동아일보〉, 1929. 7. 1.
129_ 「불허가 출판물 목록 삼월분」, 『조선출판경찰월보』 제55호, 1936. 3. 『아이생활』(1933. 3)의 「아이벽신문」의 집필자 저서 소개란에 '설강동요시집 『동방의 광명』(미간)'으로 표기되어 있고, 『설강동요집』은 이미 간행한 뒤임을 미루어 보면 일제가 불허한 책은 두 번째 동요집에 해당한다. 그러나 두 번째 동요집은 발행하지 못했다.
130_ 김태오, 『草原』, 청색지사, 1939.

꽃 香氣맡으며 노래부르노라면

매암이는 덩달어서 가닥으로 어우러질 때

우리는 다시금 발을 돌리어

웃텅을 벗어붙인 채 불모래 강변을 내달어

물속으로 와닥닥 뛰어들어가-

헤염치며 크나큰 波紋을 일으키고

물장구치고 물싸홈하고 그리고 또-

물을 한숨에 쑥 드리켯다가 확 내품어 버리면

七色 무지개 아름답게 설 때에

우리는 손뼉치며 뛰지 안엇는가요

앗다 벌거벗고 자유롭게 놀던 그때 말이여요

동무여!

그때가 발서 옛날이엇구려

(중략)

솜뭉치 같은 하-얀 눈송이가

시름없이 퍼붓는 어느 겨울날-

학교에 가서 여러 동무들과 눈싸홈하고

집에 도라와서 동무와 같이 눈사람 만들어 놓고

이웃집 아이들에게 지깅히던 그때이던가

여러 동무들이 방망이 몽둥이

잡히는 대로 메어들고 씩씩하게

산에 뛰올나 노루며 토끼잡든 그때

앗다! 기운차게 뛰며 놀던 그 無等山말이여요

- 「懷古의 情」 부분[131]

김태오의 시에 자주 등장하는 공간은 단연 '양림'과 '광주천'과 '무등산'이다. 양림은 지금의 사직공원 주변의 동산으로, 그가 처음으로 동지들과 더불어 소년운동을 시작하기로 결의한 '양파정'이 있는 양림동산이다. 지금의 '광주천'은 물놀이할 수 없는 곳이 되었지만 그때는 수정처럼 맑은 물에서 '웃통'을 벗고 물장구를 치며 벌거벗고 놀았던 곳이다. '무등산'은 김태오가 기운차게 뛰어놀면서 노루를 잡으러 뛰어다녔고, 토끼몰이를 하러 뒹굴었던 곳이다. 이 시에서뿐만 아니라 그가 쓴 많은 시에는 고향인 광주에서의 추억과 향수로 가득 차 있다. 다음의 글에서는 광주의 역사를 가슴에 안고 있는 그를 보게 된다. 다소 길게 인용함으로써 그가 품은 광주의 모습이 어떠했는지를 가늠해 보기로 한다.

　　오늘은 달 밝은 밤, 그리고 八月 秋夕이다. 아직 南國에는 기러기의 消息은 없으나, 제법 싸늘한 바람에 寒氣가 도는 품이 北天에서 기룩기룩 달 밝은 밤, 높다란 秋空을 훑고 그야말로 맑은 主人公인 기러기가 날러오는 듯한 맑은 밤이다. 그러기에 나는 밤잠을 이루지 못하고 두 벗과 가치 瑞石城 문허진 옛터 社稷壇에 올라 울적한 懷抱를 씻으러 햇던 것이다.

　　秋夕달 하루밝기로
　　楊波亭에 오르놋다
　　문허진 옛城터에

131_ 김태오, 「懷古의 情」, 『동광』, 1931. 5.

明月따라 逍遙할제

풀숲에 귀뚜라미만

구슬프게 울더라

光州川 구비지고

無等山이 높앗는데

金忠壯 어데가고

鄭錦南은 어데갓노

蒼空에 一輪明月도

수심짓고 가니라

이러한 卽興詩를 지어 보며 옛날의 歷史的 遺跡을 더듬어 보는 이 나의 가슴에는 싸늘한 傷處를 남길 뿐이다.

하얀 달빛은 자최없이 大地 우에 떨어지고 잇고나. 그리고 저편 老松이 푸르른 곳에 달빛이 새여 나리여 꿈같은 그림자를 던지고 잇고나. 불어오는 가을바람에 솔닢이 洋琴을 치고, 온갖 잡풀 욱어진 풀에서 가을의 뭇버레들이 애닯은 심포니를 演奏하고 잇다. 眞珠 같은 이슬방울이 반짝반짝 光彩를 내는 풀밭을 거닐고 잇을 때, 달빛은 유난히도 히고 푸른 빛으로 이 땅을 노려보고 잇다구니. 뭉게뭉게 서리여 깊은 잠 속에 빠진 듯한 그윽한 밤이다. 나는 다시금 발을 돌리어 不動橋 쇠다리에 앉은 몸이 되엇다.

푸른 밤 그 中에도 맑은 달밤 힌빛과 푸른 빛으로 繡노은 듯한 맑은 月影이 물 우으로 떨어지는구나. 그리고 가벼운 微風이 살살 물 우로 기어 가는구나. 달은 물 우에서 하늘하늘 춤을 추고, 물결은 金波銀波를 이루며 실줄기 같은 문의를 짓고 노래하며 흘러가면서 잇구나.

(중략)

아! 맑은 달밤이다. 더럽고 밉고 거문 것은 다 쫓기고, 푸른 빛 맑은 빛으로 씻은 맑고 푸른 밤이다. 물아! 끝없이 흐르라. 달아! 한없이 맑고 푸르라. 달은 웃고, 물은 노래하고, 나뭇가지는 춤추리라.

아! 거룩한 달밤. 聖母 마리아와 같은 聖靈이 나타나 愛와 平和를 속삭이는 듯한 神秘로운 달밤이다. 저쪽 楊林 건너편에는 자는 듯 꿈꾸는 듯한 蒼白한 실안개가 감돌고 잇는 밤이로구나. (下略) – 秋夕날밤에

– 「예 城터의 仲秋明月」[132]

이 글은 민족운동 이후 일본에서 유학을 마치고 서울 중앙보육학교 교원으로 재직하고 있을 시절 명절을 맞아 고향에 내려와서 추석날 밤의 정취를 쓴 글이다. 그는 친구 2명과 같이 '서석성 문허진 옛터 사직단에 올라 울적한 회포'를 풀고난 후에 '옛날의 역사적 유적을 더듬어' 쓴 즉흥시에 역사의 뒤안길을 걷는 이의 쓸쓸함과 애닮픔을 담았다. 역사가 흐른 뒤에도 기억하고 전승해야 할 시대정신을 상실한 것에 대한 회한이 묻어 있기도 하다. 그러다가 이내 수심을 걷어내고 광주천에 스민 달빛과 나눈 대화는 추석날 밤의 풍경과 하나 되어 한없이 평화롭기만하다. '부동교 쇠다리'에 앉아 노래한 "푸른 밤 그 中에도 맑은 달밤 힌빛과 푸른 빛으로 수노은 듯한 맑은 월영이 물 우으로 떨어지는구나. 그리고 가벼운 미풍이 살살 물 우로 기어가는구나. 달은 물 우에서 하늘

132_ 〈동아일보〉, 1934. 9. 27.

하늘 춤을 추고, 물결은 금파은파를 이루며 실줄기 같은 문의를 짓고 노래하며 흘러"가는 추석날 밤의 달빛과 광주천의 조우는 아름다운 광주찬가다. 그의 맑은 심사는 시「달밤」에도 잘 담겨 있다. 작곡자 나운영이 곡을 붙여 가곡으로 유명한 작품이다.

燈불을 끄고 자려하니
휘양창 窓門이 밝으오.

門을 열고 내여다 보노니
달은 어여쁜 仙女 같이
내 뜰우에 찾어 오다.

달아 내사랑아
내 그대와 함께
이 한밤을 애기하고 싶고나.

어데서 흐는 短篴소리
淸凉타 달밝은 밤이오.

솔바람이 선선한 이밤에
달은 외로운 길손 같이
또 어데로 가려는고.

달아 내사랑아,

내 그대와 함께

이 한밤을 同行하고 싶고나.

– 「달밤」 전문

시 「달밤」에 곡을 붙인 "나운영은 중앙여자전문학교의 부학장인 시인 김태오 선생에게서 시집 『초원』을 받아 보고 그중 「달밤」이 마음에 이끌리어 구상 끝에 16일 밤 「달밤」을 완성하여 19일 JODK(경성중앙방송국)의 방송을 통해서 첫선을 보였다. 독창자는 나운영의 아내 유경손이었고, 피아노 반주는 나운영 자신이 하였다." 김태오는 "홍난파 선생에게 바이올린 레슨까지 받았던 분인지라 남달리 음악을 깊이 이해"[133] 하고 있었다. 추석날 달밤의 광주를 노래하였던 그가 「달밤」이라는 시를 쓴 것은 우연이 아니었다. 그의 시는 광주 아닌 것이 없다고 해도 과언이 아니다. 그가 태어나 젊음을 바쳐 살았던 광주, 그래서 그는 광주의 혼으로 살았던 사람이며, 고향으로부터 자유롭지 못했던 사람이다.[134] 그의 영결식에서는 그의 시 「고향」이 낭독되었다. 그는 광주를 사랑했고, 그리워했다.

내 홀로 뫼에 오르니

淸凉한 鄕愁가 서려……

133_ 「가곡순례」, 『새농민』, 1988. 9. 56~57쪽.
134_ 이후의 삶은 교육자로 전념하였고 연구에 몰두하는 것으로 일관하였다. 그의 첫 연구서는 『미학개론』(정음사, 1949)이다. 그리고 『민족심리학』(동방문화사, 1950), 『심리학』(동국문화사, 1954), 『교육학개론』(을유문화사, 1955), 『교육심리학』(을유문화사, 1956) 등의 연구서로 집적되었다. 그의 연구는 선구적인 것이었고 도전적이었다.

먼 하늘로 떠도는 구름
故鄕 찾아가리.

송아지 뛰노는 草原에는
풀피리 소리도 어울렸다.

꿩 날리고 꼴망태 메고
아리랑 조로 도라 들다.

마을앞을 흐르는 시냇물아
배뱅뱅 도느냐 물레방아야

앞산 버꾸기 지금도 우느뇨
파랑새 훨 훨 날러라.

그옛날 행복은 한낱 꿈결이어
그래도 못잊는 내 故鄕

힌구름 떠도는 저 하늘가에
내 맘을 매여 두다.

- 「故鄕」 전문

그는 광주의 첫 시인이었고, 누구보다도 광주의 정체성을 잘 보여준

隨川隨筆集
生活人의 哲學
金晉燮著

文藝出版社

김진섭과 수필집 『생활인의
철학』 '해외문학파'의 일원으
로 수필의 새로운 경지를 개
척하였다.

작가였다. 지금까지 광주, 혹은 광주전남의 문학을 논하면서 김태오에
대한 평가나 언급은 어디에도 없었지만 그는 분명 근대 광주의 첫 시인
이었고, 일제치하에서 광주를 대표하는 시인이었다.

김태오가 민족운동과 동요에 집중하였을 때, 소설가 박화성朴花城
(1903. 4. 16~1988. 1. 30.)은 언니 집에 머물렀다. 김필례에게 영어와
풍금 개인 교습을 받으면서[135] 광주북문안교회 유치원, 서북야학원에
서 김태오와 함께 야학에서 공부를 가르쳤다. 박화성은 이후 1921년에
영광으로 옮겨 영광중학원 교사로부터 부임하였고 시인 조운을 만나 본
격적인 문학수업을 받았다. 시인 조운이 박화성의 「추석전야」를 춘원
이광수에게 건넸고, 이광수는 『조선문단』에 작품을 실었다. 그렇게 박
화성이 한국 최초의 여류 소설가로 등장하게 된다.

이 무렵 일본 유학생이었던 이하윤, 정인섭, 이선근, 김온, 김명엽, 김

135_ 서정자, 「세한 연후에 송백의 절개를 아는 것이니」, 『광주문학지도』, 심미안, 2005. 30쪽.

진섭은 1926년 '해외문학연구회'를 결성하여 1927년 『해외문학』을 발간하였다. 김진섭金晉燮(1908 ~?)은 전남 목포 출신으로 해외문학을 연구하고 소개하는 창구 역할을 하였다.[136] '해외문학연구회'에서 따온 '해외문학파'라는 명칭은 용아 박용철이 쓰면서 굳어진 이름으로 그도 해외문학파의 일원이 되었다. '시문학파'의 탄생에는 해외문학파의 영향이 작용하고 있다.

136_ 그의 부친 김면수(金免洙)는 나주군수, 형 김영섭은 해남군수를 지냈다. 동생 김보섭(金普燮)은 광주학생독립운동의 주동자로 체포, 구속 수감되어 고초를 겪었다. 그는 한국전쟁 때 자택에서 인민군에 의해 납북되어 생사가 확인되지 않았다.

광주문학의 지형, '시문학파'

박용철이 탄생시킨 것이나 다름없는 '시문학파'의 출현이
광주문학의 지평을 확장했으며,
김현승이 〈동아일보〉를 통해서 등장했고,
한이직이 〈조선일보〉에 희곡을 발표했으며,
고재기는 평론을, 서두성은 대중가요의 가사를 쓰는 등
광주 문학 장르의 폭이 넓어졌다는 사실들을 정리했다.

제3장
광주문학의 지형, '시문학파'

시인 박용철, 문화인 박용철

박용철朴龍喆(1904. 6. 21.~1938. 5. 12.)은 광주광역시 광산구 소촌동 363번지(전라남도 광산군 송정면 소촌리 363번지)에서 아버지 박하준朴夏駿과 어머니 고광의의 4남매 중 장남으로 태어났다. 그의 부친 박하준은 "일본의 식량문제 해결을 위하여 생겨난 소위 산미증식이라는 총독 정치의 근본 정신 하에서 각지에 봉기한 수리조합으로 인하여 일반 지주에게 불사한 폐해를 소치한다 하여 불평등하다"는 인식하에 광주송정 수리조합을 반대하였다. 그래서 청징보를 완전히 수축하기로 한 자리에서 위원장이 되어[1] 일본의 식량문제를 해결하기 위해 수리조합을 건설하려는 일제의 총독정치에 반기를 들었다. 그 이후에도 지주 402명과

1_ 〈동아일보〉, 1927. 3. 18.

1 박용철 '문학의 성립은 그 민족의 언어를 완성시키는 길'이라는 절박함으로 '조선말'로 시를 썼다.
2 박용철 시비 그가 문학을 하게 된 것은 1921년 4월 김영랑과 사귀면서 시작되었다.

함께 송정수리조합반대연합회를 조직하여 군청, 도청, 총독부에 진정서를 제출하였다. 이에 전남도지사는 박하준을 비롯한 5명을 도회의실로 초환하여 송정수리조합창립에 동의해줄 것을 요구하였으나 박하준 등은 강경한 태도로 일관하면서 송정수리조합의 창립을 반대하였다.[2]

그럼에도 불구하고 일제는 이미 제출한 송정수리조합 반대 연서를 무시하고 송정수리조합창립동의에 날인을 강요하였다. 이에 반대연합지주회에서는 단결을 신조로 하여 반대하기로 하고 613명이 연서한 반대진정서를 가지고 7월 24일 박하준을 대표로 5명이 총독부에 진정하기 위하여 서울로 상경[3]하는 등 총독정치를 두려워하지 않았다. 송정수리

2_ 〈동아일보〉, 1927. 6. 3.
3_ 〈동아일보〉, 1927. 7. 26.

조합 설치 반대운동을 치열하게 전개한 끈질긴 노력에 전남도지사는 수리조합창립 당시에 소비된 금액을 변제하는 조건으로 인가를 취소하겠다고 백기를 들었다. 그래서 문제 정리위원장인 박하준이 주재하여 수리조합창립비용 3만 6천 원을 변제하고, 이에 반대하는 지주에게는 관개수로를 공급하지 않는 것[4]으로 송정수리조합을 해산시켰다.

한편으로 그는 〈동아일보〉 송정지국의 고문을 맡기도 하였다.[5] 뿐만 아니라 신간회 송정지회장으로 활동하면서 민족운동에 앞장섰다. 그는 신간회 송정지회 제1회 간사회를 박용철의 생가인 소촌동 363번지에서 개최[6]하는 대범함의 소유자였다. "유리걸식하며 무의무탁한 거지들을 구제할 목적으로 지방유지들은 공제조합을 창립하여 수십 명의 거지를 수용하여 공제조합의 창립위원인 박하신은 금 2천 원을, 박하준은 금 1백 원을 조합의 기본금으로 기부"했다. 그는 대지주였지만 가난한 사람들에게 인색하지 않은 너른 품을 지닌 사람이었다. 박용철이 그런 부친의 영향을 받은 것은 당연하였다.

용아 박용철은 1915년 광주공립보통학교(현 서석초등학교)를 졸업하고 이듬해인 1916년 휘문의숙에 입학하였다가, 배재고등보통학교(현 배재중고등학교)로 전학하였으나 1919년 졸업을 앞두고 자퇴하고 귀향하였다. 그해 겨울 울산 김씨 김희숙과 결혼하였으나 8년 만에 이혼했다. 그리고 일본 동경으로 유학을 떠나 아오야마학원靑山學院 중학부를 거쳐 1923년 도쿄외국어학교(현 동경외국어대학교) 독문학과에 입학했

4_ 〈동아일보〉, 1931. 7. 26.
5_ 〈동아일보〉, 1928. 1. 9.
6_ 〈동아일보〉, 1928. 2. 12.

『시문학』 동인 창립 기념사진(1929년) 앞줄 왼쪽부터 김영랑, 정인보, 변영로, 뒷줄 왼쪽부터 이하윤, 박용철, 정지용.

다. 그러나 관동대지진으로 학업을 중단하고 귀국, 연희전문학교(연전)에 편입학해서 위당 정인보鄭寅普의 가르침을 받기도 하였으나 1924년 9월 휴학했다. 연전 휴학 후 고향인 소촌동에 내려와 1년 6개월여를 머물렀다. 그의 누이 박봉자는 배화여자고등보통학교에 재학하고 있던 친구 임정희林貞嬉를 박용철에게 소개하였고 이 둘은 결혼했다.

박용철이 문학을 하게 된 것은 아오야마학원 재학 시절인 1921년 4월, 김영랑과 사귀면서부터였다. 김영랑과의 사귐은 박용철에게 생애의 전환점이 되었다. 그는 사재를 털어 『시문학詩文學』을 창간하여 발행하였다. 『시문학』은 시가 전문잡지를 표방하였다. 신시, 시조, 역시를 비롯하여 그 연구와 소개를 중심으로 하는 잡지인 『시문학』을 변영로, 정

7_ 김윤식은 김영랑의 본명이다.
8_ 〈중외일보〉, 1930. 1. 23.

『시문학』 1집, 2집, 3집 『시문학』은 시문학파를 탄생시킨 문예지이며 한국문학 발전에 지대한 영향을 미쳤다.

인섭, 김윤식[7], 정지용, 이하윤 외 제씨가 동인이 되어 격월간으로 '착실한 보조로써 예술의 길을 것고자 하는 본위'에서 발행하였다. 시문학사는 경성부 옥천동 16번지에 주소를 두고 있었다.[8]

『시문학』 창간호에 참여한 작가와 작품은 다음과 같다.

『시문학』 창간호, 시문학사, 1930. 3. 5. 편집 겸 발행인 : 박용철

- **국내시편**

김윤식	「동백닙에빗나는마음」, 「어덕에 바로누어」, 「누이의마음아 나를보아라」, 「사행소곡7수」, 「제야」 「쓸쓸한 뫼아페」, 「원망」
정지용	「일은봄아츰」, 「Dahlia」, 「경도갑천」, 「선취」
이하윤	「물네방아」, 「노구의 회상곡」

박용철 「써나가는배」, 「이대로가랴만은」, 「싸늘한이마」, 「비나리는날」
　　　　 「밤기차에그대를보내고」

• 외국시편

정인섭 역 「목란시」

이하윤 역 「폴·포-르(붐): 원무, 새벽」

용아 역 「헥토-르의이별」(독 실레르), 「미뇬의노래」(독 쾨쬐테)

• 편집후기

• 투고규정

『시문학』 2호, 시문학사, 1930. 5. 20. 편집 겸 발행인 : 박용철

• 국내시편

정지용 「바다」, 「피리」, 「저녁 햇살」, 「갑판우」, 「홍춘」, 「호수」

번영로 「고흔산길」

김윤식 「내마음고요히고흔봄길우에」, 「쑴바테 봄마음」
　　　　 「사행소곡오수」, 「가늘한 내음」, 「하날가ㅅ다은데」

박용철 「시집가는 시악시의 말」, 「우리의젓어머니(소년의말)」
　　　　 「한조각 하날, 사랑하든말」

김현구 「님이여 강물이 몹시도퍼럿슴니다」, 「물우에뜬갈매기」
　　　　 「거륵한봄과 슯흔봄」, 「적멸」

• 외국시편

정인보 역 「고가사」 2편

지용 역 　「윌렴·블레잌」 시

용아 역 　「예-ㅌ스」 시편

이하윤 역 「사맹」 시편

용아 역 　「하이네」 시편

• 편집후기

• 투고규정

『시문학』3호, 월간문예사, 1931. 10. 10. 편집 겸 발행인 : 박용철

- **국내시편**

  박용철 「선녀의 노래」, 「애사중에서」

  김현구 「황혼」, 「밤새도록」, 「눈감고생각하면」, 「애별」

  정지용 「무제」, 「석류」, 「뻣나무열매」, 「바람은부웁는데」

  김윤식 「내마음아실이」, 「사행소곡오수」, 「시내ㅅ물소리」

  허 보 「거문밤」, 「닢떠러진나무」

  신석정 「선물」

- **외국시편**

  이하윤 역 「향기로운바람」(쟈므), 「눈」(구-르몽)

  용아 역 하이네 시 10편

- **시인의 말**

- **편집후기**

『시문학』창간호에 참여한 작가는 박용철, 김영랑, 정지용, 이하윤, 정인섭이고, 2호부터 변영로, 김현구, 3호에는 허보와 신석정이 합류하였다. 이 작가들은 '시문학파'를 탄생시킨 문예지인 만큼 한국문학사의 중심 각기들로 한국문학 발전에 지대한 영향을 미쳤다. 박용철이 왜 『시문학』을 창간하게 되었는지는 다음 글에서 확인할 수 있다.

우리는 詩를 살로 색이고 피로 쓰듯 쓰고야 만다. 우리의 詩는 우리 살
과 피의 매침이다 그럼으로 우리의 시는 지나는 거름에 슬적 읽어치워지
를 바라지 못하고 우리의 詩는 열 번 스무 번 되씹어 읽고 외여지기를 바

랄쑨 가슴에 늣김이 잇슬째 절로 읊허나오고 읊흐면 늣김이 이러나야
만 한다 한말로 우리의 詩는 외여지기를 求한다.

이것이 오즉 하나 우리의 傲慢한 宣言이다.

사람은 生活이 다르면 감정이 갓지안코 敎養이 갓지 안으면, 感受의
限界가 짜라 다르다 우리의 詩를 알고 늣겨줄 만흔 사람이 우리 가운데
잇슴을 미더 주저하지 안는 우리는 우리의 조선말로 쓰인 詩가 조선사람
전부를 讀者로 삼지 못하고 어리석게 불평을 말하려 하지도 안는다.

이것이 우리의 自限界를 아는 謙遜이다.

한 민족 이 言語가 발달의 어느 정도에 이르면 口語로서의 존재에 만
족하지 안이하고 文學의 형태를 요구한다 그리고 그 文學의 成立은 그
민족의 言語를 完成식히는 길이다.

우리는 조금도 바시대지 안이하고 늘진 한거름을 쭈벅거러 나가려 한
다 虛勢를 펴서 우리의 存在를 인정바드려 하지 아니하고 儼然한 存在로
써 우리의 存在를 戰取하려 한다.

임의 一家의 品格을 이루어 가지고도 또 이루엇슴으로 作品의 發表를
쩌리는 詩人이 어뎬지 여러분이 잇슬 듯 십다 우리의 同人가운대도 자기
의 詩를 처음 印刷에 부치는 二三人이 잇다 우리는 모든 謙虛를 準備하
야 새로운 同人들을 마지러 한다.[9]

부친 박하준이 대지주였음에도 불구하고 일제의 수탈에 맞서 송정수
리조합 반대위원장으로 5년여 투쟁 끝에 끝내 송정수리조합 결성을 막

9_ 용아, 「후기」, 『시문학』, 시문학사, 1930. 39쪽.

아냈듯이 용아 박용철도 "우리의 조선말로 쓰인 시가 조선사람 전부를 독자로 삼지 못하고 어리석게 불평을 말하려 하지도 안는다."는 문제의 식을 지녔다. 그래서 "문학의 성립은 그 민족의 언어를 완성시키는 길"이라는 절박함으로 '조선말'로 시를 써서, '민족의 언어를 완성'시키기 위해 그는 『시문학』을 창간하고 발행하였다. '시문학파'로 분류되는 시인들의 시어가 우리말을 한껏 살려내고 있는 연유다. 그는 "우리는 시를 살로 새기고 피로 쓰듯 쓰고야 만다. 우리의 시는 우리 살과 피의 맺힘이"므로 "지나는 거름에 슬적 읽어치워지"기보다는 "열 번 스무번 되씹어 읽고 외워지기를 바"라며, "가슴에 느낌이 있을때 절로 읊어나오고 읊으면 느낌이 이러나"게 하는 시를 쓰고자 했다. 이것은 '조선말'로 우리의 시를 써서 '민족의 언어를 완성' 시킴으로써 일제의 우리말 말살정책에 정면으로 대응한 박용철의 방식이었다.

그래서 그는 『시문학』 창간호에 「떠나가는배」[10], 「이대로가랴만은」, 「싸늘한이마」, 「비나리는날」, 「밤기차에 그대를보내고」 5편을 발표하여 시인의 길로 접어든 것이다. 그리고 번역시 2편을 발표하여 해외문학 전공자로서의 면모를 보여주었다. 『시문학』 2호에는 「시집가는시악시의말」, 「우리의젓어머니」, 「한조각 하날」, 「사랑하든말」 4편을 발표하였고, 번역시로는 예이츠의 시 2편과 하이네의 시 10편을 번역하여 실었다. 『시문학』 3호에 「仙女의노래」, 「哀詞中에서」 2편과, 하이네이 시 10편을 번역하여 실었다. 박용철은 『시문학』에 시 11편을 발표하였고, 외국의 시 24편을 번역하여 국내에 소개하였다. 그는 시를 쓰고 외국시

10_ 시 「떠나가는 배」는 가수 김수철이 곡을 붙여 대중가요로 인기를 얻는 작품이다.

를 번역하여 국내에 소개함으로써 "우리의 감각에 녀릿녀릿한 깃븜을 일으키게하는 자극을 전하는 미, 우리의 심회에 빈틈업시 폭 드러안기는 感傷, 우리가 이러한 詩를 追求하는 것은 現代에 잇서서 힌거품 물려와 부듸치는 바회우의 古城에 서잇는 感이 잇"기 때문에 "조용히 거러 이 나라를 차저볼가"[11]하였다.

박용철은 『시문학』만 발간하는 데 그치지 않고 1931년에는 『문예월간 文藝月刊』 4권을 발간하였다. 『시문학』 3호에 "여러분의 문예지식을 넓히고 문예취미를 함양하는 데 조그만한 도움이 될가합니다. 시의 감상을 깊게 하는데 문예전반의 조치를 필요로 하는 것은 다언을 요치 아니할 줄 암니다"라고 『문예월간』 창간을 알리는 「社告」를 미리 냈다. 편집은 이하윤과 박용철이 맡는다는 말도 덧붙였다. 예고대로 『문예월간』은 1931년 11월 1일 창간되었고, 1932년 3월 4호를 끝으로 종간하였다.

『문예월간』 창간호, 문예월간사, 1931. 11. 1. 편집 겸 발행인 : 박용철
김진섭 「문학의 진보퇴보」, 「작품과 독자」
박용철 「효과주의적 비평논강」   **함일돈** 「9월 창작평」
조희순 「현대 독일문단 점묘」
이헌구 「불우의 여시인 베로르드·쌜모-트」
오덕순 역 「영화배우 반대론」   **함대훈** 「노서아혁명과 여가첩」
고영환 「여성세계의 원산」

11_ 박용철, 「편집후기」, 『시문학』 3호, 시문학사, 1931.

- **시**　박용철 「고향」 외 1편　　　허보 「표백의 마음」 외 1편
　　　　현구 「풀우에 누어」　　　　역시, 긔제 역 「비한의 홍수」
　　　　헌구 역 「만추의 소요」 외 2편

- **시조**　하윤 역 「가을노래」　　　용철 역 「시조6수」
　　　　변영만 「문예잡담」　　　　이은상 「주몽과 동명」

- **소설**　유진오 「상해의 기억」　　　홍일오 「고우」
　　　　장기제 역 「황금운동」

- **해외문예소식**　　• **편집후기**　　• **소화**

- **차호광고**　　　• **투고규정**　　• **사고**

『문예월간』, 2호, 문예월간사, 1931. 12. 1, 편집 겸 발행인 : 박용철

홍일오 「글공부」(소설)　　　　　　**최독견** 「구흔」(소설)

유치진 「토막」(희곡)　　　　　　　**현　민** 「문학과 성격」

박용철 「문예시평」　　　　　　　　**정　용** 「아침」

유치환 「정숙」　　　　　　　　　　**이은상** 「계룡산까지」

용철 역 역시 4편　　　　　　　　　**이하윤 역** 역시 4편

변광호 오수극필　　　　　　　　　**이헌구** 「불란서문단종횡기」

HYI 「노벨상을 탄 서전의–향토시인 '칼펠트' 와 그의 시」

오녁순 역 「영화각본론」　　　　　**김진섭** 「이데리적 감성」

조희순 「슈니츨러–의 예술과 그사상」

- **문예월간 묘**　　　• **해외문예소식**　　• **문예실**

- **각본 최민락**　　　• **시문학회원모집**　　• **편집후기**

『문예월간』, 3호, 1932. 1. 1, 문예월간사, 편집 겸 발행인 : 박용철

문예계에 대한 신년희망　평론계에 유진오, 연구계에 정인섭
소설계에 박용철, 시인에게 이하윤, 화가에게 안석주
음악계에 홍종인, 영화계에 심훈, 연극계에 홍해성

홍일오 「진맥」(소설)　　윤백남 (전설)　　　유치진 「토막」

편석촌 「청중없는 음악회」　　김성근 「춘원의 문학현실」

신석정 「어머니는 나의쏨을」　　정지용 「소녀」 시 2편

임춘길 동시 2편　　　　　황석우 「소녀의 맘」 외 2편

박용철 시조 5수　　서항석 역시 2편　　이하윤 역 「일허진길」

함대훈 「싸베-트 노서아문단의 현세」

김진섭 「걸린 쌀래의 고탄」　　이헌구 단상편편

- 문인인상기_ 최의순 동아일보사　　　최정희 삼천리사
　　　　　　김원주 매일신보사　　　송계월 개벽사

- 해외문예소식　　　• 편집후기

- 특별부록 「조선문예가명록」, 「문예작품총람(1931년)」

『문예월간』 4호, 1932. 3. 1, 문예월간사, 편집 겸 발행인 : 박용철

조희순 「괴-테의 생애와 그 작품」　　김진섭 「괴-테의 예술」

서항석 「괴테의 시」

현민·파인·주요한·변광호·이헌구·김진접·정인섭·서항석·이광주 「괴-테와 나」

서항석·박용철 「괴-테서정시초」

박용철 역 「베르테르의 서름」, 「괴-테 격언집」, 「괴-테 연표」

홍일오 「4엽 클로-버」(소설)　　　최정우 「하숙실」

양백엽 역 「탄금련」　　　　유진오 문예시평

고영환 「여권신장운동자의 명영」　　오덕순 역 「영화각본론」

- 해외문예소식　　　• 문예실　　　• 정정란

- 편집후기

『문예월간』은 매월 발행하는 것을 원칙으로 하여 3호까지는 잘 발행되었다. 그러나 4호는 2개월 만에 발행되었는데 그나마 그것으로 종간되고 말았다. 박용철이 『문예월간』을 창간하게 된 동기와 목적은 아래의 글에서 확인할 수 있다.

> 이제 모든 文藝運動은 世界를 舞臺로하야 向上하고 發展해나간다. 一個人 一流波의 文學은 그것이 一國民文學이 되기도 하는 동시에 또한 世界文學의 圈內로 包括되여야만 하는 것이다.
>
> 그러면 우리의 文學도 임이 世界的으로 進出하엿다고 볼수가 잇는가 이것을 가지고 世界文壇에 나설만한가 말하는 것만이 오히려 破廉恥한 일이다. 우리들의 입으로 新文藝를 云謂한지 十有餘年에 무엇을 쑴쑤고 잇섯든가.
>
> 우리는 이제 훗터진 文壇을 敢히 整理해보랴는 부질업는 野心이 잇다. 동시에 아즉껏 沈默을 직혀오든 同志들을 끌어내야할 義務를 切實히 늦긴다. 그리하야 어서밧비 억개를 世界水準에 견우어 보지 안흐랴는가.
>
> 남붓그럽지않은 우리의 우리다운 문학을 가지기에 노력하자. 그리하야 세계문학의 조류속에 들어스자. 우리는 이 사업의 일조가 되기 위하야 이 잡지의 전부를 바처나가고자 한다.[12]

이 「창간사」를 보면 "신문예新文藝를 운위云謂한지 십유여년十有餘年"이 지났지만 "世界文壇에 나설만" 하지도 못하기 때문에 민족주의 계열과

12_ 이하윤, 「창간사」, 『문예월간』, 문예월간사, 1931. 1쪽.

카프계열의 '흩어진 문단을 감敢히 정리整理'하여 "어서 바삐 어깨를 세계수준에 견"주는 "남부끄럽지 않은 우리의 우리다운 문학"을 위해서 『문예월간』을 발행하였다. 그리고 이어서 1934년에 『문학文學』 3권을 간행하였다. 자세한 내용은 다음과 같다.

『문학』 창간호, 시문학사, 1933. 12. 25. 편집겸 발행인 : 박용철

김진섭 「창」	김광섭 「수필문학소고」
영랑 「사행소곡6수」	조운 「만월대에서」
유치환 「수선화」	편석촌 「산보로」
허보 「나의 일생, 아침」	현구 「내마음사는곧」

신석정 「너는비들기를부러워하드구나」

박용철 역 「꿈나라자임의 노래」, 「저녁노래」

조희순 「문학에 있어서의 체험과 세계관」

이현구 역 「회화론」	이하윤 역 「시인 더 라 메-어연구」
함대훈 역 「보모」	김진섭 역 「애독자」

조희돈 역 「독일민중무대종간사」, 「페르시-데네」

• 편집여언

『문학』 2호, 시문학사, 1934. 2. 1, 편집겸 발행인 : 박용철

박용철 역 「시의 명칭과 성질」

김상용 「우리 길을가고 또갈까」, 「자살풍경스켓취」
　　　　「남으로 창을 내겟소」

임학수 「먼곡조」, 「항해」	영랑 「불지암서정」

신석정 「고요한 골에는 물로 흘러가겟지」, 「길」

허보 「하나님의 장식」, 「처」	유치환 「포푸라」

최재서 「굶주린쫀슨박사」

하인리 역「사랑하는 하느님과의 싸움」

이헌구 역「메르시에의 죽엄」

• 편집여언

『문학』 3호, 시문학사, 1934. 4. 1. 편집겸 발행인 : 박용철

이하윤 역「더·라·메-어의 시경」

영랑「모란이 피기까지는」　　　　**유치환**「눈」

신석정「산으로가는마」, 「바람」　　**현구**「산비달기같은」

임학수「달에빛외인정자」　　　　**허보**「처」

함대훈 역「거미와 파리」　　　　**김진섭 역**「작가역인간호?」

김광섭「풍자론」**유치진**「망상수기」　**박용철 역**「거울」

• 후기

　『문학』에는 시문학파와 해외문학파의 일원들이 그대로 참여하고 있
다. 특이한 것은 영광의 시인 조운[13]과 순천의 시인 임학수가 참여하고
있는 것이다.[14] 조운은 해방 후에 월북하였고, 임학수는 한국전쟁기에
납북되었다. 해외문학파의 일원인 김진섭은 목포에서 출생하여 일가족
이 모두 나주에 정착하였으나 그도 납북되었다.

　『문학』 3호에 실린 "조선연극운동을 그 진지한 연구와 실천적 행동으

13_ 조운, 『조운시조집』, 조선사, 1947.

14_ 임학수, 『석류』(한성도서, 1937), 『팔도풍물시집』(인문사, 1938), 『후조』(한성도서, 1939),
　『전선시집』(인문사, 1939), 『필부의 노래』(고려문화사, 1948) 등이 있다.

로서 4년 동안 꾸준히 지도하며 보급시켜 오던 극예술연구회에서는 금번 제6회 공연(입센 작 박용철 역 「인형의 집」을 내 4월 12, 13 양일간 공회당에서 상연)을 앞두고 기관지『극예술』창간호를 내 4월 10일까지 발행하게 된다"는 예고대로 박용철은 『극예술』을 발행했다. 『극예술』 창간호는 시문학사에서 1934년 4월 18일에 발행하였다. 『극예술』은 1936년 9월에 5호까지 발행하고 종간되었다. 『극예술』은 '극예술연구회'의 기관지로서 역할에 충실한 문예지였다. 박용철은 「인형의 가」를 번역하는 등 '극예술연구회'의 회원으로서 뿐만 아니라 문학예술을 위하여 온몸을 바쳐 헌신하였다. 그런 의미에서 용아 박용철은 문학인이자 문화운동가였다.

시인으로, 희곡작가로, 평론가로, 번역가로, 그리고 잡지의 발행인으로 활동했던 그는 1932년 7월 장티푸스를 앓으면서 건강에 문제가 생기기 시작하였다. 그리고 1934년 후두결핵 진단을 받고 경성제국대학에 입원하여 치료를 받기도 하였다. 건강이 회복되어 1937년 3월에는 일본을, 가을에는 시인 정지용과 함께 금강산 여행을 다녀오기도 하였지만 다시 건강이 악화되어 1938년 세브란스병원에 입원하여 치료를 받았으나 회복하지 못하고 1938년 5월 12일 서울 사직동 자택에서 생을 마감했다.

박용철이 이끌었던 시문학사에서 1935년 시문학파의 일원이었던 정지용鄭芝溶의 『정지용시집』과 김영랑의 『영랑시집』을 간행하였다. 그의 이른 죽음으로 인해 광주문학의 지평은 더 확장되지 못하고 말았다. 신문에는 부고기사가 떴다.

오랫동안 조선시단에서 활약하든 시인 박용철씨는 지난 정월부터 병석에서 누워 있든 바 약석이 무효하여 지난 5월 12일 오후 5시 반 아깝게도 35세를 일기로 영면하였다. 씨는 일직 배재고보를 졸업하고 청산학원과 동경 외국어학교 독일어부를 수업하고도 조선에 돌아와 조선시단에서 활약하는 일방 시문학사를 만들어 『시문학』『문예월간』『문학』 등 문예잡지를 간행하야 조선문단에 공헌한 바가 크다. 그런데 영결식은 15일 오후 4시 사직정 자택에서 거행한다고 한다.[15]

『박용철 전집』(시문학사, 1939)
그의 사후 1주기를 맞아 발간됐다.

박용철은 문예지를 간행하면서 한국문학의 발전에 기여한 바가 크다. 이에 문우들은 박용철의 1주기를 맞아서 시와 번역시와 동요, 한시 등을 망라한 『박용철전집』1을 간행하였다.

일대의 천재적 서정시인 용철의 주옥같은 유고집 제1권 시가편이 만인대망 속에 금일 출래!
수정처럼 순수한 서정시인으로 명철한 시론가로 다단한 현세 조선시의 명일을 개척할 일대 귀재 용철이 홀연히 타계한 뒤 현하 시단의 적막은 이루 형언할 바가 없다. 시론의 빈곤! 시정신의 상징! 시단의 상흔은

15_ 〈매일신보〉, 1938. 5. 14.

심대하야 우리는 그의 유산을 정리하고 음미하고 연구하야 명일의 조선 서정시가 성육할 영양을 빚어내야겠다. 시의 원천은 언제나 서정시가 아닌가? 오늘날 우리가 이 천절한 시인 용철의 유고집을 발행하는 것은 조선이 낳은 서정시의 최대의 저수지를 만인에게 공개함을 의미한다.

본서는 그의 전 유작중 시가를 전부 망라한 것으로 제1부가 창작시집 『떠나가는 배』 이하 74편 제2부가 번역시편 『괴-테』시 13편, 『실레프』시 1편, 『하이네』 시 69편 외 『릴케』 영시 67편 애란시 12편 미시 40편 외 동요, 한시, 일본시 등 전부 4백여 편의 장대한 양에 달하야 실로 현대시단의 일대 금자탑이다. 이 책이 다수인에게 읽혀질 때 조선시단은 분명히 일대 비장의 시기를 맞이할 것이다.[16]

그리고 또 1년 후인 1940년 6월에 『박용철전집』2가 발행되었다. 김진섭은 "시인으로서의 그의 성가는 이미 정평이 잇는 바요 또 그의 평론의 가치에 대해서도 이 평론집 첫 머리에 김광섭외 제씨의 현명한 평가가 있음으로 사족을 첨함을 피하거니와 우리가 이 책 한 권을 들고 정직하게 말할 수 있는 것은 그 참으로 우리가 가질 수 있는 최고의 문학 이론자, 문화관심자이었다는 사실이다. 그의 총명과 박학은 결로 만사를 오인하는 법이 없으며 그리하여 그가 한번 다른 이의 문재를 인식할 새 그는 그 미지인의 문을 두드려 일찍이 한번인들 欣握의 기회를 노친법이 없었다. 사람이 이와 같은 총명과 포용력 이해력과 애정을 동시에 갖는다는 것은 그리 쉬운 일이 아니니 이 평론집에 모여진 모든 그의 문장

16_ 〈동아일보〉, 1939. 7. 22

은 결국은 그의 그러한 아름다운 천자의 산물이라 보아 틀림없으리라."[17]하였다. 『박용철전집』 2권에는 번역 시가 무려 400여 편을 차지하고 있다. 그가 창작시보다 번역에 더 주력했다는 것을 알 수 있다.

'시문학파'의 출현은 광주문단뿐만 아니라 한국 현대시사에 새로운 전환점을 제공한 사건이다. 강진의 김영랑이나 김현구, 정지용, 이하윤, 정인보, 신석정, 변영로, 허보 등이 활동한 시문학파는 한국 시문학의 수준을 한 단계 올려놓았다. 박용철은 광주에서 활발하게 전개된 민족운동과 함께 문학인으로 성장한 시인 김태오와 다른 방식으로 문단에 등장, 한국문학사의 핵심으로 자리 잡았다. 그중에서도 박용철, 김영랑, 김현구는 광주전남 지역의 시문학 "터전을 닦아준 분들이며 한국문단에 신문학의 씨를 뿌린" 작가들이다. "광활한 영토를 보존해오고 있음은 우리 전남인들뿐만 아니라 한국 전체적인 데서도 그 위치를 뚜렷이"[18] 알 수 있다. 지역어를 시어로 활용하는 언어에 대한 각별한 관심과 그 안에서 찾은 리듬의 활용, 그것은 그 자체가 지역문학의 정체성을 담보했다. 그들에게 문학의 경계는 없었다. 박용철의 힘이 컸다.

다형(茶兄) 김현승의 등장

광주문학의 지평을 넓혀줄 또 한 명의 작가가 등장하는데 바로 시인 김현승이다. 김현승金顯承(1913. 4. 4.~1975. 4. 11.)은 김창국金昶國 목사의 아들로 평양에서 태어났다. 그는 독실한 기독교 가정에서 태어났는

17_ 〈동아일보〉, 1940. 6. 23
18_ 김해성, 앞의 글, 247쪽.

김현승 교지에 투고했던 시 「쓸쓸한 겨울 저녁이 올 때 당신들은」이 〈동아일보〉에 발표되면서 화려하게 등장했다.

데 그의 아버지는 전북 익산 출신으로 평양신학교를 나왔다. 그가 평양에서 태어난 것은 아버지 김창국이 평양에서 유학중이었기 때문이다. 이후 김현승은 아버지 김창국의 부임지를 따라 제주도에서 유년을 보냈다. 김현승이 광주로 온 것은 1922년 김창국 목사가 광주 금정교회로 부임하면서다. 김창국 목사는 1922년 7월 16일 "광주금정교회를 치리하다가 미주유학으로 출발한 남궁혁목사의 후를 습"[19]하여 남장로회 입회하에 위임식을 거행하고 금정교회의 목사가 되었다. 그때 7세였던 김현승은 광주광역시 남구 양림동 78번지에서 성장하였다. 광주 숭일학교를 졸업하고 평양으로 유학을 떠났다. 숭실중학교와 숭실전문대 문과에 입학하였다. 평양 숭실전문학교 문과에 입학하여 숭실전문 3학년을 마친 1933년 위장병으로 인해 휴학하고 요양하였다. 1934년 다시 평양으로 돌아가 숭실전문학교에 복학하였고 그해 겨울 귀향하지 않고 기숙사에 홀로 남아 시작에 열중하여 시를 썼다. 재학 시절 교지校誌에 투고 했던 시 「쓸쓸한 겨울 저녁이 올 때 당신들은」을 양주동이 추천하여 〈동아일보〉 문예란에 발표함으로써 화려하게 등장하였다.

19_ 〈동아일보〉, 1922. 7. 24.

김현승 시비 무등산 원효사 입구에 있는 다형 김현승의 시비. 시 「눈물」을 장전
하남호 선생이 썼다.

축복과 사랑을 받지 못하는 크고 작은 유리창들이

순간의 영광답게 최후의 찬란답게 빛이 어리었음은

저기 저 찬 하늘과 추운 지평선 위에 붉은 해가 피를 뿌리고 있습니다.

날이 저물어 그들의 황홀한 심사가 멀리 바라보이는

광활한 하늘과 大地와 더불어 황혼의 默想을 모으는 곳에서

해는 날마다 그의 마지막 정열만을 세상에 붓는다 합니다.

여보세요, 저렇게 붉은 情熱만은 아마 식을 날이 없겠지요.

아니 우랄산 골짜기에 쏟아뜨린 젊은 사내들의 피를 모으면 저만할까?

그렇지요, 東方으로 귀양간 젊은이들의 情熱의 회합이 있는 날아! 저
하늘을 보세요.

황금창을 단 검은 기차가

어둡고 두려운 밤을 피하여 黎明의 나라로 화살같이 달아납니다.

그늘진 산을 넘어와 광야의 시인 - 검은 까마귀가 城邑을 지나간 후

어두움이 대지에 스며들기 전에

열차는 安全地帶의 휘황한 메트로 폴리스를 향하여

墨暗이 절박한 北部의 雪原을 탈출한다 하였습니다.

그러면 여보! 이 날 저녁에도 또한 밤을 피하지 못하는 사람들이 있지
않습니까?

적막한 몇 가지 일을 남기고 해는 졌습니다그려!

참새는 소박한 깃을 찾고,

산속의 토끼는 털을 뽑아 둥지에 찬바람을 막고 있겠지요.

어찌 灰色의 포플러인들 五月의 茂盛을 회상하지 않겠습니까?

불려 가는 바람과 나려오는 서리에 한평생 늙어 버린 전신주가

더욱 가늘고 뾰죽해질 때입니다.

저녁 배달부가 돌아다닐 때입니다.

여보세요. 쓸쓸한 겨울 저녁이 올 때 허다한 사람들에게

행복한 시간을 프레젠트하는 우편물입니까?

해를 쫓아버린 검은 狂風이 눈보라를 날리며 개선행진을 하고 있습니

다그려!

불빛 어린 창마다 구슬피 흘러 나오는 悲戀의 頌歌를 듣습니까?

쓸쓸한 저녁이 이를 때 이 땅의 居住民이 부르는 遺傳의 노래입니다.

지금은 먼 이야기, 여기는 東方

그러나 우렁차고 빛나던 해가 서쪽으로 기울어지던 날

오직 한마디의 悲歌를 이 땅에 남기고 先人의 발자취가

어두움 속으로 영원히 사라졌다 합니다.

그리하여 눈물과 한숨, 또한 내어버린 웃음 위에

漂浪의 역사는 흐르는 세월과 함께 쓰여져 왔다 합니다.

그러면 어보, 이러한 이야기를 가진 딩신들!

쓸쓸한 저녁이 올 때 창밖에 안타까운 집시의 노래를 放送하기엔

 ─ 당신들의 情熱은 너무도 크지 않습니까?

漂浪의 역사를 그대로 흘려 보내기엔

 ─ 당신들의 마음은 너무도 悲憤하지 않습니까?

너무도 오랫동안 차고 어두운 이 땅,

울분의 덩어리가 수천 수백 강렬히 불타고 있었습니다그려!

마침내 悲戀의 감정을 발끝까지 찍어 버리고

금붕어 같은 삶의 기나긴 페이지 위에 검은 먹칠을 하고

하고서, 강하고 튼튼한 역사를 또다시 쌓아 올리고

캄캄하던 東方山 마루에 빛나는 해를 불쑥 올리려고.

밤의 險路를 천리나 만리를 달려나갈 젊은 당신들 -

情緖를 가진 이, 일만 사람이 쓸쓸하다는 경루 저녁이 올 때

구슬픈 저녁을 더더 장식하는 가냘픈 旋律 끝에 매어 달린

曲調와

당신의 작은 것을 찾는 가엾은 마음일랑 작은 산새에게 내어주고

綠色 등잔 아래 붉은 會話를 그렇게 할 이웃에게 맡기고

여보! 당신들은 맹렬한 바람이 부는 추운 거리고 나아가야 하지 않겠

습니까?

소름찬 당신들의 일을 하여야 하지 않겠습니까?

　　　　　　　　　　　　　　- 「쓸쓸한 겨울 저녁이 올 때 당신들은」 전문[20]

　시 「쓸쓸한 겨울 저녁이 올 때 당신들은」는 「어린 새벽은 우리를 찾아
온다 합니다」와 함께 김현승의 등단작이 되었다. 김현승은 「쓸쓸한 겨
울 저녁이 올 때 당신들은」은 "황혼을 소재로 한 감상적인 시"였고, 「어
린 새벽은 우리를 찾아온다 합니다」는 "아침을 소재로 한 명랑하고 희

20_ 〈동아일보〉, 1934. 3. 25.

망에 가득 찬 시였다."고 말하고 있
다. 두 편의 공통점은 주인 없는 자
연을 인격화하여 형상화함으로써
암울한 현실에 대한 비판과 분기를
표출하고 있는 점이다. 장시이면서
도 서술적인 기법으로 흐르지 않고
상징성을 띠고 있다. '검은 광풍',
'눈보라', '비련의 송가', '눈물과
한숨', '내어버린 웃음', '표랑의
역사' 등은 일제치하의 암울한 현
실을 드러내는 등가기호들로서 '강
하고 튼튼한 역사'를 위하여, '해'
를 맞이하기 위하여, "가엾은 마음
일랑 작은 산새에게 내어주고", "맹
렬한 바람이 부는 추운 거리"로 나
아가야 함을 역설하고 있다. 이때
'튼튼한 역사'와 '해'는 희망을 상
징하며 '광복'이라는 의미소를 함
의하고 있다.

김현승의 「동굴의 시편(其一)」
〈조선중앙일보〉, 1935. 5. 3.

"민족주의적인 입장에서 분기를
은근히 의미하는 표현들이었다"는
진술을 통해 보면 '튼튼한 역사'와 '해'의 의미는 한층 더 확실해진다.
'튼튼한 역사'는 다시는 무너지지 않을 힘을, '해'는 얼어붙은 대지를
녹이는 뜨거운 열정을 의미한다. '해'의 정열적이고 역동적인 힘은 '튼

튼한 역사'를 위하여 '밤의 험로'를 뚫고 천리나 만리를 달려 나아가는 젊은이들에게 역경과 고난의 길인 '맹렬한 바람이 부는 추운거리'를 녹이고도 남는다.

"내 시풍은 수월찮이 낭만조와 감상조에 기울어지고 있었다. 그 소재는 주로 자연이 대상이었으나 나는 소박한 자연을 단조롭게 노래하는데 만족치 않고 즐겨 해학과 기지를 삽입시켜 인사人事와 결부시켜 보려고 노력해 본 것만은 사실이다."[21]는 진술을 통해 서정적 자아의 체험을 전달하고자 하는 의도가 분명히 드러난다. 대상인 자연과 주체인 자아의 동일성, 그 주객합일의 일체감은 동양의 자연철학을 반영하고 있다. 그리고 「동굴의 시편」[22]을 발표하는 등 창작활동을 활발하게 전개한다. 김현승이 등단 초기에 낭만적 경향의 시들을 발표했음에도 불구하고 감상주의에 기울지 않은 것은 일제에 빼앗긴 들에 대한 자유를 찾는 작업이었기 때문이다. 1930년대는 현실도피주의적 경향과 자연을 대상으로 하되 기지와 풍자로 현실에 대한 비판을 드러낸 경향을 띠고 있었다. 박용철은 「을해 시단총평」[23]에서 김현승의 시에 대해 "이제 한걸음 올라서면 가작을 보여 줄 듯 싶으나 아직 정리기를 통과치 못한 감이 있"다고 평하였다.

그 뒤 그는 1936년에 위장병이 악화되어 다시 광주로 돌아와 숭일학교에서 교사로 근무하던 중 교회 신도와 사소한 문제로 다툰 것이 신사참배 거부사건으로 비화되었다. 이에 주모자로 몰려 부친, 누이동생과 함께 체포되어 장성경찰서에서 한 달 가까이 구금되었다가 대구복심법

21_ 김현승, 「시인으로서의 나에 대하여」, 전집 2, 281쪽.
22_ 〈조선중앙일보〉, 1935. 5. 3.~1935. 5. 4.
23_ 〈동아일보〉, 1938. 12. 28.

원에서 80원의 벌금형을 언도받고 풀려났다. 그 일로 숭일학교에서는 파면당하였다. 1938년 양림교회 장로인 장맹섭[24]의 딸인 장은순張恩淳과 결혼한 후 그는 광주광역시 남구 양림동 89번지에서 살았다. 복학하려고 평양으로 갔으나 숭실전문학교가 신사참배문제로 폐교를 당하여 시작도 중단한 채 평안북도 용강에서 사립학교 교사로, 황해도 흥수원 금융조합과 전남 화순 금융조합을 전전하였다.[25] 그래서 이 시기에는 시작에 전념하지 못했다. 그는 해방 이전에 〈조선중앙일보〉와 〈동아일보〉, 『조선시단』, 『숭전』 등에 18편을 발표하였다.[26] 그는 일제의 전시동원 체제에서 전쟁을 찬양하고 미화하며, 학병에 적극적으로 지원하라는 일제에 찬동하는 시를 써서 일신의 영락을 구할 수 없었다. 그래서 생활인으로 삶에 충실하였을 뿐 시를 쓰지 않고 침묵으로 일관하다 해방을 맞았다.

여명을 밝히는 문학가들

박용철의 헌신과 노력 덕분에 '시문학파'가 서울 중앙문단을 중심으로 활동하고 있을 무렵 목포에서는 『호남평론湖南評論』[27]을 중심으로 전

24_ 오방 최흥종 목사의 영향을 받은 30여 명의 기독교 청년들이 오웬 기념각에 모여서 기독교청년회를 창설하였는데, 김강, 장맹섭, 서창균, 강태성, 서한권, 장남구, 최순호, 김태오, 최영욱, 황상호, 최영균, 김철주 등이 참여하였다. 장맹섭은 숭일YMCA, 광주YMCA 창설회원이었다.

25_ 숭실어문학회편, 『다형 김현승 연구』, 보고사, 1996

26_ 김인섭 엮음, 『김현승시전집』, 민음사, 2005.(이 『김현승시전집』의 작품연보에는 해방 이전에 발표한 작품의 서지에 많은 오류가 있다. 그러나 여기서는 전집의 작품의 편수를 그대로 따른다. 향후 오류들을 바로잡아 별도로 논의하기로 하겠다.)

한이직과 평양숭실전문학교 정문 평안남도 평안에서 태어나 평양숭실중을 거쳐 1933년 숭실전문학교 8회로 졸업했다. (한이직도서관 제공)

남문학의 기반을 닦았다. 『호남평론』은 김우진의 동생인 김철진이 사장이고, 배치문이 주간이었으며, 여기에 참가한 동인은 오덕吳德, 정철鄭哲, 나천수羅千洙, 박동화朴東和, 김일로金一路, 이영해李永海, 심인섭沈仁燮, 그리고 「목포의 눈물」을 작사했던 문일석文一石 등이었다. 이 『호남평론』은 뚜렷한 문학적 성과를 거두지 못했지만 지역에서 발행한 종합지로서 의미가 있다. 전남에서 해방 전에 문단에 등단한 작가들은 영광의 조운과 박화성, 조남령, 정태병, 목포의 김우진, 이동주, 순천의 임학수, 화순의 여상현, 고흥의 목일신, 조종현이다. 이들은 광주와 전남문단 형성의 초석이 되었다. 광주문학에 포함하여 다루지는 못했지만 광주와 전남의 경계는 없으면서 있기 때문에 논외로 두었다.

27_ 『호남평론』은 1935년 4월부터 발간되었던 종합시사평론지로 1937년 8월호까지 발간되었다.

박용철이 광주문학을 넘어 한국문학사에 커다란 기여를 하는 동안 광주에서 고정흠高廷欽(1903. 12. 15.~1986.)이 시조로 등단하였다. 그는 전남 구례 출신으로 경성 중동학교 졸업하고 전남교원양성소를 나와 1923년부터 바로 교직에 종사하였는데 1930년 〈동아일보〉에 시조 「기원」이 당선되었다.[28] 작품은 "삼각산/제일봉에/검은 구름 뭉그리네//저 구름/비가 되어/이 강산에 뿌려지다//꽃진 지/오랜 등걸에/새움 돋게 하소서"(「기원」)인데, 시조의 형식에 충실하면서도 시인의 직관이 잘 드러나 있다. 이때 또 등단한 작가는 한이직韓利職(1907. 3. 27.~1970. 7. 12.)이다. 한이직은 평안남도 평원군 자덕면 간리 181에서 태어났고, 평양 숭실중을 거쳐 1933년 숭실전문학교 8회로 졸업하였다.[29] 그는 숭실전문학교 재학 시절 농구선수로 평양농구연맹이 주최한 농구대회에 출전하기도 하였다.[30] 시인 김현승의 형 김현창과는 숭실전문학교 동기 동창으로 그때부터 양림동과의 인연이 시작되었다. 한이직은 〈동아일보〉가 주최한 제3회 학생계몽운동에 참여하였고, 대원 16명과 함께 목포 양동교회 하기 아동성경학교에 책임대원으로 파견되어 계몽운동을 펼쳐 남녀 해득자만 4,510여 명이나 되는 성과를 거두기도 하였다.[31] 그는 1933년 '훈당薰堂'이라는 필명으로 희곡 「아들 삼형제, 딸 형제」를 〈조선일보〉에 발표하여 문단에 이름을 올렸다. 춘원 이광수의 추천작이다. 「아들 삼형제, 딸 형제」는 〈조선일보〉에 1933년 7월 13일부터 22일

28_ 고정흠은 평생 교직에 종사하였으며, 1949년 광주 학강초등학교 교장 등을 거쳐 1969년 퇴직하였다. 『영산강』, 『녹명』, 『시조문예』, 『민족시』 동인으로 활동하였는데 평생 쓴 작품을 모아 1980년에서야 『일곡시조선』(현대문화사, 1980)이라는 시조집을 간행하였다.
29_ 평양 숭실전문학교, 『숭실전문 제8회 졸업사진첩』, 1938. 3.
30_ 〈동아일보〉, 1931. 11. 29.
31_ 〈동아일보〉, 1933. 8. 23.

한이직의 희곡 훈당이라는 필명으로 1933년 7월 〈조선일보〉에 희곡 「아들 삼형제, 딸 형제」를 발표하여 문단에 이름을 올렸다.(〈조선일보〉, 1933. 7. 15.)

까지 6회에 걸쳐 연재되었는데 목포 정명학교에서 영어교사로 재직 중 발표한 작품이다. 이후 그는 광주로 전근하여 전남여고 교감으로 재직 하였다. 그때 화가 천경자는 그의 집에 머물면서 전남여고에서 학생들 을 가르쳤다. 한이직은 교직에 집중하면서 더 이상 작품 활동을 하지 않 았다.[32] 그의 형 한경직 목사도 숭실전문을 졸업하였다.

이 시기 고재기高在騏(1917~?)는 1939년 말부터 1941년까지 〈만선일 보〉에서 조사부와 학예면 담당편집기자로 근무하였다. 그는 1934년 4 월에 보성전문학교 법과에 입학하여[33] 졸업한 후 바로 만주에서 발행된 〈만선일보〉 기자로 근무하였다. '일가일언' 란에 「환경과 인간성」이라 는 글과 박팔양, 김영팔과 함께 「민족의 제전」[34]이라는 비평문, 수필 「흐름」[35]을 발표하였다. 그리고 1952년 광주고등학교 교사로 재직하다 가 1959년 3월 전남대 문리대 교수가 되었고 이후 전남대 상대학장과 전남대 박물관장을 역임하였다. 그는 〈만선일보〉에 근무하던 시절의 시 인 백석의 육필원고 「흣새벽」을 소장하고 있다가 법정 스님을 통해 백 석의 연인이었던 자야 김정한에게 전해주었다. 백석의 육필은 1998년 2월 5일 〈경향신문〉을 통해 세상에 공개되었다.

그런가 하면 서두성徐斗成(1907. ~1965. 10. 28.)은 1930년대 대중가 요 작사가로 유명했다. 서두성이 쓴 「시들은 청춘」은 1934년 12월, 「순 풍에 돛달고」는 1935년 1월에 모두 콜럼비아 레코드사에서 발매했다.

32_ 양림동에서 나고 자란 차남 한신원은 담양 수북에서 '한이직도서관' 을 운영하고 있으며, 막내아들인 한희원은 양림동에서 '한의원미술관' 을 운영하면서 화가로 활동하고 있다.
33_ 〈중외일보〉, 1934. 4. 2.
34_ 〈만선일보〉, 1940. 8. 21.
35_ 〈만선일보〉, 1940. 9. 1.

서두성 문학적 감성으로 노랫말만 쓴 것이 아니라 영화인으로도 활동하였다. 중앙에 있는 이가 서두성이다. (《매일신보》, 1934. 2. 20.)

노래는 성악가이자 최초의 대중가수인 채규엽이 불렀다. 채규엽[36]은 당시 남자가수 인기투표에서 1위를 차지한 당대 최고의 가수였다.[37] 김용환, 고복수가 그 다음을 이었다. 채규엽이 부른 노래 중에 서두성의 작품은 2편으로 전문을 옮기면 다음과 같다.

36_ 함경남도 함흥 출생. 원산에 있는 기독교 계통의 신명학교를 졸업하고 곧 일본으로 건너가 중앙음악학교에서 정식수업을 받았다. 일본에서 사용한 그의 첫 예명은 하세가와 이치로(長谷川一郎)였다. 1930년 3월 콜럼비아레코드사에서 「봄노래 부르자」를 출반하여 직업가수 제1호가 되었다. 1932년 일본 유행가의 분수령을 이루게 한 고가 마사오(古賀政男) 작곡 「술은 눈물일까 한숨이랄까」를 우리말로 취입, 최고 인기가수가 되었다. 그 뒤 콜럼비아・포리도르・태평레코드사를 통하여 수많은 히트곡을 내놓았다. 1943년 이후 연예 활동을 잠시 중단했다가 8・15광복 후 다시 연예계로 돌아와 왕년의 히트송을 열창하기도 하였다. 그러나 1947년 흥행사로 변신, 연예단체를 운영하다가 사업 부진으로 종적을 감추었다. 1・4후퇴 당시 월남한 연예인들이 전하는 바로는 그가 월북하여 아오지탄광에서 중노동을 하였다는 소식만 전할 뿐 생사에 대해서는 알지 못한다. 이후 북한에서 간행된 자료에서는 1949년에 병사했다고 전하고 있기도 하다. 히트곡으로는 「명사십리」, 「시들은 청춘」, 「물새야 왜 우느냐」 등이 있다. (한국학중앙연구원, 『한국민족문화대백과』 참조.)
37_ 장유정, 『오빠는 풍각쟁이야』, 민음in, 2006. 151쪽.

1

흘러가는 세월에 몸은 늙어도

마음만은 언제나 옛이 그리워

2

정든님 품에 안겨 안타깝게도

속삭이든 그때가 언제이던고

3

저 달빛 가리운 검은 구름에

이 가슴은 막막해 눈물집니다

－「시들은 청춘」 전문

1

순풍에 돗을 달고

뱃머리를 돌녀서

외로히 저어가니

외로히 외로히 저어가니

이 밤 처량해

2

지난해 원망하며

몸을 태운 녯사랑

흘으는 물결 우에

흘으는 흘으는 물결 우에

떠내비침니다

3

흘너서 몃 날 몃 밤

몃 구비를 돌아도

이내 갈 곳 업는

이내 몸 이내 몸 갈 곳 업는

신세람니다

- 「순풍에 돗을 달고」 전문[38]

당시 대중가요의 작사는 대부분 시인들의 몫이었다. 그래서 문학으로

38_ 『유행가집』, 『삼천리』8권 1호, 1936. 1.
39_ 본명은 심재설이다. 1910년 9월 3일 경기도 경성부에서 품팔이꾼의 아들로 출생하였다.
배재고등보통학교를 다니다가 학비난으로 중퇴한 후 토월회의 연구생으로 입단했다. 영
화계에 입문한 것은 1930년이며, 〈수일과 순애〉를 시작으로 극예술연구회가 개설한 제1
회 하기 극예술 강습회에 박제행과 함께 연극수업을 받았다. 1932년 박제행과 태양극장
에 입단하여 동양극장으로 옮길 때까지 활동하다가 1935년 동양극장이 개관하자 전속극
단 '청춘좌'의 창단멤버로 참여했다. 〈검사와 사형수〉에서 사형수 역을 맡아 스타덤에 올
랐으며 '상당히 참신하다'는 연기평을 받았다. 이후 1937년 중앙무대가 창립되자 뒤늦게
참여했으며, 1939년에는 고협에서 사실상의 대표를 역임한다. 1940년 3월 '춘향전 전람
회'를 개최하는데, 1주일간 20만 명의 관람객이 동원되었으며, 전시체제에서는 황군 위
문을 위해 중국으로 공연을 떠나기도 했다. 해방 이후 1946년 3월 조선연극동맹이 주관
하는 3·1기념 연극대회에 출연하고 있던 중, 권총을 가진 괴한에게 피습을 당하여 하복부
가 관통되는 사건을 겪었다. 북한에서는 첫 예술영화인 〈내고향〉에서 유격대 공작원 김
학준 역, 〈향토를 지키는 사람들〉에서 여성 포수의 남편 역, 〈정찰병〉에서 미군 사단장
역, 〈벗들이여 우리와 함께 가자〉에서 왕호 역, 〈두만강〉에서 지주 역, 〈다시 찾은 이름〉
에서 지주 역 등을 맡아 고평을 받았다. 또한 조선예술영화촬영소 연기과장, 영화인동맹
위원장, 평양연극영화대학 교원으로서도 활동했으며, 북한에서 공로를 인정받아 공훈배
우칭호를 수여받았다. 그는 1971년 7월 24일 사망했다. (한국학중앙연구원, 『한국민족문
화대백과』 참조.)

간주된다. 서두성은 문학적 감성으로 노랫말만 쓴 것이 아니라 영화인으로도 활동하였다. 그는 송죽松竹키네마에서 조감독을 하고 있었다. 그때 서울의 토월회에서 활동하고 영화에 출연한 적도 있는 심영沈影[39]이 조선 사람으로는 처음으로 '신극인협회'에 입회할 수 있게 도와주기도 하였다. 덕분에 심영은 〈하므레트〉에 주연으로 출연하게 되었다.[40] 또한 조선영화인들의 영화연구기관의 설립을 위해 동

송죽키네마에서 조감독으로 일하고 있던 서두성에 관한 기사.(《매일신보》, 1934. 2. 20.)

경 각 촬영소에 있는 조선영화인들과 연극, 음악, 무용계에서 활약하고 있는 조선예술가들의 모임인 '동경조선영화협회' 창립에도 참여하였다.[41] 창립에 참여한 사람은 서두성 외에 이병일李炳逸, 주영섭朱永涉, 김학성金學成, 이진순李眞淳, 이해랑李海浪, 성판술成判述, 김태연金泰淵, 이서향李曙鄕, 김영엽金永燁, 김동혁金東爀, 김영길金永吉, 나금파羅琴波, 김일선金逸善, 임호권林虎權, 김갑균金甲均, 김창진金昌珍, 장규원張桂園, 박외선朴外仙, 김안라金安羅, 임성희林星姬이다. 서두성은 한동안 동경에서 예술인으로 활발한 활동을 하면서 조선인들의 유학생활과 예술 활동을 지원하였다.

40_ 《동아일보》, 1933. 12. 5.
41_ 《동아일보》, 1937. 7. 15.

한시적 전통의 계승

한편으로 1930년대 광주문학은 한시적 전통과 근대적 문학이 동시에 전개되는 양상을 띤다. 각 지역마다 시회詩會와 음사陰社를 조직하여 활발하게 활동하였는데 광주에서도 마찬가지로 시회와 음사가 있었다. 대표적으로 광주해양음사光州海陽陰社가 있었다. 최석휴, 기동설 등의 문인들이 무등산 아래 선원동 운림당에서 결성했다.

1871년에 지어진 운림당에서는 시문에 뛰어난 지역 문사들이 교유하였다. 최석휴崔錫休는 구한말 참서를 지낸 대지주로 최상현, 조만선, 김형옥, 이기우, 정사홍, 주하영, 김명신, 정낙교 등과 지주간담회를 가졌다. 지주와 소작인 간의 융화문제로 수시 간담한 결과 지주간 연락과 친목이 필요하여 친목회를 조직했고 취지서와 회칙기초위원으로 최석휴, 장성규, 지창선, 김광진, 조창준 씨가 피선되었다. 이 자리에서 "지주 각자가 산업장려, 농사개량 등 강연을 열어 지주 간의 지식을 계발하는 동시에 지주 각자 솔선하여 소작인으로 하여금 불평이 없도록 자각하여 융화를 취하리"라고 하면서, "지주 중 기인의 횡포자가 있음으로 전반 지주에게 악영향이 있기 때문에 횡폭지주에게는 풍간케 하야 양심적 자각이 되도록 하자"는 의견의 일치를 보았다.[42] 이처럼 광주의 지주들이 스스로 지주들의 횡포를 막고 양심적으로 행동하자는 의견을 모으는 등 상당히 진보적인 움직임을 보였다. 그런 한편으로 한시를 쓰면서 음사를 꾸려 이끌었다. 해양음사는 시문들을 모아 『운림당시문집雲林堂詩文集』(1933)을 엮었다. 최석휴는 조선약업(주)의 사장이기도 했다. 조선약

---

[42]_〈동아일보〉, 1923. 11. 5.

업(주)은 "광주지주계의 거성인 정의당약방 한영석韓永錫 동서약원 유상벽柳相碧" 등과 "약령시의 개설과 약품의 염가공급과 빈궁자의 무료치료 등을 최대 목적으로 총 자본금 10만 원의 조선약업주식회사"[43]였다.

해양음사 취지서에 보면 "시작詩作은 진실로 어려우니 어찌 우물안 개구리로서 스스로 만족하겠는가"라고 하면서 영해의 도연명, 유종원, 이백, 두보의 골격을 언급하고 있다. 이는 일본과 중국의 작품이 많은 이유를 들고, 시사의 취지를 언급하고 있음을 알 수 있다.[44] 이 문집에는 무정 정만조鄭萬朝와 석촌 윤용구, 권익상 등의 시문이 실려 있다.

광주해양음사는 〈매일신보〉 전남 총지국의 후원으로 한시 현상모집을 실시하기도 하였다. 응모한 작품 수가 5천 5백 수에 달하였다. 고평으로 주경 중국총영사 한천 노춘방盧春芳 선생에게 의뢰하였는데 1등은 송명회宋明會, 2등은 노태용盧泰鎔, 양경수梁慶洙, 3등은 전병기全炳基, 홍석우洪錫佑, 박인집朴仁集이었다.[45] 광주해양음사는 현재의 동인지 형식으로 발간하였던 것으로 보인다. 광주해양음사는 '해양시단海洋詩壇'으로 이름을 바꾸면서 규약을 새로 정하였다.[46] 또 대동시단大同詩壇이 있었다. 대동시단에서는 선시대회를 열었으며 제2회 선시대회에서 송홍宋鴻이 3등상[47]을 받는 등 광주에서도 문학을 지망하는 사람들이 많아지기 시작하였다.

이와는 달리 정낙교의 차남인 정상호鄭尙鎬는 '양파정'을 중건하고 이

43_ 〈중외일보,〉 1930. 4. 29.
44_ 호남기록문화유산 DB참조.
45_ 〈매일신보〉, 1933. 7. 25.
46_ 1935. 11. 12.
47_ 〈매일신보〉, 1925. 3. 25.

제3장 광주문학의 지형, '시문학파' 127

『양파정시고』 정낙교의 차남인 정상호가 양파정을 중
건하면서 이에 수용한 시들을 모집하여 엮었다. 『양파
정시고』에는 「양파정기」, 「양파정중건기」, 「양파정중수
기」가 수록되어 있으며, 전후집으로 나누어 시가 수록
되어 있다.

에 수용한 시들을 널리 모집하여 엮은 시문집 『양파정시고楊坡亭詩稿』[48]
를 냈다. 소작농들은 자신들에게 많은 덕을 베푼 대지주 정낙교를 기리
며 농성광장에 '전 참봉 정낙교 시혜비'를 세웠다. '양파정'은 1914년
정낙교가 광주천의 한가운데 건축되어 홍수를 다스렸다는 '석서정'을
기념하기 위해 지은 정자이다. 이 정자는 1932년경 중수하였다. 양파정
에는 정낙교의 원운을 비롯하여 정봉현, 운양 김윤식, 하정 여규형, 무
정 정만조 등 당대 명사들의 시판 30점이 걸려 있다. 『양파정시고』에는
「양파정기」, 「양파정중건기」, 「양파정중수기」가 수록되어 있으며, 전후
집으로 나누어 시가 수록되어 있다. '양파정'은 김태오가 한국소년운동
을 시작한, 광주에서는 빼놓을 수 없는 역사적인 공간이다. 『양파정시

48_ 정낙교, 『양파정시고(楊坡亭詩稿)』, 양파농장, 1938.

고」를 낸 정상호는 1924년 양파농장을 창설하고 소작인들과 같이 흥농조합을 조직하여 상부상조하고 농사개량에 열심이었다. 현재 이장우 가옥은 정상호의 형인 정병호가 거주하였던 집으로 그는 '양파정'의 주인인 정낙교의 장남이다.

정상호는 흥농조합 정기총회에서는 조합원 400명이 참석한 가운데 우량 소작인 시상식을 거행하였다. 소작인 42명과 축대품평회 당선자 5명과 다수확 품평회 당선자 5명에게 상장과 상품을 수여하기도 하였다.[49] 또 1933년 12월 22일 불타버린 광주제일공립보통학교 건물 신축을 위한 광주시민대회에서 8만 5천 원의 예산이 소요될 것으로 예상됨에 따라 재원 마련을 위한 집행위원으로 선출되기도 하였다. 집행위원은 정상호를 비롯하여 송화식宋和植, 박계일朴癸一, 박규해朴圭海, 김신석金信錫, 김재천金在千, 최선진崔善鎭, 지창선池昌宣, 최원순崔元淳, 김상순金相淳이었다.[50] 그런가 하면 면양모직물 공장을 광주군 극락면 화정리에 건축물을 올리고 제반시설을 갖추어 사업을 확장하기 시작했다.[51]

이렇게 광주의 근대문학은 민족운동에 기반하여 태동하였으며 점차 그 영역을 확대해 나갔다. 특히 '동심'을 역점에 둔 동요와 '광주'를 배경으로 광주문학의 정체성을 확실하게 하였다. 그런가 하면 다른 한편에서는 한시문학의 전통을 계승함으로써 광주문학은 근대문학의 토대를 튼튼히 하였다. 그럼에도 불구하고 1966년 간행된『광주시사』에는 "광주문학은 해방이후로부터 차츰 싹이 트기 시작하였다. 1945년 8월

49_ 〈동아일보〉, 1927. 5. 17.
50_ 〈동아일보〉, 1934. 2. 9.
51_ 〈동아일보〉, 1937. 7. 20.

15일 해방되던 그날 광양경찰서에서 석방이 되어 광주로 이주한 노산 이은상 씨는 호남신문을 창간하여 그 지상에 수필 대도론, 노변필담, 민족의 맥박 등을 집필하여 각각 단행본으로 발행하였다."[52]고 기록함으로써 광주문학이 해방 이후에 시작된 것으로 정리하였다. 그러나 전술한 것처럼 광주문학은 최원순·김태오의 치열한 민족운동과 더불어 '시문학파'를 탄생케 하는 등 그 저력을 일찍부터 태동하고 있었다.

52_ 광주시사편찬위원회, 『광주시사』, 광주시, 1966. 296쪽.

해방기, 침묵의 문학

해방기에는 작가들의 활동이 활발하지 못했기에
조선대학교의 개교와 함께 시인 김기림이 강의를 하면서
「조선대교가」를 썼다는 것을 간략하게 살폈다.

제4장
해방기, 침묵의 문학

일제로부터의 해방은 문학운동에도 큰 변화의 바람을 몰고 왔다. 간절하게 바라면서 기다린 해방이 이루어지자 문학에 새바람을 일으키려는 움직임이 바로 나타났다. 1945년 해방이 된 다음 날인 8월 16일 조선문학건설본부를 결성하고, 9월 17일에는 조선프롤레타리아문학동맹을 결성하여 문학인들이 조직적인 활동을 하기 위하여 발 빠르게 움직였다. 그리고 이 두 단체를 하나로 통합하기 위한 "조선문학 유사 이래 처음으로 전국의 문학자가 일당에 모이어 자기의 과제를 토의한 회합"인 제1회 조선문학자대회가 서울 기독교청년회관에서 1946년 2월 8일과 9일 이틀에 걸쳐 성대하게 열렸다. 그 자리에는 광주 출신의 김태오, 영광 출신의 조운과 조남령, 화순 출신의 여상현, 순천 출신의 임학수가 참석하였다. 그리고 1930년대 시문학파의 일원이었던 정지용, 신석정, 한국전쟁기에 광주에 내려와 머물게 되는 김기림, 서정주 등도 이 자리에 참석하여 해방 후 한국문학을 위한 준비를 다졌다. 이 자리에서는 일

광주 숭일학교 초대 교감 시절(1946년)의 김현승 그는 이때부터 8년 동안의 긴 침묵을 깨고
다시 작품활동을 시작했다.(조선대박물관 제공)

제치하에서 일찍 세상을 떠난 용아 박용철과 시인 조운의 매제인 소설
가 최서해와 김유정, 시인 이상과 이육사, 한용운, 이상화 등 27명을 위
한 추도의 묵상을 올리기도 하였다.

이때 광주에서는 조선대학교가 1946년 9월 29일 민립대학으로 문을
열었고, 조선대학교 제1기 국문과생이 주축이 되어 동인지 성격의 시집
『청춘수첩』을 발간하였다. 이태호, 황도훈, 정철인, 주기운, 정태문, 김
석태, 윤순성, 문순탁, 한춘홍 등이 작품을 발표하였는데 이해동이 편집
하여 간행하였다고 한다.[1] 그리고 〈광주신보〉의 전신인 〈조선중보〉에서
1946년 9월 창간 1주년을 기념하는 문예작품 현상 모집에 이해동, 김성

1949. 5. 7.
金起林 李珍模, 張龍健先生와

김기림과 조선대학교 학부생들 김기림은 조선대학교 문예학부에서 학생들에게 『시론』, 『서양문예사조사』를 강의하면서 광주문학에 상당한 영향을 미쳤다.(맨 오른쪽 의자에 앉은 이가 김기림. 조선대박물관 제공)

오, 정소파 등이 당선되어 시작 활동을 하였다. 그때 김현승은 1946년 광주 숭실중학교 교감으로 부임하면서 8년 동안의 긴 침묵을 깨뜨리고 다시 작품 활동을 재개하였다. 김현승은 그때의 심정을 다음과 같이 기록하였다.

해방이 오지 않았다면 나는 그 암담한 현실 속에서 문학과 영원히 결

1_ 아직까지 『청춘수첩』은 확인하지 못했다. 박형철 엮음, 『광주전남 문학동인사』, 한림, 2005. 참조

1 김기림 수필집 『바다와 육체』, 평범사, 1949. 2 조선대학교가(김기림 작사) 김기림
은 조선대 뒷산 깃대봉에 올라 광주 시가지와 조선대 건립현장을 바라보고 느낌을
토대로 「조선대학교가」와 「건설가」를 썼다.(조선대 박물관 제공)

별하였을지도 모른다. 해방과 함께 나의 문학열은 다시금 용솟음쳐 올랐
다. 그러나 그러한 기분이나 회복된 정열만으로 재출발이 용이하게 되는
것은 아니었다. 현실은 가혹하고 문학은 엄격하였다. 해방이라는 외부적
조건만으로써 나의 창작의 내용이 갑자기 비약될 수는 없다.[2]

　김현승은 해방을 맞아 1945년 8월 『문예』에 「시의 겨울」을, 〈경향신
문〉에 「창」, 「내일」, 「자화상」, 「조국」 등을 발표하기 시작하였다. 하지
만 해방으로 희망에 부풀어 있던 그때, 희망은 민족의 편이 되지 않았

2_ 김현승, 「나의 시작생활 20년기」, 『현대문학』, 1958. 4.

다. 남과 북은 미군과 소련군이 점령함에 따라 이념의 노선을 달리하기 시작하였고, 결국에는 남과 북으로 분단되었다. 이때 문학인들도 각자의 이념에 따라 문학적 행로를 선택하였다. 이에 따라 문학단체는 자연스럽게 재편되었다. 그런 한편으로 1949년 전국문필가협회 문학부와 한국청년문학가협회를 중심으로 기타일반 무소속작가와 전향문학인을 포함한 전문단인이 모여 대한민국을 대표하는 유일한 문학단체 '한국문학가협회'를 결성했다. 당시 한국문학가협회 준비위 위원장은 박종화朴鍾和였고, 부위원장은 목포 출신 나주사람이자 해외문학파인 김진섭金晋燮이 맡았다. 김현승은 자연스럽게 추천회원으로 참여하였다.[3] 그리고 1950년 3월 『백민』에 「명일의 노래」를 발표하는 등 그만의 독자적 시세계를 구축하기 시작했다.

이때 조선대학교에는 시인 김기림이 강사로 초빙되어 강의를 하고 있었다. 김기림金起林(1908. 5. 11.~?)은 조선대학교 문예학부에서 학생들에게 『시론』, 『서양문예사조사』를 강의하면서 광주문학에 상당한 영향을 미쳤다.[4] 김기림은 조선대 뒷산 깃대봉에 올라 광주 시가지와 조선대 건립현장을 바라본 느낌을 토대로 「조선대학교가」와 「건설가」를 썼다.[5]

막는 것 산이거든 무느곤 못가랴

파도건 눈보라건 박차 헤치자

3_ 〈경향신문〉, 1949. 12. 14
4_ 시집 『기상도』(창문사, 1936), 『태양의 풍속』(학예사, 1939), 『바다와 나비』(신문화연구소, 1946), 『새노래』(아문각, 1948)와 수필집 『바다와 육체』(평범사, 1949)가 있다. 그는 필명으로 '편석촌'을 썼다.
5_ 조선대박물관 전시 자료.

끓는 땀 부어서 일일이 다진터

희망은 솟는다 조선대학

열어라 닫히었던 세기의 창을

다가드는 새 풍조 팔벌려 안자

진리의 빛 따라 모여든 젊은이

미래는 우리 것 조선대학

구름 속에 손짓하는 조국의 깃발

그 아래 다 바치리 청춘도 꿈도

시련의 밤 새인 민족의 앞길

새날은 터온다 조선대학

- 「조선대학교가」 전문

　김기림이 조선대학교에서 언제까지 강의를 했는지 정확하지는 않지만 1949년 1학기까지는 강의한 것으로 보인다. 그는 한국전쟁 때 납북되었다. 그러나 이 시기에 김현승이 작품활동을 재개하였고, 박흡이 작품을 발표하기 시작했으며, 김기림이 조선대학교에서 강의를 하면서 해방 이후 광주의 문학적 분위기는 차츰 고조되어 갔다.

한국전쟁,
광주문학의 역동

1950년 한국전쟁을 겪은 과정에서 광주문인들이
문총구국대를 중심으로 활동했으며, 『신문학』을 창간,
발행하면서 광주문학이 확실한 교두보를
마련하였다는 것, 시전문지 『시정신』은 순수문학을
지향하여 시인들의 역량을 집결하였다는 것을 정리했다.

제5장
한국전쟁, 광주문학의 역동

해방 이후 한국전쟁기까지는 문인들이 사상과 이념, 혹은 현실과 이상 사이에서 갈등하고 방황하지 않을 수 없었던 시기였다. 이 시기의 문인들은 사상과 이념을 따를 것이냐 , 아니면 사상과 이념을 버리고 살아남을 것이냐 하는 기로에 서 있었다. 그리고 그 선택에 의해 빨치산 투쟁에 가담한 작가들이 있는가 하면 종군작가단을 꾸려 전쟁의 현장을 작품화하는 작가들이 있었다. 또 한편으로는 침묵으로 일관한 작가들도 있었다. 문학을 버리고 몸으로 사상을 실천해야만 했던 일군의 작가들이나 참혹한 전쟁을 체험하면서 작품을 생산해 내야 하는 종군작가들에게 수반되는 고통은 오롯이 그들의 것이었다. 결과적으로 그 시대의 작가들은 이데올로기의 희생양이었다. 전쟁은 휴전으로 막을 내렸고 나라는 남과 북으로 분단되면서 사회주의를 추종한 문학가들은 북으로, 민주주의를 추종한 문학가들은 남으로 방향을 돌렸다. 또 그 사이에서는 시인 김영랑처럼 희생된 작가들도 있었다. 이렇게 우리의 문학은 정치

『젊은이, 전남문화』 광주문화사를 운영한 백완기가 발행하였다. 그러나 몇 권까지 발행되었는지 확인되고 있지 않다.

사상사적인 궤적으로부터 자유롭지 못했다.

해방기 이후 광주문학은 1950년 1월 『호남공론』의 창간으로 이어졌다. 『호남공론』[1]은 "국가적 민족적 책무의 일익을 스스로 나누어 걸머지고" "우리 민족 자체의 사상을 통일하여 민족 일념에 귀일케 함으로써 국가 내지 민족관에의 신념을 확고케할 것"[2]을 목표로 삼고 창간되었다. 그리고 "건강한 양심에 살고 문화향상에 도움이 되는 일이라면 어디까지나 온 정력을 기울여 추진하고 갈 것을 약속"[3]하였다. 이 창간호에는 양회연의 「나에게 하나의 허영을 용서하라」, 이동주의 「상경일

1_ 『호남공론』은 1950년 1월 김남중에 의해 창간되었다. 한국전쟁 때 일시 중단되었다가 수복 후 다시 속간되어 6년 동안 계속된 후 1954년 말 월간 『젊은이』로 등록이 바뀌어 백완기에 의해 발행되었다. 『광주전남언론사』, 삼화문화사, 1991, 682~683쪽 참조.
2_ 「권두언」, 『호남공론』 창간호, 호남공론사, 1950. 1, 11쪽.
3_ 「편집후기」, 『호남공론』 창간호, 호남공론사, 1950. 1, 105쪽.

평론가 백완기 문화와 관계되는 일에 자기를 바친 전형적인 문화인이었다.

신」, 조영암의 「허」, 인섭의 「고향」, 박정온의 「헌시」가 발표되었다. 이 외에 시인 김악의 「인간 한하운」 평전과 시인 이해동의 「인생고개」와 임병주의 「조락」이 실렸다.

『호남공론』은 광주문화사를 운영하던 백완기[4]에 의해 『젊은이』[5]로 제 호가 바뀌어 출판되었다. 아직까지 전모는 확인할 수 없으나 『젊은이』 8권 1호의 목차를 통해 대강을 짐작할 수 있다. 시인 김현승과 이수복, 주명영, 정현웅, 박봉우의 시가 실려 있고, 허연의 「시조와 현대화 문

4_ 『젊은이』 8권 1호, 1956. 2.(여기에는 시인 김현승, 이수복, 박봉우, 박성룡, 허연, 주명영, 소설가 손철, 김해석, 평론가 정봉래, 백완기 등이 시와 수필, 평론 등을 발표하고 있다.

5_ 『젊은이』는 광주문화사를 운영한 백완기가 발행하였다. 그러나 『젊은이』가 몇 권까지 발행 되었는지 확인되고 있지 않다. 다만 1956년 2월에 발행된 『젊은이』가 제8권 제1호라는 데 서 최소한 8권 1호까지 발행되었다는 사실만 확인될 뿐이다. 전쟁기에 순문학을 표방하였 던 『신문학』의 창간호의 발행인도 백완기였다. 호남은행의 설립자 현준오의 큰사위였던 백 완기는 광주전남 지역문학발전을 위해 자신의 몸과 마음을 다 바쳤다.

『갈매기』창간호 한국전쟁 중 목포해군 경비부 정훈실
에서 주간『전우』와 함께 발행했다.

제」, 평론가 정봉래의 「문학적 태도」가 실려 있다. 『젊은이』도 종합지였
지만 지면의 대부분을 문학 분야에 할애하고 있는 걸 보면 문예지에 더
가까웠던 것으로 추정된다. 백완기白完基(1914.~)는 "그가 오늘까지 종
사해 온 일이란 거의 문화와 관계되지 않은 것이 없다. 문화와 관계되는
일에 자기를 바치고 생활을 바친 전형적인 문화인이라고 할 것이다. 오
늘날 전남문단에 있어서 씨의 위치는 지도적인 존대에 있으며 사실 공
헌한 업적이 많다."[6]에서 확인되듯이, 그는 광주문화사를 설립하여 문
화 사업을 하는 등 지역의 문화발전에 지대한 공헌을 하였다.

한편으로 한국전쟁 중에 발간된 목포해군 경비부 정훈실은 주간『전
우』와 월간『갈매기』를 발행하였다. 주간『전우』는 "호를 거듭할 때마다

6_ 전찬,『광주의 얼굴』, 호남문화사, 1970. 195쪽.

빠뜨리지 않고 시를 한 편 또는 그 이상을 올"려서 "전남지역문화, 지역문학의 형성과 전개에 결정적인 몫"을 하면서 "『전우』야말로 전쟁기 후방 목포 문화예술의 구심점"[7]이 되었다. 광주의 김현승, 이동주, 이수복, 박흡, 김악, 박정온, 이석봉 등도 여기에 작품을 발표하였다. 월간 『갈매기』는 5호까지 발행하였다. 『전우』의 필진은 『갈매기』의 필진이기도 했다.

『갈매기』의 필진들은 "이동주, 목일신, 차범석, 이을호, 김방한, 김승한, 승지행, 이수복, 김현승, 박흡, 김해석, 안용백, 정소파, 손철, 임병주씨 등과 전병순, 이석봉, 이효자"[8] 등이었다. 『전우』와 『갈매기』는 한국전쟁기에 목포해군 경비부의 정훈공작의 일환으로 발행되었지만 광주의 작가들이 대거 참여하여 작가들의 면모를 드러냈다.

광주문학의 교두보, 『신문학』

한국전쟁기를 일컬어 흔히 문학의 암흑기라고 한다. 작품을 발표할 수 있는 장이 없었고 인쇄와 출판이 자유롭지 못한 상황이었기 때문이다. 전쟁기의 문예지는 원고의 수합은 물론 보관 또한 어려웠다. 그러나 전쟁 중에도 82권에 달하는 시집이 나왔고[9] 광주에서는 순문예지가 창간되었다. 이는 문학을 향한 작가 및 문화인들의 뜨거운 열정이 있었기에 가능했을 것이다. 순문학을 지향하는 『신문학』의 창간에 의해 광주

7_ 박태일, 「목포지역 정훈매체 '전우' 연구」, 『현대문학이론연구』38, 2009.
8_ 차재석, 「세마리의 학은 아직도」, 『삼학도 가는길』, 세종출판사, 1991. 57쪽.
9_ 권영민, 『해방40년의 문학』, 민음사, 1985.

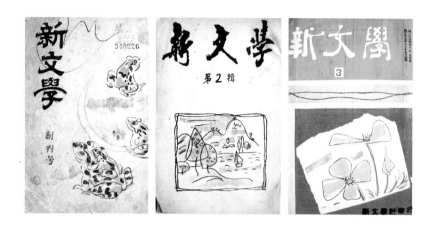

문학은 본격적으로 변화의 길을 걸었다. 한국전쟁 중에 발행된 최초의 순문예지 『신문학』은 광주문학 뿐만 아니라 한국문학사의 공백기를 최소화하는 데도 기여하였다. 당시의 광주전남 지역문학의 상황은 "한국전쟁이 우리 민족의 오만 가지를 몽땅 앗았지만 그래도 한 가닥 남김이 있었다면 −호남이라는 지역적 견지에서− 약체로만 있었던 문학예술가들이 한 군데 모여 문총구국대가 조직되었고 이 고장 지성이 한 덩어리가 되어 공산주의와 맞붙어 싸우기로 작정하여 대중계몽, 여론조사 등 흰 눈이 펄펄거리는 일선 가두에서 활약하였고 시인의 시에 금시로 하길담씨의 곡이 붙어 우렁찬 행진"[10]하는 등 한 덩어리로 일사불란한 움직임을 보였다.

한국전쟁이 한창이던 때, 광주가 수복된 지 8개월째이며 정부는 부산

10_ 손철, 「'신문학' 동인지 발간 비사」, 『문학춘추』, 2005. 봄, 28쪽.
11_ 손철, 「신문학시절」, 『哲』2, 송정문화사, 1991.

『신문학』1~4집 민족의 수난과 문학의 암흑기 속에서 이루어낸 『신문학』의 창간은 광주문학사에서 획기적인 일이었다.

에서 허둥대고 있을 무렵[11] 『신문학』은 시인 김현승이 편집을 맡았으며 1집은 백완기가, 2집부터는 용아 박용철의 미망인 임정희가 재정을 지원하여 발행되었다. 『신문학』은 총 4권이 발행되었는데 발간과 관련한 서지 정보와 차례를 정리해 보면 다음과 같다.

『신문학』제1호, 광주문화사, 1951. 6. 1. 발행 겸 편집인 : 백완기,
표화 배화 : 천경자, 판화 : 김두하

- **창작** 장용건 「탈」　　　　　　　　승지행 「어떤형제」
　　　　임병주 「잃어버린 두사람」　　손철 「도순이」
　　　　이진모(역) 「시어와 시적진실」

- **해외문화토픽**　　　　　　　　　• **문단메모**
- **시** 김현승 「신록이 필 때」외 1편　박흡 「독수리」외 1편
　　　이동주 「좁은 문의 비가」　　　이석봉 「비익조」

- •「호남문학을 말하는 좌담회」
- • 수필 최태응「광주에」　　　　　　이은태「곤감퇴행의 법칙」
　　　　고문석「경부선」　　　　　　김해석「아버지」
　　　　양진승「변학도」
- • 편집후기

『신문학』 제2호, 신문학사, 1951. 12. 1. 발행인 : 임정희, 편집인 : 김현승
표화 : 김보현, 커트 : 차재석, 판화 : 김두하
- • 창작 김해석「Y가의 생리」　　　　손철「유방」
　　　　이가형「귀항로에서」　　　　전병순「추교사」
　　　　정래동「전쟁과 문학」　　　　이진모「인간성의 재확인」
- • 문인동정
- • 시 이석봉「가을」　　　　　　　　이동주「봉선화」 외 1편
　　　박 흡「관」 외 1편　　　　　　김현승「고향에」 외 1편
　　　노천명「시문학시절의회고」　　박용구「제주도의 6일간」
- • 수필 이은상「사물유대」　　　　　조희관「철없는 사람」
　　　　이은태「비다지」　　　　　　차재석「편집수첩」
　　　　정근모「산상」
- • 편집후기

『신문학』 제3호, 신문학사, 1952. 7. 15, 발행인 : 임정희,
편집인 : 김현승, 제자 : 손재형, 표지화 : 김보현
- • 시 신석정「춘추」　　　　　　　　서정주「춘향의 말」
　　　이상로「경사의 영상」　　　　구 상「하늘이 주저앉기 전에」
　　　김종문「1952년에」　　　　　박 흡「제4면」
　　　이동주「황토밭엔 태양도 독하다」
　　　이영순「산도야 치고 물도야 치고」
　　　이석봉「황혼」　　　　　　　　이수복「구」

김현승「내가 나의 모국어로 시를 쓰면」

이진모 역「구라파 문화의 통일」

김창덕「동경통신」

- **창작** 승지행「목비」　　　　　　　손철「두꺼비」

　　양병우「석태」　　　　　　　이가형 역「에밀리의 비밀」

　　편집부 역「작가의 본령」

- **편집후기**

『신문학』 제4호, 신문학사, 1953. 5. 25. 발행인 : 임정희

편집인 : 김현승,　제자 : 손재형, 표지화 :천경자, 판화 : 천백원

- **창작** 황순원「소나기」　　　　　이가형「삼십육계」

　　임병주「모루」　　　　　　　김해석「강촌 사람들」

- **해외문학** 이진모 역「쾨스뜰러 〈문법적 허구〉」

　　　　　　양병우 역「사르뜨르〈신화의 창조자〉」

　　　　　　이기정 역「로빈슨〈사르뜨르, 쾨스뜰러〉」

　　　　　　이은상「백낙천의 신악부」

　　　　　　조연현「풀잎단장을 읽고」

- **시** 박　흡「운하」　　　　　　이동주「요화」

　　이석봉「밤비」　　　　　　　김현승「어제」

　　김정옥「아열대」　　　　　　이영식「창」

　　노영수「기도」　　　　　　　박윤환「매아미에게」

- **수필** 정래동「신경마비병」　　　김일로「후회라는 열어」

- **문인꼬싶**　　　　　　　　　　- **편집후기**

처음에 『신문학』은 동인지로 출발하였으나 전국의 문인이 참여하면서 동인지라기보다는 문예지의 위상을 갖게 되었다. 창간동인으로 참여하였던 손철은 "나와는 죽마고우 사이인 소설가 최태응 형이 한국문화연구소에 적을 두고 여러 차례 광주로 내려와 이곳 문인 특히 저자에 묻혀 있던 시인 김현승 씨 등과 아울러 호남문단이 자주 화제에 오르곤 했습니다. 그때 백완기 씨가 경영하고 있는 '우리다방'(지금의 원불교 본당 자리)에서 자주 마주친 시인 김현승, 박흡, 언론인 임병주, 장용건 교수 등이 주축이 되어 '문학' 동인지를 발간키로 합의"[12]해서 발행되었다고 정리했다.

『신문학』이라는 제호는 "막상 순문예지를 발간키로 결정이 되자 응당 명칭에 대한 궁리가 생길 밖에요. 모두 얼굴을 맞대고 ○○○, ×××등등 제각기 한 마디씩 툭툭 튕겨나오는데 은영 중에 '호남문학' 아니면 '순문학' 중 이자택일일까 싶은 분위기로 기울어갔는데 말없이 가만히 듣고만 있던 김현승 씨가 진즉부터 생각을 해놓고 있었던 것이었을까 너무나도 자연스럽게 '신문학이 어때' 하자 또한 약속이나 한 듯 즉각적인 만장일치의 박수로 통과되었습니다. 이렇게 『신문학』은 비로소 우렁찬 고고지성을 울리게 된 것입니다. (중략) 민족의 수난과 문학의 암흑기인 당시 사회현실은 말이 아니었겠지요. 그래서 새로운 문학의 활로를 찾자고 하는데 신新을 문학 앞에 붙여 『신문학』"[13]되었다.

창간호를 내고 손철의 "충장로 5가 언저리에 있었던 내 오막살이에 모두 모여 구공탄 난로 위에 두부를 져놓고 막걸리를 마시며"[14] 출판기

12_ 손철, 「'신문학' 동인지 발간 비사」, 『문학춘추』, 2005, 봄, 26쪽.
13_ 손철, 앞의 글, 35~36쪽.

념회를 했다. 『신문학』 창간은 동인들뿐만 아니라 광주문학사에도 획기적인 일이었다.

> 꿈은 실현되기까지가 더 아름다운가 보다. 벼루고 벼루던 호남에서는 처음 맺은 순문예지를 내놓고 보니 체재나 내용이 이 모양이다. (중략) 편집위원들의 꾸준한 열의가 식지 않았던 것을 기뻐한다. 이 열의가 식지 않는 한 앞으로 어떠한 곤란을 해치고라도 『신문학』은 계속 성장할 수 있을 것이다. 창간호에 실린 작품들은 전부가 편집위원회의 합평을 거친 것들이다. 앞으로도 이 방침은 견지될 것이고 이것은 호남문학의 진실한 발전과 소성에 도취되는 폐단을 막기 위하여 어느 시기까지는 필요한 일이 아닐까 생각합니다.[15]

위 글은 『신문학』 창간호에 실린 김현승의 편집후기의 일부로 동인들의 열의가 어느 정도였는지 알 수 있다. 『신문학』은 호남문학의 발전을 위한 노력을 잘 보여주며 작품을 발표한 작가들 또한 호남지역의 작가들이다. 호남문학의 발전을 위하여 의기투합한 문인들이 있었다는 것만으로 호남문학은 전쟁의 공백기를 극복한 것이다. 물론 다른 지역에서도 『평화』, 『경향』, 『국제』, 『승리』 같은 일간지와 『국방』, 『신조』 같은 잡지가 발행되었지만[16] 순문예지를 표방한 것은 『신문학』밖에 없었다. 공식적인 활동을 했던 육군종군작가단의 『전선문학』[17]과는 성격이 다르다.

14_ 손철, 앞의 책, 송정문화사, 1991. 39쪽.
15_ 김현승, 「편집후기」, 『신문학』 창간호, 광주문화사, 1951. 6. 121쪽.
16_ 이승하, 「6·25전쟁 수행기의 한국시 연구」, 『배달말』 42, 배달말학회, 2008. 96쪽.

그동안 '피난생활 속에서 제일 먼저 간행된 잡지는 부산의 『희망』이었고 이어서 『전시과학』, 『학생공론』, 『정경』 등[18]이 잇달아 부산에서 창간되었다'[19]고 하는 『출판연감』이나 국립중앙도서관의 『한국서목』은 수정되어야 한다. 가장 먼저 발행되었다고 하는 『희망』과 함께 출판된 문예지가 『신문학』이기 때문이다.

당시의 출판 상황은 부산이나 광주나 별반 다름이 없었다. "부산의 피난 시절에 잡지를 만든다는 일은 기적에 가까운 일이었다. 인쇄시설이라고는 타블로이드판 4페이지짜리 신문을 발행하는 정도가 고작이었는데 한 인쇄시설에서 오전에는 A신문이, 오후에는 B신문이 같은 편집실을 갖고 발행하는 판국이었다. 그러니 잡지를 만든다는 것은 도저히 불가능에 가까운 일이었다."[20] 그러나 광주에서는 원고를 들고 인쇄를 하기 위해 목포까지 가지고 가서야 발행했다.[21] 광주 문학인들의 문학적 치열성을 보여준 결과물이 『신문학』인 것이다.

비록 4호를 종간으로 폐간되고 말았지만 발표된 작품 수에 있어서는 육군종군작가단의 기관지였던 『전선문학』과 견주어도 손색이 없다. 전쟁기

17_ 『전선문학』은 1950년 6월 25일부터 1953년 7월 27일까지 3년 1개월간의 전쟁기 동안 발간한 육군종군작가단의 기관지이다. 육군종군작가단은 1951년 5월 대전에서 결성되었으며 단장 최상덕 장군, 부단장 김팔봉, 구상이 이 작가단을 이끌었다. 『전선문학』은 총 7권이 간행되었으며, 6호와 7호는 휴전협정 이후에 발간되었다.
18_ 『희망』은 1951년 6월 창간된 잡지로 발행인은 김종환이다. 『전시과학』은 1951년 8월에, 『학생공론』은 1951년 10월에, 『정경』은 1951년 12월에 창간되었다. 『臨時首都 千日』, 부산일보사, 1985. 750쪽.
19_ 이명희, 「한국 전시출판 상황에 관한 연구」, 중앙대학교 신문방송대학원 석사논문, 1994. 2. 28쪽.
20_ 김양수, 『한국잡지사연구』, 한국학연구소, 1992. 97쪽. (『희망』의 발행인 김종완의 회고 참조)
21_ 손철, 『哲』2, 송정문화사, 1991. 39쪽.

간 중에 발간되었던 문예지일 뿐만 아니라 목적성을 담보하지 않은 순문학을 지향하고 있다는 점에서 주목할 만하다. 7권까지 발행되었던 『전선문학』에는 시 35편, 소설 26편이, 4권까지 발행된 『신문학』에는 시 32편, 소설 14편이 발표되었다. 『전선문학』은 1952년 4월 창간호가 발행되었고 1953년 12월에 종간되었다. 발행권수가 『신문학』보다 많은데도 시 작품의 편수에서는 별 차이가 없다. 종군작가단의 공식적인 활동에 버금가는 작품 편수를 자랑할 수 있었던 것은 "서울 부산 등지에 산재해 있던 문인들의 선망 찬사 격려 참여가 빗발치기 시작"[22]하면서 중앙문인들이 대거 참여하였기 때문이다. 작품을 발표할 수 있는 장을 제공했을 뿐만 아니라 순문학을 지향한 것이 시대상황과 맞아떨어진 것이다.

지역을 넘어 많은 호응과 참여를 이끌었던 『신문학』은 많은 작품을 발표함으로써 전쟁기의 공백을 채우는 역할을 했음을 알 수 있다. 재정난 때문에 종간되고 말았지만 전쟁기 문학사에서 빼놓을 수 없는 문예지다. 『신문학』은 광주전남 지역을 넘어 전국의 문인들이 찬사와 격려를 받았고 또 그들이 참여함으로써 전국적인 문예지의 위치를 갖출 수 있었다. 『신문학』은 광주전남 지역문학을 견인하였다는 점에서 문예지 이상의 의미가 있다. "신문학동인과 갈매기동인의 교유는 지금의 전남 문단을 형성하는 밑받침이"[23]되었기 때문이다.

『신문학』에 소설을 발표한 작가별 편수는 손철 3편, 임병주 2편, 승지행 2편, 이가형 2편, 김해석 2편, 전병순, 양병우, 황순원은 각 1편씩이다. 소설을 쓴 작가들은 대부분 광주에 몸담고 있는 이들이지만 중앙문

22_ 손철, 위의 책, 39쪽.
23_ 차재석, 앞의 책, 57쪽.

단의 황순원은 작품 「소나기」를 발표하였다. 또한 김동리의 80매짜리 소설은 발간이 늦어지는 바람에 다른 문예지에 발표[24]되기도 하였다. 당시 『신문학』의 위상이 짐작된다.

> 전남문단은 발족만 하여 놓고 결성이래 아무런 활동도 없기는 하나 6·25 사변이란 역사적 시련을 거치고 난 직후에 전남의 문학 예술인들의 자각적 발의로써 민족예술의 옹호를 위하여 총집결하였다는 그 역사적 의의만을 가지고 그것은 전남예술사 내지 문학사를 이야기할 때 중대한 발단적인 사실로서 취급하지 않을 수 없을 것이며 『신문학』역시 4회로 그 발간이 중단되고 말았다 하여도 그 인적 구성과 질적인 면에서 볼 때 처음으로 전남적인 역량을 가능한 한 집결하여 보인 최초의 문단적 활동의 형태라도 말하지 않을 수 없을 것이다.[25]

> 『신문학』은 전남문단의 구심점이었을 뿐만 아니라 서울에서 발행된 『현대문학』, 『자유문학』, 『문학예술』이 창간되기 전에 전쟁의 와중이기에 전국에 동인지, 문예지 하나 없는 때에 발표지면을 마련 문단을 이끌고 한국 문학사의 공백을 매꾼 유일한 발표 지면이었다. 서울의 문인들에게까지 창작의 기회를 제공하는 잡지였다. (중략) 그때부터 전국 유명 문인들이 광주로 몰려왔다. 서정주가 김현승 댁에서 기거하게 되고 박종화, 마해송, 박영준, 구상, 김동리, 조연현, 손소희, 한말숙 등이 연거푸 왕래했고 군인이었던 김조운, 이영순 등의 전국 유명 문인과 문단이 광

24_ 김현승, 「편집후기」, 『신문학』4. 1953. 5. 160쪽.
25_ 김현승, 「전남문단의 전망」, 『신문화』 창간호, 1956. 7.

주로 모인 화려한 시기였다.[26]

위에서 김현승과 손광은이 밝히고 있듯이 문학사에서 담당했던 역할은 중대했다. 참여한 작가들 또한 문학적인 역량을 집결하여 광주문학의 발전에 온 힘을 기울였다. 『신문학』은 광주라는 지역적 한계를 넘어 전국 문인들의 작품발표의 장이 되었다. 전시상황에서 출판물을 생산해 낸다는 것이 기적에 가까운 일이었음에도 불구하고 문학적 열정을 쏟아 냈던 '신문학' 동인들의 활동은 이후 광주문학을 견인하는 힘으로 작동하였다. 그래서 한국전쟁기는 문학의 공백기가 아니라, 인간의 가장 내밀한 밑바탕을 통째로 보여준 시기였고 문학인들의 사상적 행로를 확인케 하는 시기이기도 했다.

이 『신문학』을 창간하면서 광주전남 최초로 지역문학에 대한 좌담회인 '호남문학을 말하는 좌담회'를 열었다. 이 좌담회는 당시 광주전남 지역문학의 판도와 그 자리에서 생산된 담론, 그리고 그 담론은 이후 광주전남 지역에 어떤 영향을 미쳤는지를 가늠할 수 있다. 문학좌담회가 열린 때와 장소, 참석자는 다음과 같다.

출석자	장용건[27], 박흡, 이동주, 임병주[28], 손철[29], 김해석[30]
	고문석[31](미참), 승지행[32](미참)
본사측	백완기, 김현승
때	1951. 4. 16.

26_ 손광은, 「광주·전남문학동인사 서문」, 『광주·전남문학동인사』, 한림출판사, 2005. 24~25쪽.

문학좌담회 참석자들의 면면을 보면 모두 광주전남에서 활동하고 있
었던 『신문학』의 필진들이다. 이들이 '호남의 문학'에 대한 점검과 발전

27_ 장용건(張龍健, 1921~작고)은 평안북도 구성군 출신으로 일본 중앙대학 법학부를 졸업하
였다. 일본에서 주로 연극 분야의 공부에 몰두하였으며, 1943년 귀국 후 학병거부운동을
한 혐의로 공직에 나가지 못하고 평양에서 극단 '장군대'를 통해 연극에 전념, 「귀주야
화」와 「두견새」 등 신극을 제작하여 공연함으로써 극작가로 명성을 얻었다. 1946년 월남
하여 1948년 5월 조선대 교수로 임용되었다. 그때 '조대극회'가 탄생하였고 동방극장에
서 「무의도 기행」을 공연하였는데 지방에서 본격적인 대학극이 시작된 계기가 되었다.
『신문학』 창간호에 희곡 「탈」을 발표하기도 했다. 조선대학교 교수로 재직하면서 학생예
술소극단을 인솔하고 전남일대에서 1개월 동안 『雷雨』 순회공연을 하기도 하였다. 문학을
강의하기 위해 『大學校材』를 쓰기도 하였는데 1960년 4·19혁명 이후 강단을 떠났다. 당
시 조선대 총장퇴진 운동을 주도하였기 때문이라고 한다. (백수인, 『대학 문학의 역사와
의미』, 국학자료원, 2002 참조)

28_ 임병주(林秉周, 1909~1997)는 전남 보성 출신으로 〈전남매일신문〉, 〈호남신문〉 문화부장
을 역임하였다. 『신문학』 창간호에 소설 「잃어버린 두 사람」, 『신문학』 4호에 「모루」를 발
표하였다. 수필집으로 『진실의 승리』와 『화초와 병아리』, 『뿌리와 꽃과』, 『고난의 승리-일
제36년과 나의 이야기』가 있다.

29_ 손철(孫哲, 1920~2010)은 황해도 서흥 출신으로 청도의학전문학교를 졸업하고 전남대
의과대학 교수를 지냈다. 1938년 중앙일보에 수필 「추석달」을 발표하였고, 이후 『신문
학』 창간호에 소설 「도순이」, 『신문학』 2호에 「乳房」, 『신문학』 3호에 「두꺼비」를 발표하였
다. 〈호남신문〉 등에 꾸준히 수필과 소설을 발표하였으며 광주 전남지역 문학형성에 기
여하였다. 문집으로 『철1』(홍인서원, 1980)과 『철2』(송정문화사, 1991)가 있다.

30_ 김해석(金海錫, 1919~작고)은 전남 승주 출신으로 동국대를 졸업하고 〈호남신문〉 문화부
장을 역임하기도 하였다. 광주서중과 광주고등학교를 거쳐 평생 교직에 종사하였다. 『신
문학』 창간호에 수필 「이버지」, 『신문학』 2호에 소설 「Y가의 生理」, 『신문학』 3호에 소설
「江村사람들」을 발표하였으나 주로 수필가로 활동하였으며 수필집 『아바』, 『콩크리트와
물고기』(교음사, 1979)가 있다.

31_ 고문석은 『신문학』 창간호에 수필 「京釜線」을 발표하였다.

32_ 승지행(昇志行, 1920~2008)은 전남 나주에서 태어나 1950년 소설 「終焉 아닌 終焉」이
전국문화단체총연합회 현상모집에 당선되었고, 『신문학』 창간호에 「어떤 兄弟」, 『신문학』
3호에 「木碑」를 발표하였다. 1958년 「蓮花倒水」, 「父子」가 『현대문학』에 추천되었다. 이
후 60여 편의 작품을 남기고 있는데 「장벽」은 제5공화국시절에 발매금지 조치를 당하기
도 했다. 작품집으로 『종언 아닌 종언』, 『마지막 잔치』, 『태양조차 버린 사람들』, 『저 惷의
불꽃을』, 『토끼타령』, 『사흘에 그린 자화상』 등이 있다.

문리과대학 문학과 교수 재직시(1951~1960)의 다형 김현승과 문리과대학이 있던 1950~1960년대의 조선대학교 본관. 이때 김현승은 조선대학교 학생들에게 시창작을 지도하고 있었다. (조선대 박물관 제공)

방향에 관한 담론으로 일관할 수 있었던 이유이다. 좌담회는 시인 김현승과 평론가 백완기가 중심이 되어 이끌었다. 이때 백완기는 『신문학』의 발행인 겸 편집인이었고 김현승은 조선대학교에 막 부임하여 지역학생들의 시창작을 지도했다. 광주전남의 지역문학을 논하는 최초의 좌담회였던 만큼 주최 측의 의도가 반영될 수밖에 없는 담론공간이었다.

신문학사가 이 좌담회를 개최한 이유는 『신문학』 창간의 당위성을 확인하는 자리에서 나아가 지역문학을 고민하기 위한 자리였다. 좌담회에서 김현승은 해방 이전에 목포에 종합문예지 『호남평론』[33]이 나왔으나 큰 성과 없이 끝난 것으로 평가하고 본격적인 호남문학의 출발을 "어떤 조직적 형태를 막연이나마 갖춘 호남문학의 기원은 적시 해방 이후"로, "호남출신의 작가로서 중앙문단에 진출한 문학활동은 논외의 대상"으로 규정하였다. 이에 박흡은 광주전남 지역문학의 시간의 범위는 그렇다 치

『김현승시초』, 문학사상사, 1957.
첫 작품집으로 시집 맨 뒤에는 서
정주의 발문이 있다.

더라도 출향작가들은 반드시 "모두 包
含시켜"야 한다고 주장함으로써 김현
승보다 한발 앞선 발언을 한다. 당시
에 이 발언은 큰 논란거리가 되지 않
았지만 지역문학의 시·공간문제는 현
재도 여전히 고민하고 있는 문제[34]로
지역문학사의 서술에 대한 고민과 문
제 제기를 하였다는 점은 시사적이다.
사실 지역문학 연구에서 범주설정 문
제는 현재도 많은 연구자들이 고민하
는 문제이다.

지역의 문인들에게는 문학작품을
발표할 기회가 많지 않은 것은 비단 과거의 문제만이 아니라 현재의 문
제이기도 하다. 당시 광주전남 지역문인들에게 작품발표의 장을 제공하
기 위해 노력한 매체로 〈호남신문〉이 있었다. 호남신문사의 사장인 노
산 이은상은 누구보다 문인들에게 작품발표의 장이 절실하다는 것을 알
았다. 그래서 지면을 할애하여 '작품 릴레이'를 진행했다. 그런 노력과
는 반대로 지역문학이 안고 있는 한계가 지적되기도 하였다.

33_ 『호남평론』의 주간은 김철진이었다. 『호남평론』은 1935년 4월부터 발간되었던 종합시사평
론지로 1937년 8월호까지 발간되었다. 주간인 김철진은 김우진의 동생으로 일본 구마모토
농업학교를 졸업하고, 동지샤대 정경과에서 경제학을 전공하였으나 중퇴하였고, 1927년
조선공산당에 입당, 전남공산청년회의 간부와 목포지부 책임을 맡았으며, 목포청년연맹의
창립에 관여하였으며, 신간회 목포지회 간사로 활동하면서 항일운동에 매진하였다. 1929
년 12월 경성지방법원에서 2년형 언도 받았으나 출감 이후 전향하여 부친인 김성규의 사업
을 이어받았다. 전남도의회 의원을 지냈고 목포상과대학 2대 학장을 역임하기도 하였다.

林「湖南新聞」에 沈嶸씨의 『青春永遠』이 실렸더랬지

朴 참 그 沈氏가 언제쩍 분이던가요

金海『新東亞』에 連載된 『血淚錄』의 作者지요

金顯 아 그런가요

金海 그당시 新東亞의 編輯責任이 鷺山이었는데 그因緣으로 『青春永遠』으로 改題해서 호남新聞에 싣게되고 『新天地』에서는 같은作品을 『哀生琴』이란 제목으로 실렸지요

심숭沈嶸은 소설「혈루록血淚錄」을 맨 처음 『신동아』에 연재하였다. 그리고 호남신문에 「청춘영원青春永遠」으로 재발표하였으며, 「애생금哀生琴」으로 『신천지』에 다시 연재하여 발표하였다.[35] 〈호남신문〉 사장이던 이은상과 맺은 인연으로 『신동아』에 연재했던 작품을 〈호남신문〉에 제목을 바꾸어 연재하였고, 『신천지』에 재발표를 한 다음 『애생금』(정음

34_ 이형권은 (「지역문학의 탈식민성과 글로컬리즘」, 『한국시의 현대성과 탈식민성』, 푸른사상, 2009.)에서 지역문학의 외연적 범주, 즉 '작가/작품의 문제'와 '매체문제'를 논하면서 '작가/작품의 문제'는 중앙문학과의 변별성을 위해서 특정지역에 창작적 기반을 둔 문인으로 한정하고 있다. 이는 출향작가들은 지역문학에서 제외시켜야 한다는 것인데 중앙문단에서 활동하는 작가라고 해서 지역에서의 구체적 삶에 대한 체험적 진실성이 담보되기 어렵다는 것에 동의하기 어렵다. 많은 작가들이 고향에서의 원초적 경험으로부터 자유롭지 않다는 사실과 특히 작가들의 후기 작품일수록 고향으로 회귀의식을 보여준다는 점은 '지역의 구체적 삶과 체험의 진실성'을 담보하는 것으로, 출향작가들을 지역문단에서 제외시켜서는 안 된다는 사실을 논거한다. 두 번째 '매체문제'는 구모룡의 '특정지역에서 생산되는 문학의 총량'의 개념을 들어 중앙의 문예지에 발표한 작품들도 지역문학에 포함시켜야 한다고 정리하고 있다. 이렇게 되면 '작가/작품의 문제'에서는 출향작가들을 제외시켜야 한다는 논리와 상당부분 상충된다. 그렇게 된다면 중앙에 진출한 작가가 지역의 매체에 발표한 작품은 어떻게 처리할 것인가 하는 또 다른 문제를 파생시키기 때문이다. 지역문학에서 출향작가를 논외로 처리하는 것은 또다시 반쪽의 지역문학이 될 가능성이 높다.

35_ 심숭의 『애생금』은 정음사에서 상권과 하권이 각각 1949, 1950년에 출판되었다.

『애생금』 이름과 연재처를 세 번이나 바꾸며 1949년에 상
권이, 1950년에 하권이 각각 출판되었다.

사)으로 출판한 것이다.[36] 그래서 이동주는 "재주들이 비상해서 시도
썼다 소설도 썼다 두루치기였"다고 비판하였고,[37] 김현승은 "신문지상
에 자기의 이름이 오른다는 쓸데없는 영웅 심리에서 소위 시인들이 얼
토당토 않은 소설을 휘두른다는 것은 장난 밖에 아모 것도 아닙니다. 우
리 광주에서만 볼 수 있는 창피한 장난"으로 규정하였다. 이런 비판적
인 견해들은 당시 광주문학이 극복해야 할 문제로 인식하였고, 광주문

36_ 정근식, 「사회적 다자의 자진문희과 몸」, 『현대문학이론연구』23, 현대문학이론학회,
2004. (정근식은 『신동아』와 『신천지』에 연재되었던 작품이 심승의 작품으로 심승의 생
애와 나문학에 초점을 맞추고 있다. 호남신문에 「靑春永遠」으로 연재되었다는 사실은 파
악하지 못한 것으로 보인다. 정근식은 심승의 본명이 이은상이라고 하였다. 좌담회에서
언급된 내용을 토대로 보면 심승은 원래 소설가가 아니라 시인이었다고 한다. 그래서 특
별한 인물로 회자된다.)
37_ 이 발언을 할 때까지도 이동주 본인이 소설을 쓸 것이라고 생각하지 못했을 터이지만, 이
동주는 실명소설을 『현대문학』에 연재하였을 뿐만 아니라 소설집 『빛에 싸인 群舞』(문예
비평사, 1979)을 상재하기도 하였다.

학은 습작기를 벗어나지 못하고 있다고 냉정한 평가를 내렸다.

사실 이 두 사람의 견해는 〈호남신문〉과 〈전남일보〉에서 특집으로 꾸민 '작품 릴레이'를 꼬집은 것이다.[38] 그러나 '작품 릴레이'는 긍정적인 측면과 부정적인 측면을 동시에 갖고 있었다. 작품 발표의 장을 마련해줌으로써 작품 쓰기를 독려하는 것이 전자의 측면이라면, 작품의 질이 저하될 우려가 다분하다는 것이 후자의 측면이다. 신문사에서 '작품 릴레이'를 기획한 것이 작품의 질적인 저하를 불러왔을지는 모르지만 절대적으로 부족했던 지면을 제공했다는 점은 작품의 질과 상관없이 지역신문으로서 역할을 충실히 이행한 것이다.

또한 이 자리에서는 광주문학의 출발점에 대한 논의를 하기도 하였다. 문학좌담회의 주도권을 쥐고 있던 김현승은 광주문학의 출발을 "6·25 사변후"로 잡고 "우리가 문총전남지부를 결성했다는 사실은 수後 호남문학운동에 본격적인 기초를 닦아놓았다." 그러니 "호남문학의 출발은 이제부터"라고 주장하였다. 이런 주장은 문총구국대 전남지부의 활동에 특별한 의미를 부여하기 위한 것으로 광주문학이 반공민족주의를 기치로 내걸었던 '문총구국대'를 중심으로 형성되었다는 것을 강조하고 있다. "우리의 문학운동이 활발히 전개되려면 역시 동인지 같은 순수한 의미의 활동무대"가 필요한데 그것이 『신문학』이고, 『신문학』의 필진 모두가 문총구국대 전남지부의 회원들이었다. 뿐만 아니라 목포채

38_ '작품릴레이'는 〈호남신문〉의 보존본이 확인되고 있지 않아서 확인이 불능한 상태이며, 전남일보는 〈전남매일신문〉과 함께 1980년 〈광주일보〉로 통폐합되었는데 창간호부터 1953년까지는 소장하고 있지 않아서 확인이 불가능하다. 그래서 원문은 확인할 길이 없다. 〈호남신문〉은 광주전남 지역문학의 발전에 지대한 공헌을 한 신문임이 분명하다. 당시에 가로쓰기를 한 최초의 신문이기도 하다. (광주언론인동우회, 『광주전남언론사』, 삼화문화사, 1991. 참조) 〈전남일보〉는 1954년에 '작품릴레이'를 하고 있다.

군 경비부 정훈과에서 정훈공작의 일환으로 발간한 『갈매기』의 필진들 또한 좌담회에 참석하고 있었다.

문총구국대의 활약은 광주전남 지역문학사에 직간접적으로 막대한 영향을 초래하였다. 이른바 반공민족주의가 남한의 행정과 의식을 이끌어가는 이념으로 작동하면서 예술문화뿐만 아니라 학술에까지 직간접적인 국가관리 체제가 제도화[39] 되었고, "문학사회의 존립바탕 가운데 하나인 문단 주도권이 우파 문인 조직 중심으로"[40] 구축되었다.[41] 이런 점에서 1950년대의 광주전남의 지역문단은 대단히 정치적이었다. 다음의 좌담회 내용은 광주전남 지역문단의 정치적인 행보를 여실하게 보여준다.

金顯承 話題를 좀 바꿉시다 난 이러케 생각해요 난 戰時에 있어서도 純粹文學의 必要를 主張하는 사람이지만 同時에 戰鬪文學에 對한 民族陣營의 貧弱性을 痛感합니다. 六·二五事 變後 『文藝』전시판에 毛允淑氏나 柳致環씨의 戰爭에 關한詩편이 실린 것은 압니다마는 一般的으로 事變前後를 通하여 우리는 敵과의 對決狀態乃至 戰鬪態勢에 있으면서도 民族陣營文人들의 詩나 創作은 대개는 戰鬪現實과는 別로이 關係없는 作品들이었다고 봅니다

張龍建 우선 槪念인데 戰鬪文學이라니 오직 하나뿐인 純粹한 文學精神 以外에 따로 한 개의 目的文學으로서의 戰鬪文學이 있어야 한

39_ 구광모, 『문화정책과 예술진흥』, 중앙대출판부, 2001. 169쪽.
40_ 박태일, 『한국 지역문학의 논리』, 청동거울, 2004. 81쪽.
41_ 박흡이 광주전남에 주둔한 11사단 20연대를 위한 '二十聯隊歌' 공모에 당선된 것도 순수를 기치로 내세우며 『신문학』이 창간될 수 있었던 또 다른 배경이다.

단 말이지요?

金顯承 文學의 二元論을 主唱하는 意味에서의 戰鬪文學의 새로운 創造
가 아니라 取材의 對象에서 하는 말이오 이를테면 鄕土文學이라
第二次 大戰때 佛蘭西의 抗拒文學을 云謂할 수 있는것처럼 그러
한 槪念으로서의 戰鬪文學 말이외다 다시 말하면 적어도 戰爭이
完遂되는 동안까지는 우리가 다루는 詩나 小說의 題材도 꽃이나
달보다는 총과 칼과 定意와 憎惡心에 두어야겠다는 말이지

　김현승의 발언은 대단히 전투적이고 감정적이다. "우리는 적과의 대
결상태 내지 전투태세에 있으면서도 민족진영 문인들의 시나 창작은 대
개는 전투현실과는 별로 관계없는 作品들이었다"거나 "전쟁이 완수되
는 동안까지는 우리가 다루는 시나 소설의 제재도 꽃이나 달보다는 총
과 칼과 정의와 증오심에 두어야겠다"는 발언이 그것이다. 곧 문학이
전쟁에 동원되어야 한다는 것이고 이것이 민족문학이라는 논리이다. 그
동안 '민족의 끓는 피와 돌진을 노래할 단계에 있으면서도 오히려 사슴
과 청산을 노래한 허물'이 있었다고 반성하기도 하였다.

　문학의 이념성을 강조한 김현승과는 다르게 장용건은 '적색문학을 배
격하는 이유'는 '반민족적'이고 '문학의 자율성을 부인'하기 때문이기
는 하지만 '일원적인 리얼리티를 추구하는 진정한 문학정신에서 우러
나온 거라야 한다.' 즉 '민족적 양심과 진실이 고도한 창작정신에까지
승화되'어야 한다며 이념성보다는 문학성을 옹호한다. 이에 김현승은
문학이 '무엇을 추구해야 하는가 즉 민족의 지향을 직시해야 한다.'고,
그것이 '상식'이라고 재차 강조함으로써 목적문학을 배제하지 않았다.
김현승과 장용건의 발언에 박흡은 '이원론적인 목적문학이 아니라 우

리의 문학정신이 전쟁이란 현실에 부딪혀 스스로 발화하는 문학작품'
이어야 한다고 정리하였다.

김현승과 장용건, 박흡이 주고받은 담화를 통해서 이념논쟁이 문학인
들의 고민이었음을 알 수 있다. 이들의 논쟁은 전시하의 문학이 다분히
목적성을 띨 수밖에 없지만, 특히 광주지역문단이 정치적으로 움직였다
는 것을 알 수 있다. 목하 전쟁을 경험하고 있는 작가들이 '청산'이나
'노루'를 노래해서는 안 된다는 내용으로 미루어 보면 이것은 겉으로는
순문학을 표방하고 있었지만 한편으로는 이데올로기적이었던 것이다.

그러면서도 지역 문인의 한계에 대한 고민을 안고 있었다. 광주문학
에 대해서 박흡은 '피나는 노력의 부족'과 '역량의 부족', '이끌어주는
호남 출신의 선배 부재', '집단적인 문학운동의 부재' 등을 한계로 꼽았
다. 이동주는 "같은 지방문단이라도 영남은 부럽습디다. 그 문둥이의
뜻뜻한 체온이 있거든. 그런데 전라도 개땅쇠는 중앙에 이름이 좀 나도
고향을 숨기고 혼자서 영웅이 다 되어버리거든. 후배는 선배를 아끼고
따라야 하고 선배는 따뜻한 맛이 있어야 하는데 쌀쌀한 사람과 건방진
놈들이 무슨 큰 그릇이 되겠어요."라고 선배 문인들을 비판하였다. 김
현승도 "우리나라 문단은 아직도 중앙집권제가 되어서 좀 야심 있는 사
람들은 지방문단 따윈 상대도 하지 않고 중앙으로 직행하고 말거든."이
라고 하면서 중앙문단 중심으로 돌아가는 문단을 비판하였다.

이 좌담회는 광주전남의 지역문학은 습작기를 벗어나지 못하고 있다
는 것을 확인하는 자리였다. 또한 한국전쟁으로 인한 반공민족주의를
기치로 내세운 문총구국대 전남지부의 눈부신 활약상을 강조함으로써
순문학을 표방하였다. 이데올로기로부터 자유롭지 못한 한계를 지니고
있었다. 따라서 광주지역문단에 팽배해 있던 반공민족주의는 지역문학

사에 막대한 영향을 미치게 된다.

'시문학파'의 계승, 『시정신』

1950년대는 비극으로 점철된 시기였다. 좌우의 대립이 불러온 한국전쟁은 생명과 재산과 국토를 유린한 참극이었다. 그럼에도 문인들은 펜을 놓지 않고 불가능을 가능케 하고, 밟혀도 굴하지 않는 정신을 작품으로 승화시켜 『신문학』에 이어 또 하나의 시 전문지 『시정신』이 창간하였다. 비록 목포에서 발행되기는 하였지만 『시정신』은 광주의 작가들을 중심으로 1952년에 창간되었다.

『시정신』은 대단한 호응 속에서 모두 49명의 시인이 78편의 시와 계용묵의 「바다」, 김동리의 「수목송」, 이동주의 「꽃」, 조희관 「몹쓸 짐승」 등의 산문이 발표되었다. 『시정신』은 "온갖 조류 유파의 혼란, 온갖 기교의 지단말류의 혼선 속에서도 어느 때에나 구경 시의 바른 길을 찾아서 이끌어 나가는 것"[42]을 목표로 유파를 초월하여 "한국문단사에 있어서도 영원히 기억해야 할"[43] 시 전문지가 되었다. 뿐만 아니라 광주전남 지역 시문단의 형성과 발전을 추동해 주었다. 이런 문학적 분위기가 광주의 1950년대를 채우고 있었으니 후학들도 자연스럽게 그 분위기를 향유하였다. 『시정신』은 시 전문지를 표방하고 있고 전쟁의 상처보다는 시심으로 발현되는 인간에 주목하고 있다. 『시정신』은 5집까지 발행되었으며 서지정보는 다음과 같다.

42_ 서정주, 「머리말」, 『시정신』창간호, 항도출판사, 1952.
43_ 허형만, 「목포 시문학사 개관」, 『목포 100년의 문학』, 올뫼, 1997, 213쪽.

『시정신』 제1집, 항도출판사, 1952. 9. 5. 편집인 : 차재석

이병기 「뜻과스름」	신석정 「슬픈平行線」	신석정 「生存」
서정주 「鶴의노래」	김현승 「눈물」	김현승 「길」
박 흡 「旗에서」	박 흡 「罪」	이동주 「祈雨祭」
이동주 「西歸浦」	박용철 「美人」	

• 산문 계용묵 「바다」

• 제자 손재형 　　　• 표화 배동신 　　　• 판화 천병근

『시정신』 제2집, 항도출판사, 1954. 6. 15. 편집인 : 이동주, 김현승, 차재석

유치환 「獅子圖」	모윤숙 「밤 두시의 달은」	
박두진 「날개」	김현승 「人生頌歌」	김춘수 「三月은」
이원섭 「귀뜨라미」	이형기 「木蓮」	김윤성 「水邊」
김구용 「充實」	서정주 「祈禱」	이동주 「노을」
이동주 「숲」		

• 산문 김동리 「樹木頌」

• 제자 손재형 　　　• 표화 김환기 　　　• 배화 이 준

『시정신』 1~5집 한국전쟁 중이던 1952년 9월에 창간되었지만 전쟁의 상처보다는 시심으로 발현되는 인간에 주목한 잡지였다.

『시정신』 제3집, 항도출판사, 1955. 5. 1. 편집인 : 이동주, 김현승, 차재석

우치환「雅歌」	서정주「祈禱2」	조지훈「코스모스」
박남수「變身」	김춘수「裸木」	
조병화「내 마음에 눈이 내린다」		최재형「당신」
김윤성「새벽에」	박기원「眞實」	김용팔「祈願」
김구용「그네의 微笑」	장수철「階段밑에서」	송 욱「南大門」
박양균「距離」	이형기「자장가」	박 흡「齡」
전봉건「지금 아름다운 꽃들의 意味」		이원섭「그날밤」

• 산문 이동주「꽃」

• 제자 손재형   • 표화 남 관   • 배화 유경채

『시정신』 제4집, 항도출판사, 1956. 9. 19. 편집인 : 이동주, 김현승, 차재석

최남선「春雨」	이병기「보리」	
신석정「나무 등걸에 앉아서」	유치환「季節이 不在한 골짝에서」	
김현승「사랑을 말함」	정 훈「醉夜」	
이설주「石像의 노래」	은안기「어머니의 꿈」	김상옥「圖畵」
박양균「그늘」	김용팔「陣痛圖」	

박 흡 「나무 씨를 뿌리며」　이수복 「별을 우럴어」　허 연 「門」

이석봉 「노래」　　　　　박봉우 「목숨의 詩」　　박성룡 「郊外」

이동주 「江언덕에 서서」

• 산문 조희관 「몹쓸 짐승」

• 제자 손재형　　　　　• 표화 김환기　　　　• 판화 백홍기

『시정신』 제5집, 항도출판사, 1966. 2. 10. 편집인 : 이동주, 김현승, 차재석

김구용 「어느날」　　　　　신동집 「單獨者의 노래」

조병화 「祖國으로 가는 길」　박성룡 「滿月」

박희진 「銅時代」　　　　　이성교 「어머니 얼굴」

황동규 「土家」　　　　　　마종기 「詩人의 房」

김영태 「猶太人이 사는 마을의 겨울」

권일송 「午后 이야기」　　　고은 「濟州家集」

김하림 「1965년의여름」　　허영자 「봄」

정진규 「아침 二曲」　　　　이승훈 「불을끈 戀人들의」

김화영 「니그로의집」　　　　강호무 「棺木」

최하림 「밤의 椅子」　　　　이동주 「배가 나와 詩를 못쓴다」

• 제자 손재형　　　　　• 표화 변종하

　『시정신』 창간호는 한국전쟁 중이던 1952년 9월에 창간되었다. 편집
인은 차재석이었다. 2집부터는 이동주, 김현승이 편집에 합류하여 3인
편집체제를 유지하였다. 『시정신』은 차재석이 주관하여 만든 것으로
"'쟝·콕토'와 '피카소'의 시화집처럼 시가 앞서 좋아야겠지마는 시집의
꾸밈새에 있어서도 멋이 잘잘 흐르면서 품위를 잃지 않는 그런 시집, 우

리나라에서 일찍이 없었던 호화판 사화집을 펴"[44]겠다는 야심찬 의도로 발간했다.

　광주에서 활동하고 있던 이동주와 김현승의 합류는 『시정신』 외연의 확장을 고려한 것이었다. 『시정신』 창간호에서 차재석은 "이 책은 계간으로 그 생명을 이어갈 것이다."라고 열정적인 의지를 보였다. 하지만 위 발행사항으로 보면 계간으로 발행되지 못하고 1년에 1권을 발행했음을 알 수 있다. 창간호를 낸 이후 2집을 발간하기까지 1년 9개월, 2집 발행 이후 3집 발행까지 1년, 3집 이후 4집 발행까지도 1년 4개월이 걸렸다. '계간지'로 발행할 예정이었던 『시정신』이 연간지가 되고 만 것이다. 그래도 1집부터 4집까지는 안정적으로 발간되었다. 그런데 4집 발행 이후 5집까지는 무려 10년이나 걸렸다. 이에도 굴하지 않고 차재석은 "5집까지 이어졌지만 아직도 속간의 뜻은 살아 있다."[45]고 계속 발간의지를 밝혔다. 그러나 『시정신』은 5집으로 종간되었다.

　『시정신』 창간호에는 호남시인들의 작품만 발표되었다. 그런데 『시정신』 2호부터는 호남을 떠나 중앙문단의 작가들이 참여하고 있음을 볼 수 있다. 그리고 호남지역의 작가들보다는 중앙문단의 작가들이 더 많이 참여한 것은 "꿈과 정성으로 햇볕을 보게 된 『시정신』은 시단에서 또한 상당히 호의적"인 분위기가 작용하였기 때문이다. 그래서 『시정신』의 위상에 변화가 생기기 시작하였고 결국 중앙문단 작가들의 참여로 그 지평이 확대되었다. 『시정신』에는 당시 광주전남 지역의 시인들뿐만 아니라 최남선, 이병기, 서정주, 조지훈, 조병화, 유치환, 모윤숙, 김춘

44_ 차재석, 앞의 책, 57~58쪽.
45_ 차재석, 「목포문학의 뿌리를 더듬으며」, 앞의 책, 136쪽.

수 등 전국의 시인들이 대거 참여하였다. 지역문학의 범주를 뛰어넘어 중앙과 지역을 아우른 시 전문지 역할을 한 것이다. 호남지역에서 출발하였던 『시정신』을 지명도 높은 중앙문단 작가들이 작품발표의 장으로 삼으면서 『시정신』은 시 전문지로서 그 위상이 높아지게 되었다. 그에 따라 중앙문단의 신진작가들과 호남지역의 신예작가들인 허연, 박봉우와 박성룡, 최하림까지 참여했다. 시 전문지가 전무했던 한국전쟁기의 시 전문지였기 때문에 『시정신』은 문학사적으로 특별한 의미가 있다.

차재석車載錫(1926. 10. 29.~1982. 10. 22.)은 『시정신』의 창간을 주도하고 발행한 장본인으로 당시 항도출판사에서 제반업무를 맡고 있었다. 그는 전라남도 목포시 북교동 184번지에서 목포의 명문가이자 만석꾼 지기 차남진의 셋째아들로 극작가 차범석의 동생이다. 차재석은 셋째아들이어서 "싯째"로 불렸으며, "얼굴이 흰하고 눈망울이 크고 날카로와 어지보면 사나운"데다가 "부잣집 막내동이 특유의 고집스러운 성격"으로 "남에게 지기 싫어하는 골목대장"이었다. "명의라는 명의는 한·양의학을 가리지 않고 집에 불러 들여 진찰"[46]을 받았으나 끝내 한쪽 다리가 불편한 장애인이 되고 말았다.

> 아무튼 재석의 생활을 바빴다. 박물관, 미술 전람회, 공개강좌, 강연회……. 가고 싶고, 보고 싶고, 만나보고 싶은 건 모조리 섭렵하려는 그의 왕성한 탐구욕은 초인적이랄 수밖에 없었다. 보행이 부자유스러운 악조건에도 불구하고 그가 다닌 곳을 나도 미처 못가 본 곳이 많았다.[47]

46_ 차범석, 「고개를 넘으면서」, 『三鶴島로 가는 길』, 1991, 세종출판사, 307쪽.

차재석은 장애를 입은 후에 중학교에 진학하지 못했다. 그러나 장애인이라는 이유로 못할 일은 없었다. 취미로 붓글씨를 배운 것이 예술적 재능을 발견한 계기가 되어 해방 이후 서울의 차범석 집에 거주하면서 "박물관, 미술 전람회, 공개강좌, 강연회", 그리고 "가고 싶고, 보고 싶고, 만나보고 싶은 건 모조리 섭렵"하면서 문화예술적인 감각을 키웠다. 그랬기 때문에 "미술은 물론이고 서예, 문학, 무용 등에서 전문가 이상의 소양을 가지고 있었고, 그런 소양과 종합력으로 목포문화계를 순조롭게 이끌"[48]었다. 그는 마음먹은 것은 꼭 해야 직성이 풀리는 적극적이고 진취적인 성격의 소유자로 예술에 대한 전문가적인 소양이 『시정신』으로 빛을 발하였다. 차재석이 밝히는 『시정신』 발간 동기는 다음과 같다.

> 1952년 봄 어느날 영감이 떠오르듯이 멋진 詩集을 만들어 봐야겠다고 마음 먹었습니다. 이를테면 '엘리어트'와 '달리'의 詩畫集이라던가. '쟝·콕토'와 '피카소'의 詩畫集처럼 詩가 앞서 좋아야겠지마는 詩集의 꾸밈새에 있어서도 멋이 잘잘 흐르면서 품위를 잃지 않는 그런 詩集, 우리나라에서 일찍이 없었던 호화판 詞華集을 펴보기로 했습니다.
>
> 먼저 이동주 씨와 상의해서 서정주 선생과 함께 셋이서 편집을 맡아보기로 하고 배동신 씨에게 표지그림을 부탁했습니다. 이 구상은 바로 공감을 얻어 출범하게 되었습니다.[49]

『시정신』은 차재석이 '어느날 영감이 떠오르듯이 멋진 시집'을 만들

47_ 차범석, 「고개를 넘으면서」, 앞의 책, 308~311쪽.
48_ 최하림, 「中庸의 지혜를 지닌 스승」, 앞의 책, 318쪽.

어보고 싶은 마음, 지극히 개인적인 영감에서 출발하였지만 이동주, 서
정주가 함께 편집을 맡아보기로 하면서 시 전문지 『시정신』 창간 진용
이 갖추어졌다. 『시정신』이 시 전문지를 표방하면서도 '시화집'의 조건
을 갖추기 위해 한국화단의 거목들을 합류시켰다. 제호를 짓게 된 연유
는 『시정신』의 창간정신이나 다름없다.

> 내 야심을 충족시켜 줄 만한 책이름을 짓기란 쉬운 일이 아니었다. 이동
> 주형, 서정주 선생과 상의해서 송정리에서 몇 분을 초대하기로 했다. 송정
> 리는 박용철 선생의 고향이고 또 그분이 묻힌 곳이다. 그래서 용아 선생의
> 성묘를 제의해서 김현승, 박흡, 장용건, 손철, 서정주, 이동주 여러분과 내
> 가 합석했다. 이때는 이동주 형이 송정리 여중고의 교사로 있을 때여서 여
> 중고생들에게 이 분들의 문예강연을 베풀었고 용아 선생의 성묘, 그리고
> 송정리에서 유명한 명주 금봉주조의 사장댁에서 초대를 받았다. 이 자리
> 에서 시집 발간 의도를 피력하고 책 이름을 지어주십사 부탁했다. 이때 논
> 의 된 책 이름은 용아 선생이 주간했던 '시문학'을 다시 쓰자고 얘기도 나
> 왔고, '시향', '시정신' 등 의견이 나왔다. '시정신'은 당시 조선대학교 교
> 수였고 지금은 고인이 되어버린 희곡작가 장용건의 안이었던 것으로 기억
> 된다. 약간의 이견이 있긴 했지만 결국 '시정신'으로 결정되었다.[50]

차재석이 '야심을 충족시켜 줄 만한 책이름'을 짓기 위해 '용아 선생

49_ 차재석, 「세 마리의 학은 아직도―목포문학의 발자취」, 『三鶴島로 가는 길』, 세종출판사,
   1991. 57~58쪽.
50_ 차재석, 「목포문학의 뿌리를 더듬으며」, 앞의 책, 135쪽.

의 성묘'를 제의한 것은 『시문학』을 주도한 박용철의 시정신을 잇자는 뜻이었다. '시문학'이라는 제호가 거론되었다는 것에서도 확인된 바 '시문학파'를 계승하고자 한 노력이었고, 장용건이 '시정신'으로 제안 하여 『시정신』이라는 제호가 결정되었다. 그 자리에 있었던 김현승, 박 흡, 장용건, 손철, 서정주는 광주에서 문학 활동을 활발하게 하고 있었 던 작가들로 한국전쟁기 광주문단의 분위기를 잘 보여준다.

시 전문지 『시정신』에 이동주는 「기우제」, 「서귀포」, 「노을」, 「숲」, 「강언덕에 서서」, 「배가 나와 시를 못쓴다」처럼 가장 많은 6편의 작품을 발표하였다. 또한 산문으로 「꽃」을 발표하여 『시정신』 3호를 제외하고 는 모든 권수에 작품을 발표하였는데 이동주는 광주에서 교사로 재직 중이었고 『시정신』의 편집위원이었기 때문에 작품 발표에 대한 책임감 을 반영한 측면이 있다. 시인 김현승 역시 이동주와 함께 편집위원이었 는데 「눈물」, 「길」, 「인생송가」, 「사랑을 말함」 이상 시 4편을 발표하였 다. 이때 김현승은 조선대학교에서 교수로 재직하고 있었다. 김현승과 함께 광주의 문인들을 길러냈던 시인 박흡은 광주고등학교 교사로 「기 에서」, 「죄」, 「령」, 「나무 씨를 뿌리며」 이상 4편을 발표하였다.

서정주徐廷柱(1915. 5. 18.~2002. 12. 24.)는 광주문단에서 빼놓을 수 없다. 한국전쟁시 광주로 피난을 와 있던 서정주는 장용건에 의해 조선 대학교 교수가 되었다. 『시정신』에 「학의 노래」, 「기도」, 「기도2」 등 3편 의 작품을 발표하였다. 서정주는 일제치하에서 '다츠시로 시즈오達城精 雄'로 창씨 개명한 뒤 〈매일신보〉 1942년 7월 13일자 「시의 이야기—주 로 국민시가에 대하여」를 시작으로 5회에 걸쳐 연재하였다. 그리고 〈매 일신보〉 1943년 11월 16일자에 「헌시獻詩—반도학도 특별지원병제군半島 學徒 特別志願兵諸君에게」를 발표했다. 또 『국민문학』 1944년 8월호에 일본

獻詩

─詩○○學徒特別志願兵諸君에게─

徐廷柱

사랑보다 먼저오는 원수를 마지하자

서정주의 친일시 「헌사─반도학도특별지원병제군」이라는 친일시를 쓰며 친일에 앞장서서 충성을 맹세한다.(《매일신보》, 1943. 11. 16.)

군 전사자를 추모하는 시 「무제無題」를 발표했다. 〈매일신보〉 1944년 12월 9일자에 「송정오장송가松井伍長頌歌」를 발표하면서 친일에 앞장서서 충성을 맹세했던 시인이다.

그랬던 서정주는 한국전쟁이 나자 광주로 내려와 학동에 거주했고 조선대학교 문리대교수로 재직하면서 광주문단과 직접 인연을 맺으며 친일행적보다는 문단에서의 영향력이 크게 작용하여 광주의 문인들에게 영향을 미쳤다.(그때는 그가 전두환을 찬양하는 시를 쓰리라는 것을 아무도 상상하지 못했을 것이다.)[51] 그의 대표 시 중의 하나인 「무등을 보

서정주의 친일시 「송정오장송가」. 서정주는 일제치하에서 다츠시로 시즈오로 창씨개명을 하고 친일 행적을 했으나 광주로 내려와서는 조선대학교 문리대교수로 재직하며 광주문단과 연을 맺었다. (《매일신보》, 1944. 12. 9.)

며」는 이때 쓴 시다. 그의 작품 활동은 시인 지망생들에게 영향을 미쳤다. 그가 광주에서 맺은 대표적인 인연은 신예들을 문예지에 추천하여 등단시킨 것이다.

가장 대표적인 것이 이수복이다. 이수복李壽福(1924. 2. 16.~1986. 4. 9.)은 조선대학교 국문과를 다니면서 서정주의 제자가 되었고, 서정주의 추천을 받았다. 이수복은 1954년 3월호『문예』에 「동백꽃」, 1955년 6월호『현대문학』에 「봄비」가 서정주의 추천을 받았고, 이후 「무등부」(『현대문학』 1955. 9.), 「무덤과 나비」(『현대문학』, 1956. 6.), 「꽃상여

이수복 시집 『봄비』 그는 동양적 세계를 부드럽고 아늑한 어조로 읊음으로써 전통시의 율격을 잘 살린 작가로 높이 평가되었다.

엮는 밤」(『현대문학』, 1957. 12.), 「외로운 시간」(『현대문학』, 1958. 6.), 「모란송」(『현대문학』, 1958. 8.), 「소곡」(『현대문학』, 1958. 11.), 「황국 미음」(『현대문학』, 1959. 1.) 등을 발표하면서 본격적인 활동을 전개하

51_ "한강을 넓고 깊고 또 맑게 만드신 이여/이 나라 역사의 흐름도 그렇게만 하신이여/이 겨레의 영원한 찬양을 두고두고 받으소서/새맑은 나라의 새로운 햇빛처럼/님은 온갖 불의와 혼란의 어둠을 씻고/참된 자유와 평화의 번영을 마련하셨나니/잘사는 이 나라를 만들기 위해서는/모든 물가부터 바로 잡으시어/1986년을 흑자원년으로 만드셨나니/안으로는 한결 더 국방을 튼튼히 하시고/밖으로는 외교와 교역의 순치를 온 세계에 넓히어/이 나라의 국위를 모든 나라에 드날리셨나니/이 나라 젊은이들의 체력을 길러서는/86아세안게임을 열어 일본도 이기게 하시고/또 88서울올림픽을 향해 늘 꾸준히 달리게 하시고/우리 좋은 문화능력은 옛것이건 새것이건/이 나라와 세계에 떨치게 하시어/이 겨레와 인류의 박수를 받고 있나니/이렇게 두루두루 나타나는 힘이여/이 힘으로 남북대결에서 우리는 주도권을 가지고/자유 민주 통일의 앞날을 믿게 되었고/1986년 가을 남북을 두루 살리기 위한/평화의 댐 건설을 발의하시어서는/통일을 염원하는 남북 육천만 동포의 지지를 받고 있나니/이 나라가 통일하여 흥기할 발판을 이루시고/쉬임없이 진취하여 세계에 웅비하는/이 민족 기상의 모범이 되신 분이여/이 겨레의 모든 선현들의 찬양과/시간과 공간의 영원한 찬양과/하늘의 찬양이 두루 님께로 오시나이다" (「처음으로－전두환대통령 각하 56회 탄신일에 드리는 송시」, 1987. 1.)

였다. 그는 동양적 세계를 부드럽고 아늑한 어조로 읊음으로써 전통시의 율격을 잘 살린 작가로 높이 평가되었다. 그래서 1957년에는 제3회 현대문학 신인문학상과 전라남도 문화상을 수상하였다. 조용한 눌언의 시인으로 조선대학 강사, 광주 수피아여고, 광주일고, 그리고 순천고교 교사를 재직하였다. 그러나 그는 많은 작품을 쓴 다작의 시인은 아니어서 유일하게 시집 『봄비』[52]를 남겼다.

신석정辛夕汀(1907. 7. 7.~1974. 7. 6.)은 전주에서 활동하고 있었는데 『시정신』에 「슬픈 평행선」, 「생존」, 「나무등걸에 앉아서」 등을, 가람 이병기李秉岐(1891. 3. 5.~1968. 11. 29.)는 전북대학교에 교수로 재직하고 있으면서 「뜻과 스름」, 「보리」를 발표하여 후배 작가들에게 힘을 실어 주었다. 이때 김현승은 1955년 8월 허백련, 박금현, 장용건張龍健, 오지호, 김영제, 정병택 등과 함께 제1회 전남도문화상을 수상하였다.[53]

지역 언론의 노력들

그리고 이어서 『시와산문-호남11인집』이 창간되었다. "시에다가 다시 그분들의 수필을 곁들여서 한 권 책을 엮어 보자는 읽기에 좀 더 윤택한 맛"[54]을 내려는 항도출판사의 기획으로 만들어졌다.[55] 광주전남북의 작가들만 참여하여 전북에서는 신석정이 맡아 원고를 수합했다. 여기에는 이병기, 신석정, 서정주, 김현승, 김해강, 박흡, 이동주, 박정

52_ 이수복, 『봄비』, 현대문학사, 1969.
53_ 〈경향신문〉, 1955. 8. 19.
54_ 「編輯의 말」, 『시와산문』, 항도출판사, 1953, 127쪽.
55_ 『시와산문』, 항도출판사, 1953.

온, 김악, 백양촌, 이석봉이 참여하였다. 『시와산문-호남11인집』에는 서정주의 시 「無等을 보며」와 후에 시 「상리과원」이 된 산문 「上里果樹園」[56]이 실려 있다.

이 시기에 김현승은 광주전남 지역 시문단 형성에 절대적으로 기여하였다. 박흡 또한 광주전남 지역의 시문단 형성에 많은 영향을 미쳤다. 박흡은 광주서중과 광주고 문예부의 지도교사를 했던 관계로 박성룡, 박봉우, 윤삼하, 주명영, 강태열 등이 그의 지도를 받았다.[57] 흉내 내지 않은 시세계를 갖도록 지도하면서 그들의 미래를 예견하였는데 예견이 적중하면서 지도력을 인정받았다.[58] 이동주는 해방기 목포 예

56_ 서정주는 시 「無等을 보며」, 「꿈」, 산문 「上里果樹園」을 발표하였다.
("꽃밭은 그 향기만으로 볼진대 漢江水나 洛東江 上流와도 같은 隆隆한 흐름이다. 그러나 그낱낱의 얼굴들로 볼진대 우리 조카딸년이나 조카딸년의 친구들의 웃음 판과도 같은 굉장히 즐거운 날판이다.
세상에 이렇게도 타고난 기쁨을 찬란히 터트리는 몸뚱아리들이 또 어디있는가. 더구나 서양에서 건너온 배나무의 어떤 것들은 머리나 가슴패기뿐만이 아니라 배와 허리와 다리 발굼치에가지도 이쁜 꽃숭어리들을 달었다 맵새 참새 때까치 꾀꼬리 꾀꼬리새끼들이 朝夕으로 이 많은 기쁨을 대신 읊조리고 수천만마리의 꿀벌들이 온종일 북치고 소구치고 마지굿 올리는 소리를 하고 그대로 모자라는놈은 더러 그 속에 묻혀 자기도하는 것은 참으로 當然한 일이다.
우리가 이것들을 사랑할려면 어떻게 했으면 좋겠는가. 묻혀서 누워있는 못물과 같이 저아래 저것들을 때로 비취고 누워서 가냘프게도 떨어져내리는 저 어린것들의 꽃잎사귀들을 우리 몸 우에 받어라도 볼것인가 아니면 머언 山들과 나란히 마조 서서 이것들의 아침의 乳頭粉面과 한낮의 춤과 황혼의 어둠 속에 이것들이 잦아들어 돌아오는 아스라한 沐浴을 지킬것인가.
하여간 이 한나도 서러울것이 없는 것들옆에서, 또 이것들을 서러워하는 微物 하나도 없는 곳에서 우리는 서뿔리 우리 어린것들에게 설음같은 걸 가르치지 말 일이다.
저것들을 祝福하는 때까치의 어 느것, 비비새의 어 느것 벌나비의 어 느것, 또는 저것들의 꽃봉오리와 꽃숭어리의 어 느것에 대체 우리가 행용 나즉히 서로 주고받는 슬픔이란 것이 깃들어 있단말인가.
이것들의 초밤의 完全歸巢가 끝난뒤 어둠이 우리와 우리 어린것들과 山과 냇물을 까마득히 덮을때가 되거든 우리는 차라리 우리 어린것들에게 제일 가까운 곳의 별을 가르쳐 보일것이요, 제일 오래인 鍾 소리를 들릴일이다."서정주의 산문 「상리과수원」전문)

술문화동맹의 핵심인물로 『예술문화』에 작품을 발표하였고, 『네동무』[59]라는 시집을 심인섭, 정철, 오덕과 함께 출판하였다. 백완기는 광주 전남 지역문학발전에 기여했다. 호남은행의 설립자 현준오의 사위로 광주문화사를 운영하면서 광주전남 지역문학 발전을 위해 애쓴 평론가였으며, 『젊은이』를 발행하면서 신진 작가들에게 작품발표의 장을 마련해주었고, 『신문학』 창간호를 발행한 장본인이다.

한편으로 지역신문사도 광주문학의 발전을 견인하였다. 해방 이전의 〈동광신문〉과 〈호남신문〉[60]은 작품 발표의 장이 없었던 시기에 지역에 거주하고 있는 문학인들에게 작품을 발표할 수 있게 해 주었다. 〈호남신문〉은 1949년 5월 타블로이드 2쪽을 넓혀 배대판 지면을 내고 호남신문사 기획으로 "「신춘 시 릴레이」 등의 형식으로 이 지방 문인들에게 지면을 할애"[61]하였고, 〈동광신문〉[62]은 문화란에는 장편소설을 연재하는 등 많은 부분을 할애하였다. 특히 〈호남신문〉과 〈전남일보〉의 작품 릴레이는 작품의 창작을 추동하였다. 현재 〈호남신문〉이 부재하는 상황에서 그 전모를 알기는 어려우나 남아 있는 신문에서 그 흔적은 확인된다. 〈전남일보〉는 1957년 '신춘문예작품현상모집'으로 평론·소설·시

57_ 시인 박흡은 생전에 작품집을 남기지 않았으나 이동순에 의해 『박흡문학전집』(국학자료원, 2013)이 나왔다.

58_ 광주광역시 홈페이지 참조.

59_ 오덕 외, 『네동무』, 예술문화동맹, 1946.

60_ 〈호남신문〉은 1946년 3월 16일 '전남신보'의 제호를 〈호남신문〉으로 바꾸어 발간하기 시작하여 1962년 8월 31일 지령 4735호를 끝으로 폐간되었다. 호남신문사 사장 이은상은 자유당을 등에 업고 있었다.

61_ 광주전남 언론인 동우회, 『광주전남 언론사』, 1991, 165쪽.

62_ 〈동광신문〉은 '광주민보'의 제호를 '동광신문'으로 바꾸어 발간하기 시작하여 1950년 7월 23일 사실상 폐간되었다. 광주가 수복된 1950년 10월 3일 이후 전남일보로 흡수되어 자동 폐간되었다. 동광신문은 고광표가 사장으로 있으면서 한민당의 노선을 추종하고 있었다.

이해동과 시집 『나의 태양』 시인
이해동과 허연, 이경인은 〈호남
신문〉과 〈전남일보〉의 문화부장
을 하면서 광주전남 지역의 시문
단 활성화를 도모한 주역이다.

·희곡 4개 부문을 시작으로, 1961년부터는 '문예작품현상공모'로,
1965년부터 '신춘문예공모'로 이름을 바꿔가며 작가발굴에 힘을 쏟았
다. 그 밖에도 '일선교사 수기모집', '쓰고 싶은 이야기모집', '논픽션
현상공모', '장편소설 모집' 등을 통해 문인들을 발굴하고 필요한 지면
을 할애함으로써 지역문단의 지평을 확장하는 데 기여하였다.[63] 여기에
〈전남매일신문〉이 합세하면서 작품을 발표할 수 있는 기회는 더 확대되
었다. 어느 누구 한 사람에 의해 광주문학이 발전한 것이 아니라, 광주
전남의 문학인들과 지역신문들의 노력이 한몫하였다. 그랬기 때문에
"타도와 타지방문단에서 볼 수 없는 '문학과 예술의 공화국'[64]"이 될
수 있었다.

 1950년대 김현승, 박흡, 조희관, 이수복, 이석봉, 이동주, 장병준, 김

63_ 사사편찬위원회, 『광주일보40년사』, 광주일보사, 1992, 483~484쪽 참조.
64_ 김해성, 「전남문단보고」, 『자유문학』, 1959. 1, 249쪽.

평옥, 김악, 허연, 이해동, 이경인 등은 여러 동인지에 함께 또 따로 활동하면서 지역문학의 지평을 확장하기에 여념이 없었다. 시인 이해동[65]과 허연[66], 이경인[67]은 〈호남신문〉과 〈전남일보〉의 문화부장을 하면서 광주전남 지역의 시문단 활성화를 도모한 주역이다. 작가들에게 지면을 할애함으로써 문학담론을 생산하는 분위기 조성에 앞장섰기 때문이다.

광주고등학교 문예부와 『상록집』

한국문학 속의 광주문학은 문학사적으로 어떤 위치인지는 따로 언급하지 않아도 그 우수성이 익히 알려져 있었다. 운문 문학의 산실로서 광주지역의 문학적 성과는 한국의 문학사의 성과로 축적되었다. 이런 성과는 우연의 산물이 아니다. 광주의 박용철, 전남 강진의 김영랑이나 김현구 등이 한 유파를 형성한 것 또한 마찬가지다. 그것은 남달리 언어에 천착하여 정감을 살린 어린 시어를 구사하고 있고, 지역민의 특성을 잘 반영한 것에 있다. 이런 시문학파의 전통이 해방 이후 역사 속으로 사라질 듯한 위기도 있었다. 그러나 한국전쟁기에 탄생한 『신문학』은 그 전통을 이었고 이후 광주전남 지역은 한동안 그 기조를 유지하였다. 그런 광주전남의 문학적 분위기는 감수성이 예민한 학생들에게 자극이 되었다. 그 시점에서 한 고등학교의 개교가 맞물렸고 문학적 분위기를 잇고자 하는 문예부가 있었다.

65_ 이해동은 시집 『나의태양』(죽순문학사, 1983)이 있다.
66_ 허연은 시집 『불망비』, 『얼굴』, 『산난초』와 동시집 『새싹』, 『향나무』 등이 있다.
67_ 이경인은 시집 『생명의 분류』(호남신문사, 1957)를 냈다.

『상록집』 작품들의 수준과는 별개로 문학청년 시절의 문
학정신이 성인으로 이어질 가능성의 징후가 발견된다.

　　한국 전쟁기에 개교한 광주고등학교는 전국에서 가장 많은 문인들을
배출한 학교로 등단한 작가만 67명[68]에 이른다. 광주고는 시인을 많이
배출하기로 소문난 학교인데 소문의 배경에는 문예부가 있었다. 광주고
는 한국전쟁이 치열하던 1951년 9월 28일 개교하였고 이듬해 문예부가
만들어졌으며 문예부의 첫 지도교사는 시인 박흡이었다. 광주서중에 다
니던 시절부터 문예부 활동을 하였고 '진달래' 문학동인회를 조직하여
활동하였던 강태열, 박봉우, 윤삼하, 주명영, 박성룡 등이 광고로 진학
하면서 광고 문예부가 개화하였다. 이들이 광고 문예부 1세대를 형성하
였고 문예부의 전면에서 활동하였다. 그 활동의 결과는 강태열, 박봉우,
윤삼하, 주명영의 『상록집常綠集』[69] 발간으로 나타났다.[70]

68_ 광주고등학교, 「광고문학관 문학인 명부」 참조. (이 명부는 2007년 5월 30일 광고문학관
　　개관식 기준으로 작성된 것이다.)

먼저 『상록집』의 구성을 살펴보면 서문 「사관比冠」은 박흡, 발문 「산 현실로 가라」는 김해석이 썼다. 강태열은 「백장미의 노래」, 박봉우는 「봄이 오는 과수원」, 윤삼하는 「연륜」, 주명영은 「청담에 떨어지는 유성」이라는 제목 아래 각 8편씩 총 32편의 시를 실었다. 또한 자서를 붙여 개인시집처럼 꾸몄다. 강태열은 자서를 「선배에게」라는 시로 서문을 대신하고, 박봉우는 "봄이 와 꽃 피는 과수원에 하나의 보람있는 열매를 맺기 위하여 노력하는 지금 나의 시는 봄이 오는 과수원"[71]으로 표현하였다. 윤삼하는 '핏 속에 스며드는 괴로움과 슬픔에 삭이어질' '파릇한 생명'의 시, 죽어 있는 시가 아닌 살아 있는 시를 쓰겠다는 각오의 자서를, 주명영은 "20세기와 나의 조국이 이 못 속에서 수련처럼 피어난다. 까만 어둠을 살워먹으며 한몸 고스라니 불태우고 유성은 고요히 못 속에 잠긴다. 나는 그들 위하야 나의 모든 시를 소비하여도 좋다."는 고백을 썼다.

여기에서 이들의 문학적 각오와 문학정신은 그 작품의 수준과는 별개로 매우 강렬하여서 이후 성인 작가로서의 가능성을 엿보기에 충분하다. 또한 습작기 작품이기는 하지만 장차 시문학사의 한 페이지를 장식할 시인이 되는 과정, 작품세계의 기저에 깔린 시정신 등의 단초가 확인된다. 문예부 활동을 통해 형성된 문학정신이 어떤 토대 위에서 구축되었는가는 한 작가의 문학적 일생을 가늠하게 할 만큼 중요하다. 따라서 『상록집』은 각별한 의미가 있다. 다른 한편으로 지도교사들의 문예교육

69_ 상록동인, 『常綠集』, 학우출판사, 1952.
70_ 강태열, 「무공 강태열 연보」, 『뒷窓』, 명상, 2000, 204쪽.
      시집을 냈을 당시는 2학년이었다. 강태열, 박봉우, 주명영, 윤삼하 광고 3회 졸업생들이며 후에 「영도」동인으로 함께 활동하게 되는 장백일은 1회 졸업생이며, 박성룡과 정현웅은 2회 졸업생이다. 광고 3회 졸업생 동기로는 평론가 김우창과 시인 김현곤이 있다.
71_ 박봉우, 「자서」, 『常綠集』, 학우출판사, 1952. 32쪽.

또한 중요하였다.

> 전에 우리 나라에서 어떤 詩人 한 大家분이 詩稿를 가지고 中國에 건
> 너가 그곳 大家에게 보였다. 大家님 말씀하시기를 "이 詩는 李太白의 詩
> 에 가깝다" 우리 詩人은 무척 좋아했다 또 "이 시는 東坡 詩에 가깝다"
> 詩人은 그지없이 기뻐하였다. 그러나 大家는 그 詩稿를 다 읽는 다음에
> "그런데 대체 당신의 詩는 어디 있소?" 이렇게 물었다는 것이다. 이건 물
> 론 여기 모인 詩人들과는 아무 관련도 없는 이야기지마는 아무튼 자기의
> 것 자기만의 것에 詩人은 더욱 완고하고 엄격해야 할 것이다.[72]

광주고 문예부 1세대들의 실질적인 지도교사였던 박흡은 제자들에게
모방하지 않는 자기만의 시를 쓸 것을 강조하였다. 또 학생들임에도
'시인'이라고 호명함으로써 '시인'이라는 주체로 부상시켰다. 이런 지
도법은 학생들이 자기만의 확고한 시세계를 확립하게 하는 데 기여하였
다. 김해석 또한 예술의 과제를 "산 현실과 산 시대를 도피하는 예술이
감상자의 심금을 감동시키는 일이 있다고 하면 그건 또렷한 거짓말일
것이다. 기어 도피하려거든 차라리 붓을 꺾어라"[73]고 시대 조류에 편승
하는 문학 말고 현실과 시대를 직시할 것을 주문한 것으로 보아 문예부
지도교사들은 확고한 문학 교육관이 있었고, 학생들에게도 "자기의 것
자기만의 것에 시인은 더욱 완고하고 엄격"하게 자기만의 영역을 개척
할 수 있는 방향으로 지도하였음을 알 수 있다. "광고문학이 한국문학

72_ 박흡, 「蛇足」, 『常綠集』, 학우출판사. 1952. 9쪽.
73_ 김해석, 「산 현실로 가자」, 『常綠集』, 학우출판사. 1952. 93쪽.

의 중심에 서기까지는 재직 은사님들의 영향이 컸다."[74]는 진술에서도 이를 확인할 수 있다.

한편으로 광고 문예부 학생들의 창작열은 당시 광주전남의 문화적인 분위기에 힘입은 바 크다. 전시하의 광주에는 전시연합대학이 설치되었는데 당시 527명의 학생들이 재학 중이었고[75], 서정주와 김현승이 조선대에서 교수로 재직하면서 문학적 분위기가 고조되고 있었다. 뿐만 아니라 당시 광주전남 지역에는 많은 동인지와 문예지가 창간되어 동인지 운동 차원으로까지 번져가는 형국이었다. 『전우』(1951), 『갈매기』(1951), 『신문학』(1951), 『시정신』(1952), 『시와산문』(1953)등의 창간은 광주전남 작가들의 작품 활동을 추동하였고, 거기에 〈호남신문〉과 〈전남일보〉는 창착열을 고취시키는 「작품 릴레이」 특집을 마련하는 등의 노력을 기울였다. 또한 투고된 학생들의 작품을 일일이 챙겨 실어주었다. 이런 분위기는 자연스럽게 학생들에게 영향을 미쳤다. 그것을 가장 빨리 흡수하고 받아들인 중심이 광고 문예부였다. 광고 문예부의 중심에는 박봉우가 있었다. 학생인 박봉우는 당당히 〈광고타임스〉와 교지 『광고』의 편집인으로 후배들에게 절대적인 존재였다.

> 나는 한국의 빠이론이될테다
>
> 언제나 쎈치한 반면 유모아를 잊지 않으시는 듯 은근한맛을 지닌 兄
>
> 그러나 시골 초가 위에 열리는 박과같이 소박미를 잃지않으시는 한편 文

74_ 오덕렬, 오덕렬 블로그 참조(오덕렬은 광고 출신으로 광고교장으로 재직 중 광고문학관의 필요성을 느끼고 광고의 선후배 문인들을 움직여 광고문학관을 개관한 장본인으로 광고 문학의 역사를 정리했다).

75_ 백락준, 『한국교육과 민족정신』, 문교사, 1953, 296쪽.

學을 위하여선 열열한 '戀愛至上主義자' 언제쯤 여가가 있으면 방과후
에 학생과연애에 對한 강론을 해주실수없을런지[76]

박봉우가 "문학을 위하여선 열열한 '연애지상주의자'"였고, 광고 문
예부 후배들이 "방과후에 학생과연애"를 간청할 만큼의 자리에서 활동
하였다. 그때 박봉우는 이미 "서울 명동에 있던 나의 단골다방 '문화사
롱'에 같은 학년이었던 박성룡을 대동해서"[77] 드나들면서 창작열을 높
여가고 있었다. 그의 문학적 자양은 이미 고등학생 시절에 마련되고 있
었던 것이다. 이 외에도 『상록집』에는 「장미 밭에서」, 「봉선화필때면」,
「비오는밤」, 「언덕의노래」, 「헌화가」, 「황혼」, 「고목에게」가 실려 있다.

강태열의 시는 소박하고 단아하다. 그의 인간적인 심성이 그대로 승
화되고 있는데 그의 삶이 실제로 그러하였다. 그는 박봉우가 힘들었을
때 가장 애를 쓴 사람이며, 천상병이 어려움에 처해 있을 때 카페 '귀
천'의 밑천을 마련해 준 장본인이다. 그는 『상록집』 출판비도 몰래 논문
서를 잡히고 출간했다가 잠시 방랑생활을 해야 했[78]고, 영도 동인의 동
인지 『영도』 발간비도 대학등록금으로 대신한 욕심 없는 사람이기도 하
였다. 그는 평생 시를 썼지만 생애를 마감할 무렵에서야 시집을 냈다.
『상록집』에는 「박꽃」 외에 「공동묘지」, 「밤의창」, 「애가」, 「구백야-드
해저」, 「악의꽃」, 「인생도」가 실려 있다.

윤삼하는 「돌멩이」, 「새싹」, 「봄」, 「진달래」, 「가족」, 「표본도」, 「냉혈

76_ 〈광고타임스〉 5호, 1953. 7. 25.
77_ 조병화, 「박봉우 시인을 생각하며」, 『시와 시학』, 시와시학사, 1993. 12. 73쪽.
78_ 강태열, 「무공 강태열 연보」, 『뒷泰』, 명상, 2000. 204쪽.

동물」, 「헌사」를, 주명영은 「나팔꽃」, 「다두미」, 「유성」, 「고인물이요」, 「매알이」, 「검은신」, 「바구니」, 「천륜과함석」 등을 실었다. 고등학교 문예부 활동에서 발아한 그들만의 시세계와 시정신은 등단 이후에까지 그대로 영향을 미치고 있으며 이는 소재나 시어들에서 확인된다. 문예부 활동 외에 월간 〈광고타임스〉는 문예반 학생들 작품 발표의 장이었다. 윤삼하는 「배회」를, 박봉우는 「소년상」을, 주명영은 「사색초」를 발표하였다.[79] 광고 문예부는 '교내문예 현상 대모집' 등의 공모를 통해 1등부터 3등까지 시상하고 입선작은 〈광고타임스〉에 게재하여 작품창작을 독려하였다. 이처럼 광고 문예부의 활동은 치열하게 전개되었다.

　광고 문예부 1세대들은 "한국전쟁의 참상을 고발하고 공산주의의 허구성을 폭로하는 전쟁문학이 등장"하였지만 "분단 체제의 고착화 및 이념의 폐쇄화와 맞물리면서, 남북한 문학이 언어의식·정치의식·미의식에 있어서 서로 상이한 발전과 진화 과정"[80]을 지켜보면서 성장하였다. 광고 문예부 1세대들은 1950년대 한국시문학사에 새로운 시인들의 탄생을 예고했다.

시인을 키운 시인, 박흡

　박흡朴洽(1912. 10. 4.~1962.)은 전남 장성군 황룡면 장산리 393번지에서 부친 박균명과 모친 이우신 사이에 독자로 태어나 장성공립 심상소학교를 졸업하였다. 1927년 3월 전북 이리에 있는 이리농림학교에

79_ 〈광고타임스〉, 1953. 7. 25.
80_ 남기혁, 「한국 전후 시의 형성과 전개」, 『한국현대시문학사』, 소명출판, 173쪽.

박흡 장남의 광주서중입학기념 박흡은 숙명여전에서 강사를 할 때 〈경향신문〉에 「젊은 講師」를 발표하면서 시인으로 등단하였다. 문단에 나온 초기에는 본명인 박증구를 썼다.

입학하였으나 독서회장을 맡아 광주학생독립운동 1주기 준비 중에 퇴학을 당하였다. 숙명여전에서 강사를 할 때 〈경향신문〉에 「젊은 講師」를 발표하면서 시인으로 등단하였다. 박흡은 문단에 나온 초기에는 본명인 박증구를 썼다. 歸山, 歸山生이라는 필명으로 몇 편의 작품을 발표하기도 하였지만 대부분 박흡으로 작품활동을 하였을 뿐만 아니라 1947년 5월 8일자 〈경향신문〉에 「젊은 講師」를 발표하면서부터 아예 호적의 이름도 박흡으로 바꾸었다.

그대 손길은 時間 마다의 化粧에 어질어지고

그대 허파에는 月蝕과같이 石灰巖이 돋아오르고

그대 聲帶는 象皮病은思索에 지친 그대 얼굴칠판 앞에 더 蒼白하다

초라한 풍색

메마른 몰골

모두가 그대 호주머니의 象徵ㅡ

그러나 그대 머릿속의 計算機는

數字 잊고 肥科學에 골몰하다

분필 가루 같은 지쳐 돌아가는 그대 집에

기다리는 건 항상 氷圈과같은 몸과 맘의 주림 뿐이다

知識의 장사치는 아니되리라고

아우성치는 장거리를 異國인 양말뚝같이 지나다

ㅡ 「젊은 講師」, 〈경향신문〉 1947. 5. 18.

위의 시는 그가 숙명여전에서 강의를 하고 있을 때 그의 심정을 담은 작품이다. 이 시에서 그의 자의식을 분명하게 읽을 수 있는데 그것이 바로 '지식의 장사치는 아니되리라'는 것이다. 지식을 파는 자가 되지 않겠다는 선언 속에서 그가 걸어온, 그리고 그가 앞으로 걸어가고자 하는 확고한 신념을 볼 수 있다. 숙명여전에 근무하면서 서울의 일간지에 작품을 계속 발표했지만 그가 본격적으로 작품활동을 한 것은 광주에 정착한 뒤부터이다. 특히 그는 『갈매기』, 『신문학』, 『시정신』, 『시와산문』의 동인으로 적극적으로 참여하고 활동하였다.

박흡은 교사로 광주서중과 광주고등학교에 재직할 때 문예부 학생들을 지도하였다. 당시 광주고등학교에는 강태열, 박봉우, 윤삼하, 주명영이 동인으로 활동하면서 낸 4인시집 『상록집』[81]과 정현웅, 김정옥, 박성

81_ 『常綠集』은 4인 시집으로 강태열, 박봉우, 윤삼하, 주명영이 광주고등학교에 재학 중에 만든 동인시집이다. 박흡이 서문을 썼다. 가르친 학생들이었던 연고로 서문을 쓴다고 밝히고 있다.

룡, 강태열, 주명영, 박봉우가 동인으로 활동한 『영도』[82]가 있었다. 그들의 실질적인 지도교사가 박흡이었다.[83] 박흡의 지도를 받았던 이들은 1950년대 후반부터 한국문단의 주역으로 성장하였는데 광주고등학교가 많은 문인을 배출한 것도 박흡이 다져놓은 초석 위에서였다고 해도 과언이 아니다. 박흡은 사실상 광주전남의 1950년대 시문단을 이끈 핵심인물 중의 한 사람이었던 것이다.

1950년대 초 김현승과 박흡은 이른바 가장 가까운 사이였다. 어디에서 만나도 반갑고 편안한 이들이었다. 허물없이 지내는 사이였다. 그런데 이들은 언제부터인가 서로를 멀리하기 시작하였다. 김현승과 박흡은 서로 맞지 않아 "1950년대 중엽 광주 충장로 노벨다방 계단에서 김현승 선생이 박흡 선생의 불알을 걷어 찬 사건은 박흡이 입원하고 고소하는 등 법정으로까지 비화"되었다. "조영암의 제일차 하와이 사건을 항의하기 위한 모임의 주도권 다툼이 있었다. 약속한 회의 시간에 김현승이 나타나지 않자 부득이 그가 없는 자리에서 결의를 하게 되었는데 그 모임의 대표에 박흡이 선임되었다. 이후 김현승은 그 모임을 거부하였다. 그리고 그들과 반목이 시작"[84]되었다. 박흡의 장남은 김현승 시인이 집으로 찾아와 박흡에게 무릎을 꿇고 용서를 빌었다고 이때의 상황을 기억하고 있었다. 이후 김현승은 숭실대학교로 자리를 옮겨 서울로 떠났고

82_ 『영도』는 광주고등학교 학생들을 중심으로 발간한 동인지로 총 4권이 발간되었는데 2권이 박흡이 재직 중에 발간되었고 2권은 1966년도에 발간되었다. 박성룡, 김정옥, 정현웅, 주명영, 박봉우, 강태열이 창간동인들이다.

83_ 오덕렬, 「한국문학의 중심 "광고문학"」 오덕렬의 블로그 참조.

84_ 범대순, 「광주문학개화기 야화」, 28쪽. 범대순은 이 글을 통해 비교적 당대의 광주문단의 분위기를 자세하게 설명하고 있는데 대체적으로 당시의 광주문단은 반 김현승 정서가 팽배했던 것으로 적고 있다.

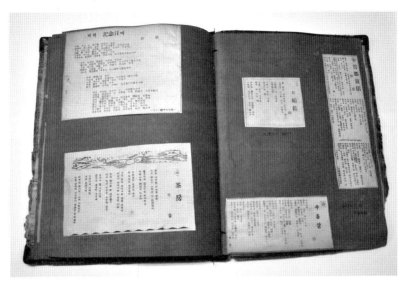

유일하게 남아 있는 유품인 스크랩북 지식을 파는 자가 되지 않겠다는 선언 속에서 그가 걸어온, 그리고 그가 앞으로 걸어가고자 하는 확고한 신념을 볼 수 있다.

거기서 일명 수색사단을 이끌었다.

박흡의 외모와 성격은 "작달막한 키, 오동포동한 체구에 조금 무뚝뚝한 편이어서 남들은 사귀기가 어렵다고 하였으나 사귀면 사귈수록 동심어리고 순진하였다. 박시인은 애환 소조를 사랑했고 선인장 수집에 열을 올리고 있음을 살펴보아도 그는 결코 거만하거나 자아에 빠지지 않"[85]는 "개방적이고 소탈한 성미인데다 술도 좋아하는 편이어서 누구와도 잘 어울렸고 대하기가 수월"[86]한 사람이었다.

85_ 이해동, 「비운의 시인 고 박흡과 나」, 『광주문학』, 봄. 2001, 25쪽.

박흡은 천상 시인의 길을 걸을 수밖에 없는 운명이었다. 평론가 정봉래는 그의 사후에 「낙조의 시인-비명의 박흡」이라는 글로 그를 추모하기도 하였다. 박흡의 죽음을 가장 많이 슬퍼하고 애달파 했던 사람은 〈전남일보〉 문화부장을 지낸 시인 이해동이었다. 그래서 그는 박흡을 추모하는 시 「외로운 산비둘기」를 발표하기도 하였다. 1950년대 광주전남의 시문단을 활발하게 이끌었던 박흡은 "후학을 가르치는 한편 창작열이 뛰어나 광주문단에 활력을 불어넣었다. 그리하여 광주에 문단을 형성시킨 계기를 만들었으며 문학인의 배출에 끼친 영향"[87]이 컸다.[88]

서정주의 추천, 등단한 시인

허연許演(1923.~)은 〈호남신문〉 편집국장과 광주문화방송국장을 역임한 언론인이었다. 그는 시와 시조, 그리고 동요를 넘나드는 창작을 통해 그의 문학적 역량을 선보이면서 광주문학의 발전에도 힘썼다. 광주의 많은 문학인들은 그의 수혜를 받았다. 그가 〈호남신문〉과 〈전남일보〉 문화부장으로서 문화면에 많은 지면을 할애하여 작품 발표의 장을 제공하는 데 적잖은 공을 들였기 때문이다. 그는 전남일보 기자 시절인 1955년

86_ 박정온, 「해방공간-6·25전후의 광주·목포문인들」, 『광주전남문학동인사』, 한림, 2005. 72쪽.

87_ 광주광역시홈페이지 참조(http://www.gen.go.kr/).

88_ 그는 생전에 중앙의 문인들과 친분이 두터웠다. 박흡과 시인 김윤성은 생전에 목포에서 창간되었던 『시정신』을 비롯하여 중앙의 문예지에도 같이 활동을 하였는데 박흡의 장남과 김윤성의 장녀가 결혼하였고, 이들의 결혼식에 주례를 본 사람은 소설가 김동리였다. 또한 박흡 장남의 동서가 서정주 시인의 동생인 서정태 시인의 아들이기도 하다. 박흡과 서정주도 함께 동인활동을 하였다.

허연 〈호남신문〉 편집국장과 광주문화방송국장을 역임한 언론인이었다. 문학적 역량을 선보이면서 광주문학의 발전에도 힘썼다.

『현대문학』에 「산란초山蘭草」, 「목련화木蓮花」, 「양羊」이 추천되면서 시인으로 활동을 시작하였다. 허연의 시를 추천한 사람은 서정주다.

어려서 맑던 날을 개울물 건너 건너

산에 올라 하늘 아래

성 싸올린 이 잔등은-

행주 치마에 물묻은 손 씻으며 씻으며

삼월을 내 앞에서 웃음 웃던 오복이가

호올로 슬어져가 묻힌 그 잔등.

황토 묻은 돌담불 사이 사이

돋는 산란초

다소곳이 안고싶어 다가앉노니……

얼부퍼 오르던 새뜻한 맨도리며

드리운 머리채에 가리운 가슴

한 가닥 한가닥을 고히 헤쳐

긴 밤을 '나' 라고 일깨워보랴.

쉬어서 넘는이도 없는 호젓한 잔등

어린 성터 변두리로 노을이 지면

싱싱히 싱싱히 너울거리는

나도 새로난 山蘭草마냥

첫귀잊힌 임노래나 드뇌이리랴.

– 「산란초(山蘭草)」 전문

　서정주는 "「산란초」와 「목련」, 「양」 세 편의 시만을 가지고 그의 역량
을 짐작하기엔 넉넉하리라 생각는다. 그는 많이 동양류의 인정(이 말은
우리나라에선 재재 '사랑' 이라는 뜻이었다)과 인종의 시인으로서 그의
「산란초」와 「목련」은 그 전통적 인정의 일률적 절실성 때문에 우리가
개화 후 많이 잃어버렸던 (서구적 변성의 감정, 근대현대적 기계성, 논
리성, 배타적 투쟁성 등등의 이유로 잃어버렸던) 자연물까지를 우리에
게 상당히 가까웁게 하는데 성공한 작품이며, 「양」은 또 드물게도, 이나
라 사람–그중에도 후면에서 잘 안뵈이게 사는 대다수의 민중의 인종의
길을 체험 표현한 작품으로 재조보단 오히려 가난한 집의 식상의 의식
과 같은 그의 시어군의 배열은 개게는 그 때문에 더 귀하게 뵈었다"고

허연 시집 『산란초』와 동요집 『새싹』 〈전남일보〉 기자 시절
에 『현대문학』에 서정주의 추천으로 등단하였다.

극찬하였다. 이에 허연은 "밤길을 걸어갈 때 하늘에서 번쩍이는 별을
손으로 움켜쥐고도 싶고 발길로 차보고도 싶은 충동을 느낀다. 그러나
발끝에 쪼그만 돌맹이가 채여 아픔을 느낀다. 아마도 이게 현실이요, 생
명의 의식인지 모르겠다. 눈서리 비바람에 씻기어가더라도 동심童心을
잊지 않고 '시'를 사랑하며 약한 내 육체보다도 강한 것이 되도록 가꿀
따름이다."[89]라고 겸손한 소감을 밝혔다.[90]

　서정주의 애제자였던 이수복李壽福(1924. 2. 16.~1986. 4. 9.)은 수피
아여고에 재직하고 있을 때인 1954년 『문예』에 「동백꽃」, 1955년 3월
『현대문학』에 「실솔蟋蟀」, 1955년 6월 『현대문학』에 「봄비」가 서정주의

89_ 허연, 「당선소감」, 『현대문학』, 1955. 8.
90_ 그는 시집으로 동요집으로 『새싹』(향문사, 1952), 『향나무』(향문사, 1953), 시조집에는
　　『불망비(不忘碑)』(향문사, 1956) 『얼굴』(향문사, 1965) 『산란초(山蘭草)』(삼성출판사,
　　1971) 등이 있다.

추천을 받으면서 등단하였다. 첫 발표작인 「동백꽃」의 추천사에서 서정주는 "상想에 헷것이 묻지 않은 게 첫째 좋고 그 배치와 표현에도 거의 성공했으려니와 특히 요즘 시단 시인의 대부분이 뜻 면을 찾다가 시에 감동이나 지혜의 움직이는 모양을 주어야 할 것까지를 잊어버리고 천편일률로 '이다' '이었다' '하였다' 만 되풀이하고 있는 실상에 비춰 볼 때 이만한 자기 시의 몸놀림이니 뜻과 아울러 같이 가져보려고 노력한 점도 요시 일로서는 귀한 작품이다"고 높이 평가하였다. 이에 보답이라도 하듯이 이수복은 「봄비」로 추천을 완료하였다. 시 「봄비」는 아름다운 시어와 운율로 한국인이 좋아하는 명시가 되었다.

이 비 그치면
내 마음 강나루 긴 언덕에
서러운 풀빛이 짙어 오것다.

푸르른 보리 밭 길
맑은 하늘에
종달새만 무에라고 짓거리것다.

이 비 그치면
시새워 벙그러질 고운 꽃밭 속
처녀애들 짝하여 새로이 서고

임 앞에 타오르는
향연과 같이

정봉래와 평론집 『문학의 자유』
1950년대 유일한 평론가였다.
1955년 7월에 〈동아일보〉 창간
35주년 기념 현상작품 논문 모
집에 당선되면서 평론 활동을 시
작했다.

땅에선 또 아지랑이 타오르것다.

— 이수복, 「봄비」 전문

서정주는 추천 후에 평을 통해 "완열한 솜씨와 상의 대맥을 획득한 것
으로 그는 과거 3년 동안 벌써 수십 편의 시작을 내개 계속해서 뵈여왔거
니와 능이 우리 시문단에 나서서 일가를 이룰 것으로 믿는다. 이 「봄비」
는 우리가 보는 바와 같은 운율적인 형성에도 길을 닦고 있지만 또 해방
후 우리 시인시의 주목될 것만 경향인 구체적 의미탐구의 방향에도 잘
길들어 있는 시인이다."고 시인으로서 활약에 대한 기대를 피력하였다.

서정주의 추천을 완료한 이수복은 「내 시와 한시락골댁 이야기……」
라는 추천소감으로 '한시락골댁이 뜻하지 않게 갖게 된 배 속의 아이를
낙태하려 몸부림을 쳤지만 아이는 절뚝거리는 장애를 갖고 태어났다.
그 아이는 의원이 되었고, 한시락골댁은 그 아들을 위해 장날이면 반백
이 되어서도 무얼 머리에 이고 고개를 넘어온다는 이야기'를 통해 그의

시 쓰기도 이와 다름 바 없음을 털어 놓는 것으로 소감을 마쳤다. 그는 각고의 노력으로 쓴 시가 완벽하지 못해도 발표하게 되었고, 그럼에도 불구하고 그 시를 아끼고 사랑할 수밖에 없다는 것으로 추천소감을 대신했다. 「봄비」와 같은 작품을 쓸 수 있었던 배경이다. 이후 그는 주로 『현대문학』에 작품을 발표하였다.[91]

1950년대 평론가는 유일하게 정봉래鄭奉來(1926. 12. 9.~)가 있다. 그는 〈호남신문〉을 거쳐 〈전남일보〉에 재직하면서 언론인으로서 뿐만 아니라 1953년 9월 30일자 〈전남매일〉에 「지방문학의 양상」이라는 평론을 발표하는 등 평론가로 활약했다. 그러다가 1955년 7월 〈동아일보〉 창간 35주년 기념 현상작품 논문 모집에 「국민문화수준 향상의 방안」이 가작으로 당선되면서 본격적으로 평론 활동을 하였다.[92]

91_ 그는 유일한 시집 『봄비』(현대문학사, 1968)를 냈다.
92_ 그는 전남 강진 출신으로 일본 야마구치현(山口縣)과 히로시마(廣島)에서 중학과정 수료한 후 귀국하여 조선신문학원(朝鮮新聞學院)과 동국대학 문과 졸업하고 언론계에 투신했다. 〈민주일보〉, 〈부인신보(婦人新報)〉 등에서 기자를 했고 숙명여대 전임강사를 하기도 했다. 한국문인협회 전남지부 부지부장을 지냈다. 평론집으로 『문학의 자유』(향문사, 1967), 『문학과 창조』(동원출판사, 1993), 『시인 미당 서정주』(좋은글, 1993)이 있다.

제6장

광주, 시인들의 요람

동인지 『영도』의 창간과 발행과정, 그들이 문단에 일으킨
신선한 반란이 기성 시인들을 긴장시켰다는 사실과,
'영도'의 동인인 박봉우, 강태열, 주명영, 윤삼하,
박성룡, 정현웅, 김정옥 등이 공식적으로 등단함에 따라
광주가 시인들의 요람으로 자리매김 되는 과정을
소상하게 밝혀 정리했다.

제6장
광주, 시인들의 요람

새로운 세대의 언어, 시동인지 『영도』

한국전쟁 직후의 혼란스러운 상황 속에서 문학을 향한 열정을 쏟아부었던 광주 작가들의 활동은 문학 지망생들에게 충격을 가했다. 그래서 시인 지망생들로 구성된 '영도' 동인들은 누구도 흉내 내지 않은 『영도 零度』를 들고 나왔다. 『영도』는 광주고등학교 출신 선후배들인 박성룡, 정현웅, 김정옥, 강태열, 주명영, 박봉우가 의기투합하여 결성한 동인지이다. 이들은 재학 시절부터 교지 등을 통해 작품 활동을 했던 문학청년들로 특히 박봉우, 강태열, 주명영, 윤삼하는 고등학교 재학 중에 이미 『상록집』을 낸 바 있다. 광주고등학교 시절부터 문학에 뜻을 두고 있었던 이들이 대학교에 진학한 후 문학적 연대와 창작에 대한 열정으로 결성한 '영도'는 전후의 고발 문학적이고 실존주의적인 문단의 흐름에 신선한 바람을 불어넣었다. '영도'는 "시대의 경향을 대변하고 그들 나름의 천착과 방법이 고유성을 보여줌으로써 시사적 연계성의 한 기틀을

상록 동인 앞줄 왼쪽부터 주명영, 윤삼하, 뒷줄 왼쪽부터 박봉우, 강태열.

형성"[1]했기 때문이다. 『영도』가 창간될 당시 『문학예술』(1954. 4.)과
『현대문학』(1955. 1.)이 있었을 뿐이고, 언론사들도 신춘문예를 통해 막
신인들을 배출하기 시작하던 때였다. 젊은 패기로 도전한 『영도』의 창
간은 광주문단에서뿐만 아니라 한국문단을 긴장시켰다.

그들은 "전통과 질서와 가치 붕괴로 일체는 '영(零, 0, zero)'에서의
시작이었다. 적나라한 현실파악이 급했고, 삶은 그저 주어진 지식의 종
합이 아니었다. 현실은 자기비판과 자기 부정을 통한 건설의 약동을 촉
구"[2]하였다. 아무것도 없는 영(零, 0, zero)에서 시작한 것이다. 어떤 것
에도 기대지 않는 시를 쓰겠다는 결의였다. 『영도』의 서지사항을 정리
하면 다음과 같다.

1_ 김재홍, 「동인지운동의 변천- 동인지운동의 면모와 그 약사」, 『심상』, 1975. 8. 56쪽.
2_ 장백일, 「다시 회상해 보는 영도동인회」, 『광주전남 문학동인사』, 한림, 2005. 87~88쪽.

『영도』 창간호, 복간호 어떤 것도 기대지 않는 시를 쓰겠다
는 결의가 『영도』를 탄생시켰다.

『영도』 창간호, 1955. 발행처 : 동해당, 인쇄 : 호남신문사.

정현웅 「기(旗)」, 「섬」

김정옥 「통행금지오분전(通行禁止五分前)」, 「우연(偶然)의 시(詩)」

박성룡 「과실(果實)」, 「포도(葡萄)」, 「바람부는 날」

강태열 「지평선(地平線)1」

주명영 「의미체(意味體)1」, 「의미체(意味體)」

박몽우 「산국화(山菊化)」, 「바위」

• 바람에의 자세(姿勢)

『영도』 2, 1955. 5. 20. 발행처 : 동해당, 인쇄 : 호남신문사.

박봉우 「강물」, 「철조망(鐵條網)」　　강태열 「호흡지대(呼吸地帶)」

장병희 「꽃」　　　　　　　　　　김정옥 「마을」, 「附近」

박성룡 「귀정(歸程)」, 「양지(陽地)」　이 일 「어떤 우화(寓話)」

주명영 「바람1」　　　　　　　　정현웅 「해동기(解凍期)」, 「나무」

• 시력(視力)을 위(爲)하여

『영도』 3 복간호. 1966. 1, 발행처 : 서구출판사, 인쇄 : 국제출판사
표지화 : 박행남

강태열「복간(復刊)의 말」　　　　**이성부**「지령(指令)」

손광은「나의 반란(叛亂)」　　　　**정현웅**「아케이드」

임 보「내가구(家具)들의 초대」

강태열「내용(內容)」,「인공위성(人工衛星)」,「쌩똥문명(文名)」

박봉우「황무사회(荒蕪社會)」외 1편

박성룡「가로수」　　　　　　　**이 일**「바라보니」

최하림「밖의 의자(倚子)」,「달팽이의 탑(塔)」

김 현「언어비평(言語批評)의 가능성(可能性)」

이승용「시인서설(詩人序說)」

원형갑「말의 애매성과 영도적(零度的) 성격(性格)」

장백일「하나의 기폭(旗幅)」

『영도』 4, 1966. 6. 1. 발행처 : 서구출판사, 인쇄 : 남일인쇄소

강태열「근업초(近業抄)」

권용태「한강상류(漢江上流)」,「다시 무위(無爲)」

김규화「이 얼굴을 보아라」

낭승만「안녕(安寧)」,「지진시대(地震時代)」

박봉섭「아직은 침울한 사월(四月)」,「미풍(微風)」

박봉우「오늘 전당포」　　　　　**신동엽**「권투선수」

손광은「내 안에 돋는 소리」　　**윤심하**「징치란 어휘(語彙)는」

이성부「딸을 참아내다」,「복수(復讐)1」,「복수(復讐)2」

임보「소도기(小島記)」

정현웅「이 성자(聖者)의 한마디를」,「어원(語源)에 관하여」

• 「기상권(氣象圈)」

동인시지 『영도』의 창간호와 2집은 1955년에 출판되었다. 동인들은 모두 광주고등학교 문예부 출신이다. 『영도』를 인쇄한 곳은 호남신문사로 광주에서 출판되었다. 『영도』 3집과 4집이 1966년에 복간되면서 '영도' 동인은 22명으로 늘었다. 창간 때의 동인들이 모두 중앙문단의 중진으로 포진하였기 때문이다. 따라서 『영도』 전 4권의 정보에 따른 동인의 이름을 옮기면 다음과 같다.

> **1집** 정현웅[3], 김정옥, 박성룡, 강태열, 주명영[4], 박봉우
>
> **2집** 박봉우, 강태열, 장병희, 김정옥, 박성룡, 이일, 주명영, 정현웅
>
> **3집** 이성부, 손광은, 정현웅, 임보, 강태열, 박봉우, 박성룡, 이일
>
>   최하림, 김현, 이승룡, 원형갑, 장백일
>
> **4집** 강태열, 권용태, 김규화, 낭승만[5], 박봉섭, 박봉우, 신동엽
>
>   손광은, 윤삼하[6], 이성부, 임보, 정현웅, 주명영

이 외에도 작품은 발표하지 않았지만 동인으로 이름을 올린 민재식이

3_ 정현웅(1932~)은 광주 출생으로 광주서중과 광주고등학교를 거쳐 전남대 문리대를 졸업하였다. 1956년 『문화예술(文化芸術)』에 「바위」, 「과실소묘(果實素描)」가 발표되었고, 1963년 『現代文學』에 「音樂」이 추천되었다. 이후 〈전남일보(全南日報)〉 문화부 기자로 있으면서 「젊은이들」(63), 「젊은 건축가(建築家)의 수기(手記)」(青脈, 65), 「흑인가수(黑人歌手) 낫킹 콜」(詩文學, 65), 「이 성자(聖者)의 한 마디를」(東國詩集, 73), 「목소리」 등을 발표했다. 전남일보 논설위원을 역임하였다. 시집은 『한겨울 중산리』 등을 냈다.

4_ 주명영(1935~)은 광주 출생으로 전남대 철학과를 졸업하였다. 『현대문학』을 통해 등단하였으며 1976년 중앙일보 창간 10주년기념 장편소설 모집에서 「망향제」가 입상되면서 장편소설에 치중하였다. 「성숙기」, 「자유인」, 「13월생」, 「대장정」, 「사할린」 등의 신문연재 소설이 있다. 『60년대사화집』 동인으로도 활동하였다.

5_ 낭승만(1933~)은 서울 출생으로 동국대를 졸업한 후 신문기자와 한국시인협회 이사를 지낸 시인이다. 『문학예술』에 시 「숲」이 추천되어 등단하였으며 『사계의 노래』, 『북녘 바람의 귀순』, 『우수제』 등의 다수의 시집을 냈다.

있다. 위의 정보를 통해 구성원이 1950년대와 1960년대 시문학사의 획을 그었던 작가들이라는 사실을 확인할 수 있다. 창간호와 2집에 참여하였던 동인들은 광주고등학교 출신들이었고, 복간을 하면서 새로 참여한 이일과 신동엽, 낭승만, 원형갑을 제외하고는 모두 광주전남 출신들이다. '영도' 동인들은 "무등산초의 언어는 영도인들의 숙업"[7]으로 삼았기 때문이다. 『영도』의 창간배경은 이렇다.

> 音樂을 안 배암은 地下에 자고 있었다 −七顚八倒 우리들은 황무지까지 오고 말았다 물려 받은 遺産이라곤 證票 하나…… 미친 바람이 지나간 자욱에서 나뭇가지는 戰慄하고 있었다− 황무지에서 그래도 살고 싶은 心臟 외로움 속에 旗를 꽂고 이제는 꼭 하나 所有하는 우리들의 자세가 있다 − 바람의 틈없는 實在함을 向하여. 뉘우침과 祈禱. 그리고 우리들의 울음을……[8]

위의 글 『영도』 창간호의 편집후기 「바람에의 자세」는 당시의 문단 상

6_ 윤삼하(1935~1995)는 일본 오사카에서 출생하여 1943년 귀국한 뒤로 광주에서 거주하였으며, 광주서중과 광주고등학교를 거쳐 서울대학교 사범대 영문과와 동 대학원 졸업하였다. 1957년 〈조선일보〉 신춘문예에 「凝視者」와 〈동아일보〉 신춘문예에 「壁」이 당선되어 등단하였다. 1965년에서 1967년 사이에 『신춘시』, 『영도』, 『원탁시』 동인으로 활동하였다. 광주고등학교 시설 박봉우·강태열·주명영과 4인 시집 『常綠集』을 발간하였다. 숭실대학교 교수, 홍익대학교 문과대학 교수를 지냈으며 민족문학작가회의 이사, 한국 현대시인협회 지도위원·이사, 한국시인협회 중앙위원, 한국영어영문학회 이사, 한국예이츠학회회장, 현대영미시연구회이사를 역임하였다. 시집으로 『凝視者』(서구출판사, 1965), 『소리의 숲』(한국문학사, 1976), 『헐리는 집』(사사연, 1987), 『돌아오지 않는 길』(새미, 1995) 등이 있다. 또한 『에머슨 수상록』, 『예이츠 시선』, 『롱펠로 시집』, 『에머슨 수상록』, 『예이츠시선』 등을 번역하였다.

7_ 원형갑, 「말의 애매성과 영도적 성격의 가능성」, 『영도』3, 1966. 75쪽.

8_ 편집부, 「바람에의 姿勢」, 『零度』 창간호, 1955.

황을 '황무지'로 규정하고, 그 황무지에 "살고 싶은 심장 외로움 속에 기를 꽂"고 "꼭 하나 소유하는" 것을 목표로 제시하고 있다. 기성세대를 흉내 내지 않는 그들만의 시를 쓰겠다는 다짐, "증표證票"를 보고 그들만의 길을 걷겠다는 결의는 "영도라는 제목이 한 시지의 표지라기보다도 오히려 그들 한 사람 한 사람의 구체적인 이름이며 작품의 성격"[9]이 되었다.

> 철조망이 있을 뿐, 출구가 없는 속박 당한 영토에서 그러나 우리들을 공동의 탈출을 기도해야만 했다. 새 세대를 속박하는 기성의 모든 것과 싸우면서, 그들이 우리에게 둘러 친 철조망을 부셔야만 했다. 자유와 그리고 자연과 지평과 그것의 새로운 의미와 사랑을 우리들을 노래해야 했다. 보다 새로운 시정신이 우리들에게 필요했던 것이다. 1955년 봄의 일, 시동인지 『영도』의 발간이 그것이었다.[10]

"철조망"으로 은유하고 있는 기성의 것과 싸우는 것, 그래서 "자유와 그리고 자연과 지평과 그것의 새로운 의미와 사랑을 우리들을" 노래하는 것이 그들이 지키고자 하는 시정신이었다. 그러고 보면 동인지 『영도』의 탄생은 자연스러운 현상이었다. 전후의 암울했던 문단의 지리멸렬한 상황을 극복하고자 했기 때문이다. 그러나 그런 의지와 자세도

9_ 원형갑, 「말의 애매성과 영도적 성격의 가능성」, 『영도』3, 1966. 72~73쪽. 충남 서천군 출생으로 1955년 원광대학(圓光大學) 국문학과를 졸업하고 1958년 평론 「앙가즈망과 문학」으로 『현대문학』에 추천을 받아 등단하였다. 「해석비평의 길」(1960), 「현대 미학의 과제」(1961), 「문학적 현실과 인간적 현실」(1962), 「서정주의 신화(神話)」(1964), 「문학사상의 전망」(1972) 등의 평론을 발표하면서 종래의 정석적(定石的) 비평문학에 새로운 해석을 가하고 존재론적(存在論的) 의미부여를 위한 개성적 미의식(美意識)의 탐구에 전념한 평론가로 한성대 총장을 지냈다.
10_ 강태열, 「복간의 말」, 『영도』3, 1966. 10쪽.

『영도』 2호를 내고 중단되고 만다. 동인지 발간이 중단된 구체적인 이유는 명확하지 않지만 첫 번째는 경제적인 사정, 두 번째는 동인 개개인의 중앙문단 진출이 이유였을 것으로 추정된다.

첫 번째는 '영도' 동인을 결성할 당시 회원들은 모두 대학생 신분이었고 "문예지 추천과 신문 현상응모 거부, 동인 영입의 작품 심의는 회원 만장일치제, 동인지 제작비 공동부담 단 여유 있는 동인의 제작비 전담 및 찬조금은 허용"키로 하였는데 "『영도』 창간을 눈앞에 두고 제작비를 마련 못했다. 궁여지책으로 강태열의 등록금 지출은 '영도사'에 길이 남을 추억담"[11]이 되었다는 점에서 출판비를 감당하기 어려웠다는 것을 알 수 있다.

두 번째는 1집과 2집을 낸 이후에 '영도' 동인들이 신춘문예를 통해 등단하거나 추천을 통해 등단하여 중앙문단으로 진출하였다. 동인들이 창간 당시 내세웠던 "문예지 추천과 신문 현상응모 거부"는 시대사조와 사상의 변천으로 "우물을 박차고 강물을 헤쳐 큰 바다로 진출을 촉구했다. 미래를 향한 바다로의 유영에는 문예지 추천과 신문의 현상응모가 불가피"[12]하였다. 굳이 『영도』만을 작품발표의 장으로 삼을 필요성이 없어진 것이다.

창간호의 편집후기는 「바람에의 자세」, 2호의 편집후기는 「시력을 위하여」, 4호의 편집후기는 「기상권」이다. 복간호인 3집에는 편집후기가 없는데, 대신 평론 성격의 글이 4편이나 실려 있다. 김현의 「언어비평의

11_ 장백일, 앞의 글, 87~88쪽.
12_ 장백일, 앞의 글, 88쪽.
13_ 김현의 평론은 그의 전집에 수록되지 않은 작품이다.

가능성- 한국시의 경우」[13], 이승용의 「시인서설-어디쯤 서 있을까」, 원형갑의 「말의 애매성과 영도적 성격의 가능성」, 장백일의 「하나의 기치- '영도' 10년 약사」가 그것이다.

'영도' 동인이 되기 위해서는 상당히 까다로운 절차를 거쳤다. 이는 '영도' 동인들의 문학적 자세와 문학정신이 철두철미했음을 의미하는데 아래의 글은 그것을 확인시켜 준다.

> 드디어 『영도』는 1955년 2월 1일 창간됐다. 그해 창간된 『현대문학』지보다 1개월 뒤다. 그로써 『영도』는 일대 센세이셔널한 이목을 끌었다. 당시 서울대 재학생이던 김정옥을 통해 이일, 박이문, 이어령 등이 동인지 참여 의사에다 작품을 보내온 것으로 기억된다. 그때 이일의 영입을 만장일치로 찬성했을 뿐 그 밖은 다음 기회로 미뤘다. 영도 동인과 친근했던 윤삼하의 영입도 보류하기까지 했다. 이것이 영도의 철학이었다.[14]

위 글은 동인들이 세웠던 원칙과 소신의 단면을 보여주는 것으로 '영도'를 결성하면서 기성문단과의 차별화를 선언했던 "'영도'의 철학"적 진면모라고 할 수 있다. 말하자면 그들이 내세운 문학정신을 지키기 위하여 애쓴 고투의 흔적이 집약되어 있다. 지금은 누구보다도 잘 알려진 박이문과 이어령도 동인들의 만장일치를 얻지 못해서 퇴짜를 맞았다는 사실은 시사하는 바가 크다.

또한 박봉우, 박성룡, 강태열과 광주서중부터 함께했던 윤삼하도 복

14_ 장백일, 앞의 글, 『광주전남 문학동인사』, 한림, 2005. 87~88쪽.

장백일 〈조선일보〉 신춘문예에 평론 「현대문학론」이 당선되어 등단하였다.

간 후에야 참여할 수 있었다는 것은 문학적 철저성이라고밖에 설명할 수 없다. 그래서 『영도』는 "젊은 문인들의 문학적 정열을 응집"시켰다. "『영도』는 1955년 2집을 내서 그 젊음과 우수한 작품으로 한국시단에 큰 화제가 되었다. 광주고 동년배로 강태열, 정현웅 말고도 박성룡, 박봉우, 주명영, 김정옥 등과 같이 그 동인지는 한국시단에 지금도 빛나는 별로 남아 있다. 1950년대 중엽 그들은 천상병, 김관식 등과 같이 서울 명동의 보에미앙이었다. 그들의 전성시대다."[15] 그래서 『현대문학』은 『영도』가 창간되었다는 광고를 무료로 실었고, 시인 김정환의 표현대로 "놀라운 센세이션"을 일으켰다.[16] 『영도』는 "전남문단의 기린아들"[17]을 키운 것이다.

『영도』에 참여한 작가들을 보더라도 『영도』는 당시 문단사적인 화제로 떠올라 큰 반향을 일으켰다. 기성의 일체의 것을 거부하고 문단의 관행과 관습을 거부한, 작품만으로 승부를 걸었기 때문이다. 『영도』는 1950년대 이후 광주문학을 풍요롭게 한 원동력이 되었다. 뿐만 아니라 지역문학의 한계를 뛰어넘는 좋은 사례를 보여주었다. 이 '영도' 동인활

15_ 범대순, 「강태열 시인의 귀천」, 〈탑뉴스〉, 2011. 8. 25.

16_ 〈오마이뉴스〉, 2003. 7. 24. (「술을 통해 우주와 교신하는 시인, 강태열」이라는 기사로 강태열과 5시간의 인터뷰를 기사화 한 것으로 『영도』와 동인들, 친분이 두터웠던 시인들에 대한 평이 함께 실려 있다.)

17_ 손광은, 「현대시문학변천사」, 『全南文壇變遷史』, 전남문학백년사업추진위원회, 1997. 148쪽.

동에 힘입은 문학청년들은 1955년 이후 모두 중앙의 일간지나 문예지를 통해 공식적인 등단을 거쳐 한국현대문학의 거목이 된다. 박봉우는 1956년 〈조선일보〉 신춘문예에 「휴전선」이 당선되었고, 박성룡은 1956년 『문학예술』에 「교외」, 「화병정경」이 추천완료 되었다. 정현웅은 1956년 『문학예술』에 「바위」, 「과실소묘」가 추천완료 되었으며, 주명영은 1959년 『현대문학』에 「혼수」, 「풍경」, 「통구」가 추천완료 되었다. 강태열은 1960년 『사상계』에 「뒷창」이 당선되었고, 장백일은 〈조선일보〉 신춘문예에 평론 「현대문학론」이 당선되었으며, 김정옥은 1959년 5월 『사상계』를 통해 등단하였다.

'영도' 동인 중 가장 먼저 등단한 시인은 박봉우朴鳳宇(1934. 7. 24.~ 1990. 3. 2.)다. 박봉우가 생전에 냈던 시집에도, 최근에 엮어진 시전집에도 『영도』에 있는 2편의 시 「철조망鐵條網」과 「오늘 전당포」는 실리지 않았다. 「철조망」은 등단 이전의 작품이고, 「오늘 전당포」는 전성기를 구가하던 시절의 작품이다. 『영도』에 발표하였던 「산국화」, 「바위」, 「강물」은 첫시집 『휴전선』에 실려 있다. 등단 이전의 작품인 「철조망」은 박봉우 초기 시의 특성을 그대로 보여주고 있다. 시집에 수록되지 않은 작품을 들여다보면서 청년 박봉우의 시정신을 확인해 보기로 하자.

나에게 애써 사랑을 전한 五月도 아닌 海底에서 꽃들이 피고 나비들이

날고

香氣를 뿌리는 바람을 나는 모른다는 것이다.

날마다 몹시도 울려주고 괴롭힌 몸부림 치던 領土에서 허글어져 가는

壁넘어로 포도시 엿듣는 참으로 바다를 보는 것이다.

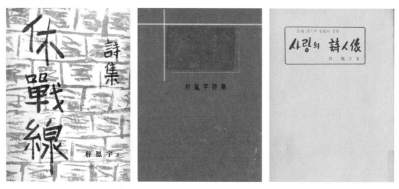

박봉우 시집 『휴전선』, 『겨울에도 피는 꽃 나무』, 『사랑의 시인상』

　　아직 앵두 같이도 못해본 너의 가난한 입술에 絶頂의 怒濤를 약속한,
조용한 餘裕…… 이글어진 都市에서 그 沃土를 피나게 지켜준다.

　　누가준 〈오월스무아흐레〉 하늘같이 아늑한 가슴팍에 저 많은 별들의
監視를 헤치고 나를 마음대로 펄럭거릴 울음같은 깃빨. 아득히 보이는
것이다.

– 박봉우, 「철조망」 전문

　　박봉우는 "'휴전선의 시인'으로 불릴 만큼 초기부터 말기까지 줄곧 분
단된 남북현실을 노래하고 당대의 부조리와 타락에 저항하고 고발하는
데 앞장서 온 시인"[18]이다. 박봉우가 위 시를 썼던 때는 휴전이 된 뒤의
폐허와 실존적 고투가 점철되던 시기였다. 정치외교학을 공부하던 젊은
대학생의 눈앞에 놓인 역사적 현실은 받아들이기 어려운 일이었다. 시

박봉우 '휴전선의 시인' 이라 불릴 만큼 초기부터 말기까지 줄곧 남북현실을 노래하고 당대의 부조리와 타락에 저항하고 고발한 시인이었다.

는 남과 북으로 분단된 현실을 극명하게 보여주는 '철조망'을 통해서 분단의 극복만이 민족의 동질성을 회복하는 길임을 역설하고 있다. 분단을 노래한 최초의 작품인 「철조망」은 그의 등단작인 「휴전선」보다 앞서 발표된 작품인데다가 시어가 갖는 상징과 은유가 등단 후의 작품에 비해 뒤떨어지지도 않는다. 그의 가장하지 않는 시정신의 일면을 보여주는 "허글어져"와 "포도시" "가슴팍" 등의 시어는 전라도의 정서를 담지하고 있다. "무등산을 중심으로 한 호남 쪽의 언어는 다분히 비현실 불명화 우곡 소극점층 수동적 미발의 성질을 띤다는 것은 우리의 간단한 지방순례나 친지교제에서도 일반화된 상식"[19]을 보여주고 있다.

그의 첫 시집 『휴전선』를 관통하고 있는 '꽃', '나비', '바람', '바다'

18_ 임동확, 「황지의 풀잎과 광기의 시학:박봉우론」, 『박봉우시전집』, 현대문학, 2009. 478쪽.
19_ 원형갑, 앞의 글, 76쪽.

와 같은 시어들은 위의 시가 단초를 제공하고 있다. 제목으로 취하고 있는 '휴전선'은 제도적이고 관념적이고 비가시적이나, '철조망'은 실제적이고 현실적이며 가시적이다. '철조망'은 '휴전선'을 구체적으로 보여주는 사물이라는 점에서 두 작품을 동일선상에서 논의할 때 남북 분단에 관한 그의 시세계를 깊이 이해할 수 있을 것이다. 그는 분단된 현실을 자신의 문제로 받아들여 내면화하고 육화한 뒤 시적언어로 표출하였다. 그가 민족동질성이 회복되기를 얼마나 열망하고 있었는지를 「철조망」은 잘 보여준다. 「철조망」은 '영도' 동인들이 내세웠던 기존의 것을 거부하고 금기시된 분단문제의 극복을 정면으로 다른 첫 작품이다.

박봉우는 1956년 〈조선일보〉 신춘문예에 '추봉령'이라는 필명으로 시 「휴전선(休戰線)」이 당선되었다. 엄밀히 말하자면 그는 이미 시인으로 이름을 얻었지만 그럼에도 불구하고 하나의 과정을 거쳤다. 분단이 금기시되던 때 과감하게 '휴전선'을 주제로 분단을 정면으로 호출하여 문학사를 흔들어 놓았다. 그의 시정신은 어디에서 발화하였는지 유심히 더듬어보면 광주고등학교 문예부 시절 〈광고타임스〉와 『상록집』 등에 발표한 시들에서부터 이미 시적 지향을 보였다. 그것이 '영도' 동인을 거치며 원숙해졌고 문학사에서 결코 사라지지 않을 「휴전선」이라는 작품으로 탄생한 것이다.

산과 산이 마주 향하고 믿음이 없는 얼굴과 얼굴이 마주 향한 항시 어두움 속에서 꼭 한 번은 천둥같은 화산(火山)이 일어날 것을 알면서 요런 자세(姿勢)로 꽃이 되어야 쓰는가.

저어 서로 응시하는 쌀쌀한 풍경. 아름다운 풍토는 이미 고구려(高句

麗) 같은 정신도 신라(新羅) 같은 이야기도 없는가. 별들이 차지한 하늘은 끝끝내 하나인데 …… 우리 무엇에 불안한 얼굴의 의미(意味)는 여기에 있었던가.

모든 유혈(流血)은 꿈같이 가고 지금도 나무 하나 안심하고 서 있지 못할 광장(廣場). 아직도 정맥은 끊어진 채 휴식(休息)인가, 야위어가는 이야기뿐인가.

언제 한 번은 불고야 말 독사의 혀 같은 징그러운 바람이여. 너도 이미 아는 모진 겨우살이를 또 한 번 겪어야 하는가. 아무런 죄(罪)도 없이 피어난 꽃은 시방의 자리에서 얼마를 더 살아야 하는가. 아름다운 길은 이뿐인가.

산과 산이 마주 향하고 믿음이 없는 얼굴과 얼굴이 마주 향한 항시 어두움 속에서 꼭 한 번은 천둥 같은 화산(火山)이 일어날 것을 알면서 요런 자세(姿勢)로 꽃이 되어야 쓰는가.

– 「휴전선」 전문[20]

1956년 신춘문예 시부문 심사자는 시인 김광섭과 양주동이었다. 응모한 작품은 모두 421편이었다. 박봉우의 시 「휴전선」은 1등으로 당선되었고, 2등은 신동문의 「풍선기」였다.

20_ 〈조선일보〉, 1956. 1. 9.

시 「휴전선」을 1등으로 택한 것은 시상과 표현이 바로 깨어 있는 까닭이다. 가명인지 본명인지 수상하기도 하다는 느낌을 금할 수 없으면서도 이 시는 「휴전선」의 위권에 서 있는 사람으로 하여금 새로운 느낌을 가지게 하고 새로운 의미를 열어보기 위하야 새로운 형성력을 발휘하고 있다. 별로 빈틈도 없지만 '별들이 차지한 하늘은 끝끝내 하나인데…' '한번은 천동같은 화산이 일어날 것'을 예감하고 있다. 이 예감은 바로 민족의 당면한 현실에 내포된 시인적인 것으로서 일찍이 쉴러가 그의 「서풍부」에서 '나의 입술을 통하여 예언의 나팔을 불게 하라'는 1절을 연상시키는 바가 있다. 허다한 시인들이 쓰는 아름다운 이야기는 이 신인에게 있어서는 국토에 가로 놓여 있는 휴전선에서 '아름다운 길은 이뿐인가' '이런 자세로 꽃이되어야 쓰는가'라는 죽음에서 산화로서 흔히 있는 전쟁시나 애국시와 유를 달리하고 있다. 항상 신인으로서 시단이 빛나야 할 우리의 요망에 답하여 앞으로의 정진을 바란다.[21]

김광섭의 심사평에서 알 수 있듯이 「휴전선」은 민족의 현실을 인식하고 쓴 시로 허다한 시인들이 쓰는 아름다운 이야기가 아니다. 휴전선을 노래함에 있어 다른 전쟁시나 애국시들과도 다른 것은 '새로운 느낌을 가지게 하고 새로운 의미를 열어보기 위하여 새로운 형성력을 발휘'하고 있는 것에 있다. 김광섭은 박봉우의 시를 '빈틈없는 시'라고 극찬하였다. 박봉우의 당선소감은 이랬다.

21_ 〈조선일보〉, 1956. 1. 3.

광주에는 웬 연고인지 연삼일 〈조선일보〉가 오지 않고 지금도 오지를 않고 있습니다. 별로 여기에 어떤 기대도 없으면서도 미련처럼 기다려진 것은 무척 이 작품에 대해서 무한한 애착이 갔다는 것으로 통합니다. 시인 김현승 선생님과 어느 좌석에 앉아 있었는데 목포에서 오셨다는 어느 미지의 분으로부터 이야기를 듣는다는 것이 그만 이번 〈조선일보〉에 「휴전선」이 당선되었다는 것이었습니다. 그것은 분명 저의 졸작이었었습니다. 이때 시인 김현승 선생님도 저의 기쁨 이상으로 기뻐해주셨습니다. 참다운 한 편의 생명 같은 시는 일시적인 어떤 버림을 받아도 영원히 버림받지 않는 것이 진리입니다. 눈물이 나올 뿐입니다.[22]

박봉우는 신문이 배달되지 않아 소식을 기다리기만 했던 모양이다. 그래서 당선된지도 모르고 있다가 소식을 듣고 쓴 당선소감에는 그가 「휴전선」을 얼마나 심혈을 기울여 썼고, 아끼는 작품인지 고스란히 담겨 있다. 그리고 "참다운 한편의 생명같은 시는 일시적인 어떤 버림을 받아도 영원히 버림받지 않는 것이 진리"라는 말은 그의 시작태도와 시정신이 어떤 것인지 명료하게 드러낸다. 그는 「휴전선」이 당선된 것에 머물지 않고 바로 「신세대」[23]를 발표하였다. 역시 '통일'을 염원하는 내용의 시다. 한동안 그는 조국의 분단에 천착하면서 통일을 노래하는 데 많은 노력을 기울였다. 광주민중항쟁 직후 시대의 화두이자 담론으로 떠올랐던 "가자 북으로, 오라 남으로"라는 슬로건은 민족의 통일을 염원하는 구호였지만 박봉우는 전쟁직후 인간의 실존과 생존, 국가재건을 목표로 움

22_ 〈조선일보〉, 1956. 1. 9.
23_ 〈조선일보〉, 1956. 7. 30.

임진각에 세워진 박봉우 시비 그는 전쟁직후 인간의 실존과 생존, 국가재건을 목표로 움직인 이데올로기보다도 민족의 통일을 우선으로 염원한 시인이었다.

직였던 이데올로기에 우선해서 민족의 통일을 염원하였다.

그는 시대를 앞서간 광주의 시인이었다. 그래서 고향인 '광주'를 무척이나 사랑했던 모양이다. 〈전남일보〉 서울지국장으로 서울에서 거주하면서 쓴 「고향의 그늘」에 "서울에 온 지도 벌써 한 달이 지났다. 무등산 기슭의 지산동 딸기밭 골짜기가 사람들로 한창 꽃피울 무렵 나는 그런 흥겨운 날도 보내지 못하고 표연히 이 메마른 회색지대의 종착역에 머물게 되었다. 참으로 고향을 떨어져 보아야 그때 비로소 고향을 찾게 되고 고향을 알게 된다. 어쩌면 고향은 연연한 그리움 같은 것인지도 모른다. 사랑하는 사람들, 정다운 사람들, 떨어지면 무작정 보고 싶은 얼굴들, 이것은 순백한 나의 향수다."[24]고 썼다. 그리고 4·19혁명을 통과한 후에 "어린 사월의 피바람에/모두들 위대한/훈장을 달구/혁명을 모독하구나."(「진달래는 피어 무엇하리」)를 발표, 4·19혁명 이후 대안을 모색하지 않는, 거기에 심취해 있는 시민들의 모습에서 5·16군사 쿠데타를 예견한다. 그는 뛰어난 직관력의 시인이었다.

그를 아끼고 사랑했던 시인 김현승은 「박봉우의 인간과 시」를 통해 그의 인간됨과 시를 말하고 있다.

> 그의 행적을 소상히 보아 오고 가까이 사귀어 온 나이고 보니, 내 막내
> 동생만큼이나 그를 사랑하지 않을 수 없다. 그러나 친형이 아니면서도,
> 또는 봉우만을 사랑한다는 부질없는 사람들의 시새움을 받으면서도, 나
> 만큼 그를 타이르고 그의 과음을 책하고 그의 시를 혹평하는 사람도 없
> 다. 내가 보는 한 시인 박봉우의 언어는 비단으로 만든 손수건은 아니다.
> 그의 거칠고 산만한 기질이 그가 쓴 시에도 잘 나타난다. 그의 언어는 광
> 목폭을 찢어 만든 깃발과 같은 것이다. 그것은 『휴전선』이래 -펄럭이고
> 있는 것이다- 울분과 저항과 애수와 동경을 가득히 안고서.

김현승의 지적대로 박봉우의 시어는 거칠지만 시대를 울리는 펄럭이는 깃발로, 거기에는 울분과 저항과 애수와 동경이 가득 담겨 있다. 그는 1962년 4월 정신병원에 입원해서도 세 번째 시집 『四月의 火曜日』을 냈을 만큼 시적 열정을 놓지 않았다. 시인 천상병은 "그가 정신적으로

24_ 박봉우, 「고향의 그늘」, 〈조선일보〉, 1958. 7. 29

박봉우가 친구들과 함께 찍은 사진 왼쪽부터 박봉우, 신동엽 시인, 하근찬 소설가.

오늘날 다쳤다는 말을 듣는다고 하는데, 그것은 어쩌면 그의 자세의 일
각이 평형을 잃고 그의 야심과 강열이 되려 표면에 나서게 된 까닭"이
라고 걱정하면서도 "봉우는 불덩어리처럼 타고 있으니 능히 그의 야심
을 성취할 것"이라 기대했다. 박봉우는 분단된 조국의 현실을 아파하며
민족동질성의 회복과 분단 현실을 극복하는 데 일관한 시를 쓴 시인이
다. 그래서 역사 앞에 아무것도 할 수 없는 지식인의 고뇌와 슬픔과 분
노는 한 사람의 삶을 저당잡은 채 끝내 놓아주지 않고 정신병원 신세를
지게 하였는지도 모른다. 청년기에 겪은 한국전쟁과 남북분단은 평생
그를 놓아주지 않아 그의 시는 일관되게 분단의 극복에 놓여 있다. 그래

서 발굴된 시 2편은 그의 시세계의 그 물망을 더욱 촘촘히 하는 데 기여할 수 있을 뿐만 아니라, '휴전선의 시인'이라는 이름을 더 깊게 각인시켜 주고 있다. 그는 1962년 이후 '신춘시新春詩' 동인으로 활동하였다.[25]

민재식 시집 『속죄양』

광주에서 박성룡, 박봉우, 윤삼하 등과 함께 김현승 시인에게 시를 배우며 습작기를 보냈던 문학청년 중에 민재식이 있다. 민재식閔在植(1932. 2. 29~)은 광주사범을 마치고 고려대 영문과 재학 중 1955년 9월 『문학예술』에 조지훈의 추천으로 등단하였다. 시 「속죄양贖罪羊1」외 「속죄양贖罪羊4」, 「자화상自畵像」 3편이 추천을 받았다. 「속죄양」은 연작시로 계속 발표되었다.

繡놓은 한 여름 목장풍경 위에
만국지도가 어지러웁다.

부딪치는 두 나라 사이

25_ 시집으로는 『휴전선(休戰線)』(정음사, 1957), 『겨울에도 피는 꽃나무』(백자사, 1959), 『사월(四月)의 화요일』(성문각, 1962), 『황지(荒地)의 풀잎』(창작과 비평사, 1976), 『서울 하야식』(전예원, 1986), 『딸의 손을 잡고』(사사연, 1987), 시선집으로 『나비와 철조망』(미래사, 1991), 시전집 『박봉우 시전집』(임동확 엮음, 현대문학사, 2009) 등이 있다. 1958년 전라남도 문학상, 1962년 현대문학상, 1985년 현산문학상 등을 수상하였다.

베에링海峽엔 버큼이 인다.

아라스카의 손은 몹시 여위었구나.

캄챠카의 서슬 돋친 뿔이어.

게다가 불쑥 내미는 山東半島의 붉은 코가 무서워

祖國—잊혀지지 않는 노래로 흘러나오는

祖國은 한사코

太平洋 울목 구석지로 구석지로만 움추러든다.

모두다 말없이 앉아 뿜는 희푸른 연기 속으로

외떨어진 大洋洲의 망우수를 본다.

제 마다 가슴은 쿵쿵 뛰는데

어쩌자고 죽음을 생각해야 되는가.

청년들은 옥수수만치 괴로웁구나.

(옥수수는 이빨이 여물기도 전에 수염이 났다.)

－「贖罪羊1」 부분

　조지훈은 「속죄양1」의 추천기에서 "시사성의 풍자는 편석촌의 초기시에서 보는 것과 같은 경박한 재담에 떨어질 위험도 내포하고 있으나, 그러한 위트를 안은한 서정 속에 용화하여 맑고 따뜻한 무늬를 짜낸 점을 취한다."[26]고 밝혔다. 그리고 "언어구사가 평이하면서 예리하다는 것, 둘째는 시적영상이 항상 사회현실이나 문명비판에 대한 관심에 바탕을 두

26_ 조지훈, 『문학예술』, 1955. 9.

었다는 것, 셋째, 시에 무슨 얘기를 담으려 한다는 것"[27]을 높이 평가하였다. 민재식은 1956년 6월 3회 추천 완료 후 당선소감을 이렇게 밝혔다.

> 몇 차례 겪어 낸 전쟁은 생활보다도 오히려 생존의 문제를 강요하였다. 사실이지 전쟁은 철없던 초등학교 시절의 코 묻은 감정을 거슬러 뒤틀어 버린 이래, 쉴 새 없이 우리의 정상적인 정신발달을 방해해왔다. 각박한 생존의 거부 앞에 논리는 살지 못했으며, 사색하거나 느낌을 갖는 데에 나눌 수 있는 시간은 극히 한정되어 있어, 그 안에서 이루어지는 생각들은 서로 아무런 관련도 없는 단편에 불과하였다. 청년이라는 이름 두 자는 가져 보기도 전에 잃어버렸고, 아직도 정신과 육체가 어울리지 않은 채 흔들리는 저울대 위에서 고민하고 있다. 우리는 일찍이 없었던 역사의 버림을 받고 있는지도 모른다. 우리의 앞날은 도대체 무엇으로 보장될 것인가? 오히려 그보다 앞서 도대체 우리의 지식은 얼마만큼 이 현실에 우리 자신을 구제할 수 있을 것인가?
>
> 그러나 시는 아직도 절망할 때가 아니다. 이러한 현실은 시가 읽히지 않은 이유는 될 수 있어도 시를 쓰지 못하는 이유는 되지 않는다. 왜냐하면 비록 우리가 생존에 쫓기어 정상적 정신의 발달과정을 못 밟았다 할지라도 시는 그것이 변태적이나마 경험을 토대로 한 감수성 위에 세워지기 때문이다.

그는 "시는 아직도 절망할 때가 아니다. 이러한 현실은 시가 읽히지

27_ 조지훈, 『문학예술』, 1956. 3.

박성룡 자신만의 독특한 시세계를 구축한 시인이다. 그의 등단은 1956년이지만 첫 시집 『가을에 잃어버린 것들』은 1969년에서야 나왔다.

않은 이유는 될 수 있어도 시를 쓰지 못하는 이유는 되지 않는다."고 선언하면서 시대적으로 개인적으로 사는 것이 어려움에도 시는 계속 쓸 수밖에 없음을 강조하였다. 조병화는 민재식을 "사색하는 의자에 다잔을 나란히 하고 고요히 본질적인 자아의 문을 두들기고 있는 한 시인군"으로 분류한 후 "자아의 고개를 고요히 사색에 잠겨 넘어간다. 그리고 그는 고집함으로써 지킴으로써 갑갑하고 우울하고 고독하고 괴로운 자아를, 자기 자신을 풀어 놓아버린 것"으로 평하였다.[28] 그의 시에 대해 조지훈은 "충분히 참신한 감각을 풍기면서 결코 경박하지 않고 언제나 그 기경奇驚한 비약 뒤에 친절한 이해의 저류를 마련함으로써 지적 서정시의 공로를 마련하였"고 "영시의 깊이를 활용하여 우리 고가의 멋

28_ 〈동아일보〉, 1956. 6. 29

에 융합시킬 정도로 그의 서구적 지성과 민족적 감성은 이미 하나가 되어 있다"는 평했다. 그는 그렇게 화려하게 등장하였다.

박성룡朴成龍(1932. 4. 20.~2002. 7. 29.)은 그만의 독특한 시세계를 구축한 시인이다. 그의 등단은 1956년이지만 첫 시집 『가을에 잃어버린 것들』은 1969년에서야 나왔다. 그의 시력에 비하면 시집은 늦어도 한참 늦은 것이다. "동인지 등 활동까지 합치면 약 15년의 시단경력이 된다. 이 15년에 걸쳐 발표해 온 작품들 중에서 비교적 초기작품 중심으로 꾸며 본 것"[29]이라고 한 것에는 등단 이전의 '영도' 동인의 활동도 시력에 포함된 것이다. 그만큼 『영도』에 대한 애착이 컸다. 『영도』에 발표한 작품은 6편으로, 「귀정」은 「바다에서」라는 제목으로 『가을에 잃어버린 것들』에 실려 있는데 「바다에서」 I 에 해당하고 II 는 개작과정에서 추가된 부분이다. 「바람부는 날」과 「설경이제」는 같은 제목으로 첫 시집에 그대로 수록되었다. 따라서 시집에 실리지 않은 작품은 3편이다. 다음의 글에서 그 연유를 알 수 있다.

내가 詩를 本格的으로 發表하기 시작한 것은 一九五五年이다. 그보다 좀더 以前에 地方에서 몇 篇 發表도 했었으나 一九五五年 몇몇 詩友들과 詩同人誌 『零度』 一, 二輯을 낸 후 그 해 末 文藝誌 『文學藝術』誌에 推薦을 받은 다음해부터 中央誌에 本格的인 發表를 했다. (…) 이 百餘篇의 發表作中 나는 誠意不足으로 스크랩을 제대로 하지 못했기 때문에 現在는 五0餘篇의 詩를 가지고 있을 뿐이다.[30]

29_ 박성룡, 「후기」, 『가을에 잃어버린 것들』, 삼애사, 1969.

그가 밝히고 있듯이 발표한 "시를 본격적으로 발표하기 시작한 것은 1955년"부터였는데 "성의부족으로 스크랩 하지" 않았기 때문에 시집에는 누락된 작품이 많다. '영도' 동인들이 창간 당시에 내세운 것이 신춘문예와 추천제도의 거부였던 만큼 발굴된 작품이 갖고 있는 의미는 각별하다. 그만큼 개성적이고 특징적인 시세계를 구축하고 있기 때문이다. 등단 이후 작품에서 발견되는 시어들은 이미 『영도』에 발표한 작품들에 서도 눈에 뜬다. 그가 언어에 얼마나 천착했는지를 보여준다.

······조용한 死火山 같다.······

그러나
사랑이란 원래 불의 맘이므로
꽃을 차라리 이 視力속에···········.

사랑을, 미움을,
노여움을, 뉘우침을,
絕激한 온갖것을 이 가슴안에···········.

내 오오랜 病室에
익어가는 肉身을,
흘러가는 머언 하늘 귀에 어는 聲音을,

30_ 박성룡, 「産室密語」, 『韓國戰後問題詩集』, 신구문화사, 1964. 372쪽.

손짓을, 눈짓을, 간절한 몸짓을,

산과 들,

바다와 하늘과……

너와 나의 온갖것을

이 體重 깊이…………

……조용한 死火山과 같다.

눈물이란 원래 불의 맘이므로.

– 박성룡, 「果實」, 『零度』1, 1955. 2.

　그의 초기시의 특성을 보여주는 이 작품은 말줄임표(……)의 사용이
눈에 띄게 빈번하다. 말줄임표는 많은 생각을 이끌어가는 표지이며, 호
흡을 조절하는 기능을 함으로써 화자가 ‘가을’이라는 시간과 대면하고
있음을 알 수 있게 한다. 1연은 1행으로 시 전체를 이끌어 가는 핵심구
절로 “조용한 사화산 같다.”고 제시한 후 2연부터는 그 이유에 해당하
는 연을 배치하고 있다. 그런데 2연을 ‘그러나’로 시작함으로써 ‘낯설
게하기’로 약간 당황스럽게 하면서 “사랑이란 원래 불의 맘”이고, 3연
에서는 “절격한 온갖것”인 인간의 오욕칠정까지 ‘가슴’에 품고 있으며,
4연에서는 인간의 다섯 가지 감각까지도, 그리고 5연에서는 우주까지
도 “체중 깊이”에 품을 수 있는 것이 된다. 그러므로 ‘눈물=불의 맘=씨
앗=열매’는 동일한 의미망을 형성하고 있으며, 이는 가을의 열매를 통
해서 삶과 죽음을 아울러 가는 우주론적 세계관을 드러낸다.
　따라서 이 작품은 보는 관점에 따라 대상의 모습과 성격을 결정한다

는, 사실과 다른 것에서 같은 것을 보는 비동일성의 동일성으로 시의 애매성을 보여준다. 시인의 상상력 안에서 일어나는 비동일성의 동일성은 작은 것에서 큰 것을 보는 뛰어난 직관력으로 가능해진다. 동인지를 창간할 때 기존의 문단풍토와 전통을 거부하고자 하였듯이 시적 형식이 갖는 새로움과 뛰어난 직관은 일원론적인 우주관으로 이어진다.

> 검은 하늘만
> 呼吸 하였다,
> 퍼어런 떡잎에
> 밤이 주는 空間
> 포도는
> 그 안타까움만 呼吸하였다.
> 그 포도의
> 안타까움을
> 풀어 만지려
> 내가 달려 왔는데도 검은 얼굴이다.
> 이젠 영영
> 太陽이 온 데도 검은 얼굴이다.

- 박성룡, 「葡萄」, 『零度』1, 1955. 2.

앞의 시처럼 이 시도 열매에 관한 시이다. 까맣게 익은 포도는 "검은 하늘만", "안타까움만" 호흡하였기 때문에 "검은 얼굴"이다. 잘 익은 포도가 까만 이유를 검은 하늘과 안타까움의 호흡으로 보는 것은 자연을 거스를 수 없는, 인간의 한계와 자연의 순환원리를 함축하고 있다. 이

시에서도 그러하듯이 그는 과일의 열매를 보고 느낀 것들을 시의 소재로 삼는 경우가 많았다. 가을나무에서 익어가는 과실을 보며 그가 발견한 것은 "시의 소재라기보다는 어떤 위대한 哲理 같은 것"이었다. 과실은 "놀라움이며, 놀라움이 곧 시심"[31]이었기 때문이다.

포도를 상징하는 '검은 하늘'과 '검은 얼굴'은 "언어는 문자 그대로 하나의 말을 가지고 있고 뜻을 가지고 있기 때문에 일부러 말 속에 뜻을 만들려 할 때 언어의 혈맥은 오히려 끊기기 쉽고 내용은 공허하기 쉽고, 시어는 퇴색하기 쉽다."[32]는 그의 언어관인 "詩語 開發에 무엇보다도 힘을 기울였다"[33]는 소회를 여실히 느끼게 해준다.

바람 속에서
나뭇잎이 비오듯 한다.

나뭇잎이 비오듯 하는
바람속에서
나의 이 甚한 出血……
나는 또 暫時
버릇처럼 네 안에 젖어든 것이다.

어느 머언 하늘 끝에

31_ 박성룡, 「仍帶記」, 『시로 쓰고 남은 생각들』, 민음사, 1978. 14쪽.
32_ 박성룡, 위의 글, 12쪽.
33_ 박성룡, 위의 글, 15쪽.

깊어 버린 季節 같은……

2

으낭잎을

모아 본다.

으낭잎을 모우는

내 손바닥에선

으낭보다 차라리

잠자리같은 네 옷깃의 냄새가 난다.

아니…… 지금은 아직

가을이 아니라,

풀냄새 짙은 우리들의 그 五月.

피어린 果物의 무게가 있다.

나는 다시

하늘을 쳐다 본다.

자꾸만 눈시울에 젖는 것이 있다.

가슴이 뛴다. 呼吸이 급해진다.

3.

쉘리—랑,

카롯사—와 릴케의 시들로

다시 序章부터

벨디, 비—제, 스트라우스의 歌劇도

다시 序曲부터……

어제보다는 來日을

入港보다는 出帆을

아 진정 이 마주막보다는, 우리들의

맨 처음을 向하여

나는 항시 가야 한다.

昆蟲의 死體

이, 낙엽의 沙汰속에……

— 박성룡, 「陽地」, 『零度』2, 1955. 5.

박성룡은 끊임없이 식물성의 시를 썼다. 그의 등단 추천작인 「교외」도 앞의 2편의 시들에서 이미 그 단초를 제공받고 있다. 그는 "풀잎 하나, 꽃 한 송이, 이슬방울 하나, 철부지 눈물방울 하나하나에 대해 그의 구체적이고 본질적인 것을 노래할 수 있을 때 거기 현대시가 가야 할 길이 열리지 않을까? (……) 시인은 풀잎 하나를 제대로 노래할 때 그것은 온 우주를 노래한 셈이 된다. 구체적이고 본질적인 노래, 그러면서 보다 적확하고 아름다운 언어와 운율로 나는 이 세상 모든 것을 노래하고 싶은"[34]대로 노래했다. 그러면서도 특히 '가을'에 천착하고 있다.

위의 시 1, 2, 3은 화자가 낙엽이 지는 모습과 열매 맺는 가을 앞에서 다시 시작을 다짐하는 형식으로 시의 구조를 배치함으로써 의미론적인 분절과 음악적 분절이 서로 길항하면서 리듬이 살아 있게 하는 형식적 특징을 보여준다. 그래서 "으낭잎"을 모은 "손바닥"에서 "잠자리 같은 네/옷깃의 냄새"가 '5월'의 냄새인 이유가 분명하게 드러난다. 이 시의 시간은 분명 "피어린 과물의 무게가" 느껴지는 가을이다. 그럼에도 은행을 '5월의 냄새'로 표상하는 것은 꽃이 열매가 되기까지의 그 수고로움에 대한, 과정에 대한 지난한 여정을 더 소중히 하는 시인의 심상을 드러낸 것이다. 그것이 낙엽의 '沙汰' 속에서 오월의 꽃사태를 본 것이다.

그의 시 「과목」에는 "과목에 과물들이 무르익어 있는 사태"라는 구절이 있다. "가을이었다. 주위의 산비탈과 과수원에는 과일들이 육중하게 익어 빛을 발하고 있었다. '참 신기하지, 저 과일나무에 익어 있는 과물들을 봐' 그 은사의 이 한마디에서 나는 깜짝 놀라는 시의 소재를 발견하였다. 그것은 시의 소재라기보다는 어떤 위대한 철리"[35]였다는 그의 고백에서 짐작할 수 있듯이 그는 가을과 열매에 깊이 천착하였다. 그는 "우리 시에 있어서의 언어의 전통에 큰 범법 없이 표현의 혁명을 모색해 왔으며 노력"[36]하였다. 가을은 분명 사태다. 모든 것이 열매 맺는 끝의 시간이고, 소멸로 또 다른 시작을 여는 시간이다. 과물들이 알알이 익어가는 모습을 '사태沙汰'나, '사태事態'로 바라보는 직관력과 뛰어난 언어감각의 길항은 가을의 이미지를 새롭게 하는 데 기여한다.

박성룡이 풀잎, 꽃, 나무, 과실을 주된 소재로 삼았던 것은 "호기심을

34_ 박성룡, 「詩率莖荆詩精神- 나의 立場」, 『시로 쓰고 남은 생각들』, 민음사, 1978. 28쪽.
35_ 박성룡, 앞의 책, 14쪽.
36_ 박성룡, 앞의 글, 371쪽.

끄는 것은 흙"이고 "모든 시의 상상력은 대지에 집중"[37]되어 있다고 여겼기 때문이다. 그래서 그가 '대지'에 집중해서 발견한 것은 인간과 자연은 하나라는 일원론적 우주관이었고, 결국 그것은 인간을 뛰어넘는, 그리고 살림이라는 깨달음으로까지 확장되었던 것이다. 그런 점에서 '가을'은 그가 상상하기에 좋은 시간, 희열을 느낄 수 있는 순간이었다. 박성룡은 '영도' 동인으로는 박봉우에 이어 두 번째로 1956

김정옥 시집
『시인이 되고 싶은 광대』

년 『문학예술』에 시 「화병정경花瓶情景」 등이 추천받아 등단하였다.

　김정옥金正鈺(1932. 2. 11.~)은 『영도』 1, 2집에만 작품 4편을 발표하였는데 「'통행금지오분전'을」, 「우연의 시」, 「마을」, 「부근」이 그것이다. 1959년 5월 『사상계』 신인현상문예 시 「오후」 등 3편의 시가 당선되었다.

　　　회색의 하늘 위에 퇴색된 낙엽이 쓸리는
　　　그러한 어느 무렵
　　　어쩌다 유리창을 닦으러 온
　　　자크린느의 하얀 손은

37_ 김현, 「박성룡을 찾아서」, 『상상력과 인간/시인을 찾아서』, 민음사, 1993. 419쪽.

은화식물처럼 자라나고.

부서진 타자기모양 활자들을 허트리는

마침내

신은 나의 수녀

차라리 하늘의 보도를 질주하는 나

사화산과 같은 유방 속에

밀림의 화재처럼 요란한 것들……

나의 뇌세포 속에선 하늘의 변모를 믿지 않는

참새들이 그것들을 쫓고 있었다.

창을 닦는 자크린느와

유성이 가져온 유행성감기처럼

이름모를 질병을 앓고 있었다.

– 「午後」 전문

　박성룡은 그를 "연극 속의 시인이었다. 연극연출가로 수많은 업적을 남겼으나 궁극적으로 그는 시인이었다."고 했다. 김정옥은 시를 쓰기 시작한 지 40년이 지난 뒤 『시인이 되고 싶은 광대』[38]를 내면서 "시인이 되겠다기보다는 시인을 꿈꾸었다고 할까, 구체적으로 시인으로 인정받기를 원했다기보다는 시를 논하고 시적인 분위기 속에서 친구들을 만나는 것을 좋아했다고 할까…그래서 고등학교 시절부터 문학서클이나

38_ 김정옥, 『시인(詩人)이 되고 싶은 광대』, 혜화당, 1993.

동인 모임에 참가했다."고 시를 쓰게 된 배경을 설명했다. 그러나 그는 시보다 연극에 몰두하였다.[39]

등록금을 『영도』 창간에 바친 강태열姜泰烈(1933. 7. 27.~2011. 8. 20.)은 1960년 『사상계』에 「뒷窓」, 「음악」, 「벽화」가 당선되었다.

1

빛바랜 새벽들에 깔리며

마침내 녹쓸은 지붕을 넘어와 낡아가는

死後의 공간에 비껴

무너진, 흉벽의 도시가 뵈는 뒷창안.

2

아무도 없는, 처음으로 비롯하는 뒷창안

바람을 있게 하여

그 바람을 일구던 擬턺된 가슴에

처음 구비친 파도, 탄생한 별과 그늘.

---

39 특히 부조리연극의 선구자들인 이오네스코·아라발·주네 등의 연극을 직접 보면서 일찍이 전위 실험연극에 눈떴다. 3년 만에 귀국한 그는 국내 최초로 영화과를 창설한 중앙대학교에서 강의를 시작했다. 1966년 극단 자유를 창립해 창립공연 「따라지의 향연」을 비롯한 많은 작품을 연출하며 지금까지 이 극단을 이끌어왔다. 김정옥은 1995년 6월에 베네수엘라 카라카스에서 열린 국제극예술협회(International Theater Institute/ITI) 세계 총회에서 아시아인으로는 처음으로 회장이 되었으며 1997년 중앙대 교수에서 정년퇴임했으며, 2000년 한국문화예술진흥원장에 임명되었다. 그는 연극계에 몸담아 오면서 수 십 년 동안 수집한 작품을 한자리에 모아 2004년 얼굴박물관을 열어 운영하고 있다. 2007년에는 고령의 나이에도 불구하고 연극 「국밥」을 연출했다. 대한민국문화예술상(1979)·프랑스정부문화훈장(1984)·예술문화대상(1989)·대한민국예술원상(1993)·최우수예술인상(1995)·은관문화훈장(1998) 등을 수상했다. 현재 한국예술원원장이다.

강태열 시집
『뒷窓』, 『우주영가』

3

死者는 나를 뒷창으로 본다.

무수한 빛이 일어 內在하는 裸體들의 무게에

바람 비치는–나를

울창한 그늘 속 神의 성장에의 解毒을

그 안으로부터 밖에 오는 전체 바람의 산이며

숲이며 별

거리거리마다 빛나는 예지가 그리고 전망이 선연한

나는 어떤 도시라는 것을.

4

어느 한날 첫사랑의 입에서 새어나올

강태열 정치 현실에 눈감을 수 없어 쓴 작품만큼이나
그의 행적은 가난한 문인들과 함께였다.

네 이마맡의 도시에서 마침내 내가 숨을

영그는 윤곽안에 나의 전체가 서고

거기 부서져 내리는 햇살 너머

너로하여 존재하는 외계에 융화하는 창이 선다.

도시에는 유형한 창들이 선다.

– 「뒷窓」 전문

　또한 1966년 7월에는 "일반문예지의 전문화로 일반 독자와 문학과의 거리가 생기는 것을 막고 문학지망자와 애호가를 위하여" 학생문예 지도지인 『문예수첩』의 편집을 맡아 문학의 사회적 역할을 고민하였다. 그는 1974년 유신헌법 개헌 문학인 61명 선언을 주도해 중앙정보부에 연행돼 조사를 받았으며 자유실천문인협의회 결성에 참여하였고 유신 정권 반대 투쟁과 사회참여에 앞장서기도 하였다. 시국 문인사건은 「패주기敗走記」 연작으로 발표하여 유신정권의 민낯을 폭로하였다.

> 시흥동 나의 집에 이호철과 조태일이가 왔다.
> 기왓장만 올렸지 판자방 같은 안방은 춥다.
> 12월이 아니라도 시대가 추우니 더욱 춥다.
> 온통 얼음장 깨지는 소리의 국토이니 더욱 춥다.
> 빌어먹을, 북풍 한설, 유신 바람 왜 아니 춥겠는가.
> 일어서, 우리 분연히 일어서 피우자.
> 모닥불을 모닥불을 모닥불을!
> 명동 한복판에다 유신을 패주기 위하여.
>
> — 「패주기」4 전문

'유신을 패주기 위하여' 쓴 시가 「패주기」 연작이었다. 정치현실에 눈감을 수 없어 쓴 작품들만큼이나 그의 행적은 가난한 문인들과 함께였다. 특히 시인 천상병과 박봉우가 어려움을 겪을 때 가장 가까이서 함께한 시인이 강태열이다. 천상병은 이런 시를 남겼다.

> 강태열 시인처럼
> 내게 고맙게 해준 시인도 드물다.
>
> 우리 내외가
> 처음 2, 3년은
> 돈 때문에 무척 고생이 많았다.

그런데

그런 고생중에

난데없이 강태열 시인이

돈 삼백만 원을 빌려주면서

천상병에게 술을 끊이지 말라고

아내에게 당부했다는 것이다.

현명한 아내는

그 돈으로 인사동 가까운 관훈동에

귀천이라는 카페를 내어

이제는 부유하게 살게 되었다.

그 삼백만 원은 이젠 갚았지만

그 뜻이 얼마나 고마운가!

나는 늘 강태열 시인의 그 고마움을

한시도 잊은 적이 없다.

– 천상병, 「강태열 시인」 전문

천상병과 강태열은 천진난만한 영혼이 통하는 사람들이었다. 그는 도서출판 사사연思社研 회장으로 있으면서 출판문화의 진흥뿐만 아니라 가난한 시인들의 작품집을 발간하는 데 앞장섰다.[40] 그는 박봉우와는 둘도 없는 친구였다. 술을 좋아하여 술을 통해 우주와 교신하는 시인으로 불렸고 1997년에는 민족문학작가회의 자문위원 및 통일동산시비건립위원

주명영 그의 시는 형상적 존재와 천상적 자연에 대한 부정과 죽음을 통해 존재와 사물의 근원에 도달하고자 했다.

회 위원장으로 임진각에 박봉우의 시비 「휴전선」을 세웠으며, 민족문학작가회의 인천지부 고문을 맡기도 하였다. 오랜 시작활동에도 불구하고 2000년에 들어서야 저항시집이라 이름 붙인 『뒷꼍』과 『우주영가』 2권의 시집을 냈다. 시력 50여 년만의 일이다.

주명영朱命永(1935. 11. 26.~)은 광주고등학교 문예부 출신으로 강태열, 박봉우, 윤삼하 등과 4인 시집 『상록집』을 발간하면서 일찍부터 시를 썼다. 그리고 『영도』의 동인으로 활동하였다.[41] 그는 1959년 4월 김현승이 『현대문학』에 시 「혼수」를 시작으로, 1959년 12월 「풍경」, 1960년 5월 「통구」로 3회 추천을 완료하여 등단하였다. 그가 등단이라는 과정을 거쳤지만 이미 『상록집』을 냈고, '영도' 동인으로 『영도』에 다수의 작품을 발표한 유명한 문사였다.

I
언젠가는 내가 죽어 가야 할
시간의 저어쪽에서

40_ 시집으로 『우주영가』(명상, 2000), 『뒷꼍』(명상, 2000)이 있다.
41_ 필자는 1950년대 광주전남의 문단에 관한 인터뷰를 예정했는데 사망해서 안타깝다. 문단의 변방에서 시인다운 시인으로 살아온 그를 만나지 못한 일은 내내 후회로 남게 되었다.

머리를 풀고 안개가 인다.

–살갗을 스쳐가는 시간의 파문이
의식안에 묻힌 한 그루 나무를
쉬임 없이 밖으로 흔들고 있는 밤.

Ⅱ
손을 펴서 주변을 저어 보라.
진한 어둠을 뚫고 너와 만나는 것이 있을 것이다.
바람 같을 것이다. 바람 같은 것의,
형 잡을 수는 없는, 폭이 일렁이는
그것이 주어진 윤곽을 이죽일 것이다.
어디론가 늘 저무는
끝 없이 아래로 흐르는 혼수는 있어야 한다.

– 「혼수」 부분

　시인 김현승이 "무의식의 세계까지도 시의 대상이 되고 있는 오늘의
절실한 현실이라면 삶과 죽음의 중간상태인 혼수 같은 것에서 시인의
직관력은 아직 아무도 경험하지 않은 새로운 보람을 느낄 수도 있을 것
이며, 의탁할 수 없는 상식의 세계를 깨뜨리고 더 깊이 들어가는 탐구의
정신을 발휘하려고 할 수도 있을 것이다. 현대시의 영역을 자유로이 확
장해야 하는 견지에서 시의 정상적인 길을 걷는 착실한 작품과 함께 이
렇게 실패율이 많은 다잡한 작품도 길러 주어야 할 줄 안다."[42]고 쓴 추
천사를 통해서 알 수 있듯이 그의 시는 무의식의 세계에 관심을 드러내

고 있다. 시의 소재가 특별하고 표현방법이 난해하거나 기교를 부리지 않으면서 인간의 어떤 상태를 나타낸 작품으로 무한한 가능성을 내포하고 있다. 그가 추천을 완료한 후에 쓴 소감도 특별하기는 마찬가지다.

> 죽은 일에사 지각할 수 없다. '라 빠리스'가 그렇게 믿었듯이, 아마 우리들의 어느 부분이 '가식'을 당했을 것이다. '생각하던 것' 그것에 의해서. 늦장을 부리지 말라. 가식이 끝나면 가발을 쓸 것이다. 실사의 잿더미에 묻힐 것이다. 죽음 앞에서는 차라리 '라 바리스'의 가성을, 그리하여 '가장 확실한 벙어리는 침묵을 지키는 것이 아니라 말을 하는 것이다'는 경적을. 그러면 우리는 결코 '돌아서 가는 이' 없이, 또 시간을 늘이기 위해 되풀이하는 일도 없이, 많은 사람들이 끝내는 자리에서 시작할 것이다. 지각하지 않고 우리들이 어김없이 제때에 죽는다 해도 우리는 다시 시작할 것이다. 아니, 시작하고 있을 것이다. 우리보다는 우리들이 믿지 않는 괴물들이 더욱 떠들어댄다 해도. '죽음에의 원망'이 생활에서 떠나지 않는 한, 우리는 '순수'를 그렇게 잃지 않을 것이다. '죽고 싶을 때' 그때다. 우리들의 놀라운 생산이 이루어지는 것은.

그의 시는 형상적 존재와 현상적 자연에 대한 부정과 죽음을 통하여 존재와 사물의 근원에 도달하고자 한다는 것을 알 수 있다. '죽고 싶을 때', 그때에 이르러야 시가 써진다는 말에서 한 편의 시를 쓸 때 그가 얼마만큼의 노력을 기울여 썼는지 알 수 있다. 그는 이후에 현실을 냉철

42_ 김현승, 「추천후감」, 『현대문학』, 1959. 12, 105쪽.

정현웅 2회 추천을 받았으나 이후 『문학예술』이 폐간되어 1963년 3월에야 『현대문학』에 시인 김현승의 추천으로 등단하였다.

하게 인식하고 자유를 갈구하고 통일을 염원하는 시를 썼다. 『60년대사화집』 동인으로도 활동하였다.[43]

정현웅鄭顯雄(1932.~)은 『문학예술』 1956년 3월호에 조지훈이 추천한 시 「바위」를 비롯하여 2회의 추천을 받았으나 『문학예술』의 폐간으로 추천완료를 하지 못했다가 1963년 3월 『현대문학』에 시 「음악」으로 추천을 완료하였다. 김현승은 "그가 그동안 시작을 등한히 한 것은 아니었고 다만 출세욕이랄까 그런 것에는 한했던 모양이다. 그러나 그는 요즈음 내게 이 작품을 보내어 천료의 형식을 갖추기를 원하여 왔다. 기왕 다된 이 시인을 조금만 밀어주는 일에 반드시 객기해야 할 필요도 없거

43_ 그는 시 창작과 함께 소설쓰기도 병행하였다. 1976년 〈중앙일보〉 100만 원 고료 장편소설 모집에 입상하였다. 시집 『광주의 하늘』(思社研, 1988)과 대하장편소설 『사할린(大陸風)』 전 6권(思社研, 1986)이 있다.

니와 이 일은 시단을 위하여서도 결코 무익은 아닐 줄 안다"고 추천하게 된 이유를 설명했다. 이에 정현웅은 "이미 떼를 쓰고 위험을 즐길 나이는 아닙니다. 재판소나 세무서 같은 델 드나들면서 터득한 나눗셈과 곱셈이 월등하게 문학보다 나은 것은 없지만 앞서거니 뒷서거니 뛰는 세상에 그저 건너편에 현혹되는 나머지 죽어가는 것도 모르고 산다면 좀 이상하기만 합니다. 말에 대한 사고와 실천이 고르지 못한 가운데 몇 해를 지내고 보니 얻은 것도 많고 다른 종류의 실패로 잃은 것도 한두 가지가 아닌상 싶습니다. 좋은 것과 나쁜 것을 구별하는 능력은 매우 중요한 것이라고 생각하고 있습니다. 정진하겠습니다."고 추천소감을 밝혔다. 그 후로 다작은 아니지만 그만의 시세계를 구축하였다.[44]

동인들의 중앙문단 진출은 동인 결성 초기에 내세웠던 기성문단과의 거리두기를 사실상 동인들 스스로 폐기한 셈이지만 한편으로는 『영도』가 동인들이 중앙문단에 진출할 수 있는 교두보 역할을 한 것으로 이해할 수 있다. 그것은 "다할 줄 모른 자기 비판과 자기 탈피"를 위해 "거세된 회색의 이론이 아니라 작열하는 삶의 약동"[45]이 있었기 때문에 가능했다. 초기 2권의 동인지는 "시인들이 호주머니의 돈을 털어 동인지를 만든다는 것은 시가 훌륭한 상품이 아니라는 것을 거꾸로 보여주는 동시에 문학에는 상품화될 수 없는 것이 있다는 덕성"[46]을 보여준 것이다.

『영도』는 10년 후 동인을 재결성하고 복간되었다. 기존의 동인들뿐만 아니라 당대의 작가들이 동인으로 참여하면서 『영도』는 한 번 더 문단

44_ 시집으로 『한겨울 중산리』(다지리, 2000), 『히말라야』(시와사람, 2007)이 있다.
45_ 장백일, 앞의 글, 88쪽.
46_ 김현, 「동인지 근황」, 『우리시대의 문학/두꺼운 삶과 얇은 삶』, 문학과지성사, 1993, 162쪽.

의 주목을 받았다.[47] 다음의 글에서 복간하면서 품었던 문학적 자세를 엿볼 수 있다.

> 도리켜 보면 낡은 感情과 觀念의 抒情으로 空虛하기 짝이 없었던 이 땅의 半世紀文壇 그 無風地帶의 溫室 속에서 우리는 言語 主語 없는 시민이었다. 소용돌이 치는 歷史的 現實 앞에서 있으나 마나했던 그러한 詩 역사와 싸워야 할 必然性 앞에서 우리는 이 따위 既成의 詩와 觀念에 대해서 一大 手術을 시행코저 했다 '새로운 무엇'을 發掘하기 爲해서 오늘에 反抗하는 血戰을 다짐했다 그리하여 우리는 '零度'의 廣場에서 既成秩序의 葬送曲을 목놓아 合唱했던 것이다 그것은 새로운 詩的 現實을 創造하기 爲한 하나의 다짐에서 이기도 했다. 또한 그것은 어떠한 文壇의 偶像도 再現도 容納지 않기 위해서였다. 더욱이 그것은 世紀 文壇의 偶像을 破壞하기 위한 하나의 姿勢이었던 것이다.

위의 글에서 영도 동인들은 "기성의 시와 관념에 대해서 일대 수술"을 가해 "있으나마나 한 시"를 쓰지 않고 "오늘에 반항하는 혈전을 다짐"하면서 "시적 현실을 창조"하려는 자세를 갖고 새 출발하였음을 알 수 있다. 그리고 "본질적인 시의 가능성"인 "애매성이라는 본래의 언어적 지방기질을 시의 본래적 세계에까지 실현"하기 위해서 "한국시의 새로운 영토"[48]가 되고자 한다. 뿐만 아니라 "보다 차원높은 해방과 자유와 평화"와 "統一과 창조"의 "새로움이 빛나는 탄생"[49]을 예고한다.

47_ 〈동아일보〉, 1964. 12. 17., 〈경향신문〉, 1964. 12. 19.
48_ 장백일, 「하나의 旗幅」-〈零度〉10년略史, 『零度』3, 1966. 78~79쪽.

그리고 "영도정신을 위배하는 일절과의 투쟁도 불사한다는 뜻에서 또한 새로운 문학의 흐름에도 결코 게을리 하지 않을 것"[50]임을 다짐하고 있다. 하지만 복간할 때 품었던 욕심과 달리 복간호도 2호로 끝나고 말았다.

그렇지만 이들은 김현승이 살고 있었던 수색에 자주 드나들면서 일명 '수색사단'을 형성하여 한국 현대시문학사를 튼튼히 하는 데 기여하였다. 지역문학에서 출발하였으나 그들이 중앙문단으로 진출하여 중앙문단을 형성함과 아울러 지역문학의 장을 구축하는 데도 손을 놓지 않았다는 점은 지역문학의 중앙문학화 사례를 보여주는 것이다.

윤삼하尹三夏(1935. 5. 12.~1995. 2. 5.)는 일본 오사카에서 부 윤명길과 모 최맹금 사이에 3남 1녀 중 3남으로 태어났다. 해방을 맞아 귀국하여 광주시 동구 광산동 69번지에서 살았다. 광주서중 재학 시절인 1948년에 박봉우, 강태열, 표형섭, 박채훈 등과 '진달래' 동인을 결성하여 시인의 꿈을 키웠다. 광주고등학교 문예부에서 활동하였고 박봉우, 박성룡, 주명영, 강태열 등과 함께 '영도' 동인으로 새로운 세대의 언어로 낡은 것을 거부하는 시작활동을 활발하게 하였다. 특히 그는 광주서중 재학 시절인 1950년 개교 교내 문예작품집 모집에서 「돌멩이」로 1등을 하였다. "아이들이 나를 보면 모두 「돌멩이」하고 놀려댔지만 난 결코 그 이름이 싫지 않았다"[51]고 술회한 만큼 1등은 그가 시인이 되는 데 결정적인 의미가 있었다.

49_ 원형갑, 앞의 글, 77쪽.
50_ 강태열, 앞의 글, 11쪽.
51_ 윤삼하, 『마음의 빛으로 가득찬 세상』, 사사연, 1995.

죄를 입어서가 아닐 텐데

돌멩이는

아무렇게나 길거리에 나둥그러져 있다.

아무도 돌아도 보아 주지도 않은 돌멩이는

조고만 가슴속에 자꼬 분함을 쌓아둔다.

남들이 못낭이라 비웃을지라도

얄궂은 발길들에 짓밟힐지라도

돌멩이는

아무런 대꾸도 하지 않는다.

이제 크낙한 바위가 되기는 싫다.

오직 세상을 착하게 보낼 수 있다면

차라리 천한대로 묵묵히 지냄이 좋다.

어느 모진 눈보라가 날리는 날에도

돌멩이는

아무 말도 없이 진종일 그렇게 웅크리고 있었다.

– 「돌멩이」 전문

    중학생 때의 작품이지만 이 시에서 그의 대표시로 불리는 「응시자」의
단초가 엿보인다. 그의 성격을 드러난 시 같기도 하다. 그는 일본에서 자

라던 시절 '조센징'이라고 놀려대는 아이들 앞에 아무런 대꾸도 할 수 없었다. 그는 조국으로 돌아와서도 한동안 적응에 어려움을 겪었는데 이런 심정을 '돌멩이'에 투사한 것으로 보인다. 또한 그는 광주고등학교 문예부에서 키운 문학적 역량으로 박봉우, 강태열, 주명영과 함께 4인시집 『상록집』을 발간하였다. 또 '영도' 동인으로 썼던 시작활동은 서울대 영어교육과 3학년 때인 1957년 〈조선일보〉에 「응시자」, 〈동아일보〉에 「벽」이 당선되는 경사로 이어졌다. 한국을 대표하던 2개의 언론사에 동시에 신춘문예에 당선됨으로써 그는 실력을 드러냈다. 시 「벽」과 당선소감은 이렇다.

달과 별과 그리고 하늘이 가버린 차고 거칠은 언덕에는 헐벗은 나무 가지가 바람에 미친 듯이 휘감기고 있었다.

저마다의 相距한 間隔속에서 저 많은 빛깔과 모습들이 한낱 醜한 웃음으로 化하였던, 너와 내가 당신과 저와 인사도 없이 헤어져간 어느날의 외로운 位置. 뿌옇게 煙塵에 탄 매몰진 黃土밭에 몸부림쳐 쓰러진 旗빨들. 저만치 피를 흘리는 하얀 十字架의 意味, 보다 더붉은 罪와 같은 것, 體溫을 잃은 空虛한 姿勢는 차라리 차거운 돌이 된다.
언제부턴가 텅빈 어둠속에 내가 던져졌다.
나를 향하여 치밀해 오는 어둠의 밀도속에 머뭇거리던 나는 잠시 그무슨 윤곽을 더듬거리고 있었다.

– 「壁」 부분[52]

언젠가 「壁」이라는 하나의 命題에 壓倒되어 있던 때가 있었습니다. 그

투텁고 막막한 나라의 壁, 바람의 流動을 가로막고선 검은 壁을 향하여 덧없는 발걸음을 옮기어가던 囚人 같은 사람들一. 어느 날 그 짙은 砲煙에 짓쌓인채 그것은 더욱 많게 끄슬린 壁의 얼굴이었습니다. 壁, 人間情愛의 壁. 戰爭의 壁. 죽음의 壁. 죄의 속죄의 구원의 壁. 깊은 한밤에 벽을 두드리는 소리. 창을 울리는 鐘, 鐘소리. "누구를 위해 좋은 우는가 너희는 이를 알고 저 使者를 보내지 말라. 그것은 바로 너를 위하여 울고 있는 것이다"(죤 단) 이렇게 쓰다보니 이 나의 入選所感은 詩를 위한 한 작은 변호도 證言도 아닌 한낱 조잡한 饒舌이 되고 말았습니다.[53]

그가 「벽」을 쓰게 된 그리고, 그 '벽' 을 마주한 구체적인 체험들이 드러나 있다. 전쟁이 인간에게 가져다 준 '벽', 인간과 인간을 가로막고 서 있는 거대한 힘에 의한 눌림과 그 눌림을 거부하려는 인간심리가 나타나 있다. 그것은 진실을 추구하는 집요한 의지이기도 하다. 그의 시는 실존의 의미를 추구하고 있다. 서정적이고 감각적 경향을 띠지만 평범한 일상어도 지적인 감각으로 살려냈다. 이미지의 변화가 명쾌하게 전개되고 있는 것이 특징이다. 이 땅 모든 것들이 이루는 참다운 조화와 일치를 꿈꾸는 순결한 영혼의 시인으로, 겸손하고 겸허한 동심의 순수한 마음으로 세계를 깊이 통찰하고 있다. 이후 대학을 졸업하고 1958년부터 1961년까지 목포중학교, 해남고등학교, 목포사범학교에서 교사생활을 하였고, 1963년 6월부터는 전남여고에서 영어교사로 재직하였다. 그리고 첫시집 『응시자凝視者』를 냈다. 1983년 홍익대 영문과교수로 부

52_ 〈동아일보〉, 1957. 1. 11
53_ 〈동아일보〉, 1957. 1. 10

임하였다. 이후 영시 연구와 시작활동을 병행하였다. 그는 신춘문예 출신들의 동인지 『신춘시』 동인으로, 1959년 광주에서 결성된 『원탁시』 동인으로 활동하였다.[54]

최하림崔夏林(1939. 3. 7.~2010. 4. 22.)도 『영도』3에 「밤의 의자」와 「달팽이의 塔」을 발표하였다.[55] 1964년 〈조선일보〉 신춘문예에 당선되어 활발한 작품 활동을 펼쳤다. 김현金炫(1942. 7. 29.~1990. 6. 27.)은 서울대 불문과에서 동문수학하던 김정옥에 의해 최하림과 함께 동인으로 참여하였다. 『영도』3에 발표한 김현의 비평은 「언어비평의 가능성-한국시의 경우」로 김현의 초기 비평의 관심이 어디에 놓여 있는가를 가늠하게 한다. "현실이란 '언어' 다라는 의식"을 갖게 된 그 후 "모든 것을 언어로 사유하고 언어로 보여주고 언어로 실천하고자"[56]하였던 것처럼 이 평론의 관심도 언어에 있다. 목포에서 자란 최하림과 김현은 1962년 김승옥과 함께 『산문시대』 동인으로 활동하였다.

신동엽申東曄(1930. 8. 18.~1969. 4. 7.)[57]은 『영도』4에 「권투선수」를 발표했다. 이 작품은 『신동엽전집』[58]에 「유작 및 연대미상작」에 수록되어

54_ 이후 그는 민족문학작가회의 이사, 한국 현대시인협회 이사, 한국 영어영문학회 이사, 한국 예이츠학회 회장, 현대 영미시 연구회 이사 등을 역임하였다. 1965년 전라남도 문화상을 수상하였으며, 시집으로 『凝視者』(서구출판사, 1965), 『소리의 숲』(한국문학사, 1976), 『헐리는 집』(사사연, 1987)이 있다. 번역서로 『에머슨 수상록』, 『롱펠로시집』, 『예이츠 시선』, 『워즈워드 시선』 등을 남겼다.

55_ 「밤의 椅子」는 시집과 『최하림시전집』에 수록되었는데 「달팽이의 塔」은 시집과 전집에 수록되어 있지 않은 작품이다.

56_ 김현문학전집간행위원회, 「김현문학전집을 간행하며」, 『한국문학의위상/문학사회학-김현문학전집1』, 문학과지성사, 1991.

57_ 시인 신동엽은 충남 부여 출생으로 1959년 〈조선일보〉 신춘문예에 「이야기하는 쟁기꾼의 대지」가 당선되어 등단하였다. 시집으로 『아사녀』(문학사, 1963), 『누가 하늘을 보았다 하는가』, 『금강』이 있다. 고통스러운 민족의 역사를 전제로 한 참여적 경향의 시와 분단 조국의 현실적 문제에 관심을 표명한 서정시와 서사시를 주로 썼다.

있다. 이에 따르면 「권투선수」는 『다리』(1971. 11.)에 발표한 것으로 서지를 밝히고 있다. 확인한 결과 『다리』(1971. 11.)에는 시 「丹楓아 山川」과 「권투선수」와 평론 「신저항시운동의 가능성」이 '신동엽 미발표유고'라는 제목 아래 실려 있다. 신동엽은 1969년 4월 간암으로 사망하였기 때문에 1971년 『다리』에 미발표 유고작품으로 발표된 것이다. 「권투선수」는 이미 1966년 『영도』4에 발표한 작품으로 미발표 유고가 아니다.[59]

또 다른 작가들, 화려해진 광주문학

윤삼하와 같이 1957년 〈동아일보〉 신춘문예에 당선된 시인으로 권일송과 정소파가 있다. 권일송權逸松(1926. 10. 19.~1995. 11. 22.)은 당시 목포 영흥중학교 교사였다. 그의 본적은 광주시 대인동 171번지이며, 본명은 권형길權亨吉이다. 전남대학교 건축학과를 졸업했다.[60] 그의 당선작은 「강변 이야기」였다.

열차내의 고독처럼 지극히 짧은 찰나에 일어서는 착상. 어느 방만한 고독이 그처럼 뜨겁게 유실된 영토를 향해 뻗어가는 꿈을 달래이랴. 또 다시 깊은 회고와 자아 응시에 잠기어가는 시간. 어떻게 그리고 무엇을 써야할 것인가. 피맺힌 생명의 요구가 그리도 격동하는 시대의 흐름을

58_ 신동엽, 『신동엽전집』, 창작과비평사, 1975.
59_ 어떤 과정을 거쳐서 미발표 유고작품이 되었는지 알 수는 없으나 기 발표된 작품이라는 사실은 원본비평 차원에서 중요한 문제이다. 다만 『零度』4에 발표한 원문 그대로가 아니고 부분적으로 개작된 작품이다. 시 「丹楓아 山川」과 평론 「新抵抗詩運動의 可能性」도 유고인지 확인할 필요성이 있다.
60_ 〈동아일보〉, 1957. 1. 10.

네 가슴에 붓안겨 주었을 때 너는 사내다히 죽어갈 전쟁보다 큰 평화를
말하려는가. 입은 울음을 머금어 가장 비통한 강변이야기를 터뜨릴 때
오소소 가늘게 떨리고 나도 어느 때처럼 전설의 소년다히 의분에 제쳐일
어 활을 겨눈다.

과녁을 못겨눠 서-러울 까닭도 없다. 이치나 공식이 지배하는 세대의
그 얼마나 외람되히 늙어버렸음, 초췌한 모습이어.

어제의 질큼한 눈물을 이얘기할 겨를은 없다. 긴장이 풀렸을 때, 그 뒤
에 오는 자연스런것들은 당신은 무어라 부른 것인가. 이번의 영애를 감
사한다. 애쓰셨을 제선생님들께 앞으로의 행운이 약속되길 빌고 어젯밤
차창에 비친 또 하나 내마음을 슬프게 하는 것들을 회상한다.

– 권일송, 「江邊 이야기」⁶¹

권일송은 "피맺힌 생명의 요구가 그리도 격동하는 시대의 흐름을 네
가슴에 붓안겨 주었을 때 너는 사내다히 죽어갈 전쟁보다 큰 평화를 말
하려는가. 입은 울음을 머금어 가장 비통한 강변이야기를 터뜨릴 때 오
소소 가늘게 떨리고 나도 어느 때처럼 전설의 소년다히 의분에 제쳐일
어 활을 겨눈다"에서 알 수 있는 것처럼 그의 시는 세상을 향해 있었
다.⁶² "이 땅은 나를 술 마시게 한다/떠오르는 億劫의 햇빛/지는 노을의
징검다리 위에서 /暗鬱(암울)을 위한 되풀이/그 중천의 旗여//어슬어슬
저무는/애월의 편지와 현관에 서면/열일곱 소녀의 더운 눈길 같은/방황
하는 세월의 종이 울린다/아직도 내 안에 집을 짓지 않은 채/허구한 날

61_ 〈동아일보〉, 1957. 1. 10.

의 곤한 날개와 파도//이 땅은 나를
술 마시게 한다"(「이 땅은 나를 술 마
시게 한다」)에서 알 수 있듯이 현실적
이고 시사적인 사건들에서 소재를 즐
겨 썼고, 그것을 풍자하고 비판하는
시를 주로 썼다.

정소파鄭韶波(1912. 2. 5.~2013. 7.
9.)는 〈동아일보〉에 시조 「설매사」가
당선될 당시 여수중학교 교사로 재직
중이었다.[63] 본명이 정만금수鄭萬金洙
로 일본 와세다대학교 문과校外敎育를

정소파 시조집 『산창일기』

졸업했고, 본적은 광주시 금동 94번지였다. 45세의 늦은 나이에 시조
「설매사」가 당선되었다. 그랬던 만큼 그에게 당선은 특별한 의미가 있
었다. 다음은 시조 「설매사」와 「당선소감」이다.

어느 녘 못다 버린

그리움 있길래도…

62_ 그는 〈전남매일〉, 〈한국경제신문〉 논설위원, 한국문협 시분과 회장, 국제펜클럽 한국본
부 부회장, 한국현대시인협회 회장 등을 역임했다. 1960년 전남문학상, 1983년 소청문학
상, 1985년 현대시인상 등을 수상했으며 1966년 첫 시집 『이 땅은 나를 술 마시게 한다』
를 간행한 이후, 『도시의 화전민』(1969), 『바다의 여자』(1982), 『바람과 눈물 사이』(1987)
등의 시집과 평론집 『시정신과 산문정신』(1975), 『우리 시와 시대 상황(1986) , 한국 현대
시의 이해(1981), 윤동주 평전(1984) 등을 발간했다. 수필집 『한해지에서 온 편지』(1973),
『생, 왜 사랑이어야 하는가』(1987) 등이 있다.
63_ 〈동아일보〉, 1957. 1. 10.

강파른 등걸 마다
손 짓하며 짓는 웃음,

못 듣는 소리속으로
마음 짐작 하느니라.

바위, 돌 틈사구니
뿌린 곧게 못 벋어도

매운 듯 붉은 마음—
눈을 이고 피는 꽃잎,

향맑은 내음새 풍김
그를 반겨 사느니라.

꽃샘 바람 앞에
남 먼저 피는 자랑,

벌 나비 허튼 수작
꺼리는 높은 뜻을…

우르러 천년을 두고
따름 직고 하더니라.

– 「雪梅詞」 전문[64]

차라리 自虐 自葉하리 만치 청승맞도록 시년스러운 文學業苦의 航路
이기도 했다. 소소리 치는 逆風 속에서 꾀죄죄한 허물을 벗지 못하고 한
송이 향기높은 꽃을 피우기 위하여 기나긴 三冬을 겪어야만 하는 괴로움
은 너무도 컸다.

華奢한 치레로 제로라 뽐내 잘들 피우는 群英 속에서 아무래도 일찍
開花를 못보는 그 무슨 까닭이 없지 않았던가도 싶다. 병든가지 벌레친
잎새를 잘라 가꾸기엔 무척 애타는 일이기도 했기 때문에… 아니, 응당
그래야 할 것으로는 생각하면서도….

호蕩한 봄이 가고 蕭蕭한 가을바람을 따라 우수수 낙엽든는 늦가을을
맞아 위태로운 벼랑, 깎아질린 石壁에 고고히 푸른 싱싱한 石松을 닮아
—맵짜고 처절한 그 貞節이 어찌 부럽지 않으랴!

내 詩道의 信仰에 살아 여기 荏苒 설흔해, 깊은 洞窟에서 解脫하지 못
한 서글픈 心懷를 이제 풀어헤치고 쓰린 回憶을 反芻하는 마음으로 애잔
한 靈魂의 殘血을 燃燒하던 중 하잘 나위없는 외딸을 出家시킨 것이 僥
倖이 뜻하잖은 열매를 맺게 된 것은 새삼스런 보람의 한낱 기꺼움이 아
닐 수 없다.

이 길에 낳이 이 길을 가다 죽음이 내 타고난 宿命일진대 담은 人生에
어찌 榮華를 바랄가 보뇨? 회오리치는 눈길을 밟아 끝없는 길 黃昏의 나
그네 모양 노래하며 걸어가리라.

64_ 〈동아일보〉, 1957. 1. 15

조종현과 그의 시비 그가 광주에서 머문 시기는 2년에 불과하지만 1960년대 이태극과 『시조문학』을 창간하여 신인들을 발굴하는 등 시조문학의 발전을 위해 헌신의 노력을 게을리하지 않았다.

　　평론가 고두동은 「설매사」에 대해 "세련된 솜씨에 향취가 풍기는 구절들이 심정된 시태를 이루고 있다."[65]고 높이 평가하였다. 윤삼하, 권일송, 정소파 이 세 시인들의 작품 심사자는 시인 주요한이었다.

　　승려이자 동요작가이며 시조시인이자 교육자였던 조종현趙宗玄(1906. 2. 8.~1989. 8. 31.)[66]은 1906년 2월 8일 전남 고흥군 남양면 왕주리 315번지에서 아버지 함안 조씨 용명趙鏞明과 어머니 여산 송씨 장동獐洞의 3남 중 장남으로 태어났다. 그는 고향에서 6세 때부터 서당에서 한문공부

65_ 〈동아일보〉, 1957. 4. 4.
66_ 그의 본명은 조용제(趙龍濟)이다. 법호는 철운(鐵雲)이고, 자는 대순(大順)이다. 아호는 벽로(碧路)이며, 당호는 여시산방(如是山房)이다. 그는 석범(石帆), 철운(鐵雲), 혹은 조철운(趙鐵雲), 조대순(趙大順)으로, 탄향(灘鄕), 탄향(彈響), 조탄향(趙灘鄕, 趙彈響), 조혈해(趙血海)이라는 필명을 썼다. 조종현도 한자 표기를 달리하여 조종현(趙宗玄), 조종현(趙宗泫), 조종현(趙鍾峴)을 사용하였다.

를 시작하여 주역, 사서, 시경 등을 수학했다. 그러던 그는 공부를 하기 위해 16살이던 1922년 2월 24일 장남의 출가를 만류하는 어머니를 뒤로 두고 542년(신라 진평왕 3)에 아도화상이 창건한 천년고찰 대본산 순천 선암사로 출가했다. 그는 선암사의 강주인 김경운 스님의 손상좌로, 선암 사의 강주인 금봉 스님을 은사로 사법하였으며, 1924년 김경운 스님의 지 도로 사집四集을 수료한 뒤 1926년 3월 11일에는 범어사 전문강원 진진응 스님에게 보살계를 받았다. 1927년에는 통도사 불교 전문강원을 거쳐 동 화사 강원에서 수학하였다. 그리고 1928년 1월 동화사 강원 대표로 불교 학인대회 발기인이 되어 이운허, 이청담 스님과 함께 조선불교학인연맹 을 결성하고 기관지 『회광』을 편집하고 발행했다. 불교유신회는 1921년 12월 21일 창립[67]되어 일제의 사찰령 폐지운동을 전개[68]하였다.

그는 1928년 3월 17일 조선불교청년대회에 참석[69]한 것을 비롯하여, 1930년 5월 결성된 항일비밀결사조직체 '만당卍黨'의 맹원으로 활동했 다. 당시 '만당'의 회원으로 활동한 인물은 주로 일본 유학파들이고 일본 불교의 영향을 받았고, 3·1운동에 참여하였으며, 불교대중화에 관심을 가졌고, 조선불교청년회의나 조선불교총동맹의 맹원들이었다.[70] 당시 조선불교를 대표하던 잡지 『불교』에[71] 시조와 동요, 그리고 불교종단의 개혁을 위한 글을 많이 발표했다. 그가 시조를 쓰기 시작한 것은 박한영

67_ 〈동아일보〉, 1921. 12. 22.
68_ 〈동아일보〉, 1922. 4. 25.
69_ 〈동아일보〉, 1928. 3. 23.
70_ 김광식, 「조선불교청년동맹과 만당」, 『한국학보』80, 219쪽.
71_ 잡지 『불교』는 1924년 7월 15일 창간되어 1933년 7월 통권 108호로 휴간했다가, 1937년 3월 『불교〈신〉』으로 속간되어 1944년 12월까지 통권 67호 냈다. 최덕교, 『한국잡지100 년』, 현암사, 2004. 참고.

서두성 수필집 『시대보행』

스님이 설립하여 운영한 개운사 강원에서 유식을 공부할 때 정인보, 이병기, 이은상, 최남선에게 시조를 배우면서부터다. 1920년대의 시조부흥운동을 이어받은 시조시인이다.

그는 벌교상업고등학교에서 국어교사로 있다가 1956년 광주제일고등학교로 전근해 1958년 3월까지 재직하였다. 광주제일고등학교 교사로 재직하면서도 〈전남일보〉와 〈호남신문〉 등에도 작품을 꾸준히 발표하였다. 시인 신석정과는 둘도 없는 호형호제로 시를 통해 문답한 시조 「오목대」를 써서 발표한 것도 이때였다. 그러다가 조종현은 자녀들의 교육을 위해 보성고등학교로 전근했다. 그가 광주에서 머문 시기는 2년에 불과하지만 둘째아들인 소설가 조정래도 광주에서 성장기를 보내면서 문학청년을 꿈꾸었으니 광주문학을 시공간으로 한정하기는 어렵다. 1960년대 이태극과 『시조문학』을 창간하여 신인들을 발굴하는 등 시조문학의 발전을 위해 헌신의 노력을 게을리하지 않았다. 그의 시조 「의상대 해돋이」와 「나도 푯말 되어 살고 싶다」는 한때 국어교과서에 실리기도 하였다.[72]

이때 언론인이었던 서두성徐斗成(1907. ~1965. 10. 28.)은 1930년대

---

[72]_ 그는 생전에 『자정의 지구』(현대문학사, 1969), 『의상대 해돋이』(한진출판사, 1978), 『거누가 날 찾아』(지하철문고사, 1986), 『나그네 길』(한국문학사, 1988) 등 4권의 시조집을 발간하였다.

대중가요 작사자로, 일본의 유명한 영화사에서 감독으로 유명했지만 해방후 귀국하여 언론에 종사하였다. 첫수필집『시대보행時代步行』을[73]냈다.『시대보행』을 발간하면서 쓴「疑問符-序아닌 序」에

> 이 따위 글이 글이냐
>
> 이러한 독자의 노기를 받기 전에 000하옵건데 글을 쓴다하는 기자 나 자신의 발성인 것이다.
>
> 쓰면 쓸수록 어려운 것이 글이란 것을 내 홍안 아침철부터의 자각이었음에도 불구하고 무슨 놈의 팔자이어서 못내 이 '어려운' 길에서 고통하는 있는 것인지 알 수 없는 의문부인 것이다.
>
> 차라리 한자두부채를 쥐고서 얼시구 절시구 줄타기나 배웠더라면 예도 써 튀어나와 박수소리나 들었을터인데 하필왈 신문기자생활로 길을 들어 써보고 써버리고 또 써버리고 해도 자기라서 불만인 글을 써 '이 따위 글이 글이란 말이냐' 의 조소를 받는 건지 끼웃까웃 의문부란 말이다.

고 하였다. 그럼에도 불구하고 글을 쓴다는 것은 늘 어려움이 있지만 "'이 따위 글이 글이냐' 가 그대로 산울림일 것이고 녹자도 또한 나의 발성과 같이 산울림시킬 것이고 그래서 피차간에 같은 소리의 허공 속을 나는 또박또박 걸어가야 한다."는 소명에 충실하였다. 그리고 얼마 되지 않아 두 번째 수필집인『생활염불生活念佛』[74]을 냈다. 잇달아『몸둥아리 遍歷』을 발간 예정이었던 것으로 추정되나 미간행된 것으로 보인다. 어

73_ 서두성,『시대보행』, 향문사, 1956.
74_ 서두성,『생활염불』, 삼성당, 1958.

안도섭 시집 『지도속의 눈』

찌되었든 시문학이 주류를 이루던 광주문학에 서두성이 2권의 수필집을 내면서 장르의 다변화를 예고하였다.

그런 가운데 박정온이 등단하였다. 박정온朴定溫(1926. 12. 6.~)은 1945년부터 창작활동을 시작하였지만 1957년 시집 『최후의 서정』[75]으로 공식적인 그의 이름을 널리 알린다.[76] 안도섭安道燮(1933. 8. 1.~)은 1958년 〈조선일보〉에 「불모지」가, 〈평화신문〉에 「해당화」가 당선되어 등단하였다. 그는 조선대학교 문리과대학을 졸업한 후에 〈전남매일신문〉 문화부장을 지냈다. 당시 저항문학으로 구치소에 수감되기도 했다. '轉換' 동인으로 활동하였고 첫시집으로 『地圖속의 눈』을 냈다.[77] 주기운朱基運(1928. 2. 16.~2007. 3. 16.)은 1958년 첫시집 『그늘』을 냈다.[78] 『원탁시』 동인으로도 활동하였다. 그의 시는 언어에 대한 끝없는 성찰을 대변하고 있으며 언어 그 자체가 갖는 순수미와 자연스런 남도의 율조를 결합함으로써 서정성의 본질에 도달하고자 한다. 그는 인간의 생명성까지도 언어에 의해서 그 의미를 갖는 것이며, 숯처럼 다시 불꽃을 피울 수 있는 언어만이 곧 시의 언어라

75_ 박정온, 『최후의 서정』, 정음사, 1957.
76_ 그는 전남 학다리고교, 목포 동광고교, 목포사범학교 교사, 광주사범대학 강사, 숙명여대 도서관 사서과장, 중앙여고 교사, 민족문화협회 편집국장, 한국문화연구회 상임이사 등을 역임하였다. 국제펜클럽, 한국작가회의 이사를 지냈다. 시집으로 『이 산하(山河)를』(선명문화사, 1967), 『밤은 아침을 위하여』(관동출판사, 1973), 『새여, 고뇌의 새여』(사사연, 1988), 『길은 그날을 위하여』(두레박, 1995)가 있고, 저서로 『현대시 입문』(범우사, 1983)이 있다.

고 주장한다. 따라서 그의 시는 향토적
시어와 운율미를 통해 고전적 정서와 원
초적 생명의지를 형상화하고 있다.

이처럼 많은 시인들이 등장한 1950년
대 광주문학은 중앙의 문단에서도 집중
적인 관심을 받을 수밖에 없었다. 그것을
반영이라도 하듯이 당대 최고의 문예지
『현대문학』의 주간이었던 조연현이 김현
승, 장용건과 「광주문단을 말한다」는 대
담을 갖는다. 조연현이 "문학단체나 혹은
중앙단체의 지부 같은 것은 조직되어 있

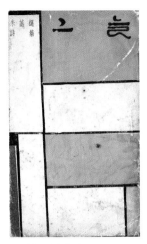

주기운 시집 『그늘』

냐"는 질문에 김현승은 "시끄러우니까 그런 건 없습니다. 광주는 문학에
대한 안목이 대단히 높습니다. 그래서 단체를 상대하지 않고 작품을 상대
합니다. 그런 점에서 안목 있는 이곳의 문인들이 중앙의 어떤 문학세력과

77_ 시집으로 『地圖 속의 눈』(향문사, 1959) 『黃土峴의 횃불』(문광당, 1969), 『풀잎 序章』(혜원
출판사, 1984), 『하늘을 아는 사철나무』(청담문화사, 1986), 『어느 火刑日』(1987), 『사랑을
말하라면』(1988), 『일억의 눈동자와 사랑을 위한 백의 노래』(1989), 『살아있다는 기적』
(1990), 『내 얼굴 벌거벗은 혼』(1991), 『나무나무와 분홍꽃 아카시아는』(1991), 『아침의 꽃
수레 타고』(1994), 『지리산은 살아 있다』(문학21, 1999), 『돌에도 꽃이 핀다했으니』(문학
21, 2001)와 서사시집 『새야 녹두새야』와 대하서사시집 『아, 삼팔선』4권 등이 있다. 산문
집으로 『한 잔의 찻잔에 별을 띄우고』(1986), 『책과 어떻게 친구가 될까』(1993), 『스푼 한
숟갈의 행복』(1993), 『문장작법』(1995)과 소설집으로 『청춘의 역설』(1981), 『한씨 일가의
사람들』(1983), 『녹두』(1988), 『세월이가면』(1997), 『김시습』(1998) 등이 있다.

78_ 그는 영암군 신북면 출생으로 호는 靑石이다. 광주 사범학교를 졸업하고 조선대학교 문
리과대학을 수료하였다. 1951년 해남고등학교 교사를 시작으로 1993년 광주여자고등학
교 교장을 마칠 때까지 전남교육연구원 연구사, 전라남도 교육위원회 장학관, 광주직할
시 교육위원회 장학관, 광주 학운여중 교장 등을 지냈다. 한국 교원공제회 광주지부장과
한국 언론중재위원회 광주지부 위원을 역임하였다. 1969년 2인시집 『조용한 和音』,
1987년 3시집 『내 言語가 타고 있을 때』, 1993년 정년기념문집 『靑石集』을 간행하였다.

상통될 수 있는가 하는 것은 단체나 조직을 통해서가 아니라 이심전심으로 혈맥이 서로 상통되어 있다고 볼 수 있지요."라고 대답했다. 계속 이어진 대담에서는 1950년대 광주문단의 분위기를 가늠해 볼 수 있다.

> **조연현** 글쎄요. 광주는 전통적으로 우수한 시인이 많이 나는군요. 작고
> 한 사람으로서는 김영랑, 박용철이 있고, 또 서정주, 김현승, 두
> 분을 필두로 현재 광주 출신의 시인들이 굉장히 많은데 모두 우
> 수한 시인들이 아니에요. 이러다가는 정말 큰일 나겠어요, 광주
> 가 한국 시단을 송두리째 점령해버리게 될 테니까요.
> **장용건** 이건 손님으로 오셔서 하시는 말씀 같습니다만 어쨌든 시인생
> 산부락인 것만은 사실입니다.
> **조연현** 아직 중앙에 알려지지 않은 사람으로서 유망한 사람들이 많은
> 가요.
> **김현승** 거야 많지요. 별처럼 깔려 있습니다. [79]

이들이 나눈 대담에서 확인되듯이 중앙에서는 이미 광주가 시인의 도시로 기정사실화되어 있었다. "광주가 한국시단을 송두리째 점령"하는 것 아니냐는 조금은 우려 섞인 사회자의 질문에 "시인생산부락"이라거나 "별처럼 깔려 있"다는 대답으로 응수한 김현승과 장용건의 발언은 광주문학에 대한 자부심과 긍지가 얼마나 대단했는지를 잘 보여준다. 이것은 광주문학의 전성시대를 예고한 자신감의 발로였다.

79_ 「광주문단을 말한다」, 『현대문학』, 1958. 1.

광주고 문예부 2세대와 『광고시집』

광주고 문예부 1세대들의 문학적 활동은 결국 중앙문단에 진출하는 성과를 이뤘다. 광고 문예부 1세대들의 치열성은 광고 문예부 2세대들에게 전수되어 현대시문학사를 이끈 주역으로 성장하게 된다. 이성부, 문순태, 민용태, 이이화 등의 광고 문예부 2세대들은 『광고시집光高詩集』[80]으로 응답하였다. 이성부는 광주사범 병설중학교에서 순전히 시인이 되자고 하는 소망으로 광주고로 진학하였고, 문순태도 이성부가 문예부에서 활동하도록 권유하여 문예부원이 되었다. 육군사관학교에 가기 위해 광주고에 진학하여 시인이 되기로 결심한 조태일은 광고 문예부의 2세대에 속한다. 광고 문예부 2세대 문예반 지도교사는 송규호였다. 송규호는 "방학과제로 단편 1편, 시 수필은 2편 이상을 구상 창작하여 오"라는 "일인일작 획책"을 하는 등 문예반 학생들의 창작열을 고취시키기 위하여 노력하였다.[81] 2세대들을 주도적으로 이끈 이는 단연 이성부였다. 이성부는 1학년 때부터 〈광고타임스〉를 편집하고 후기를 썼다.[82]

이 시집의 구성은 1부에 선배들의 시, 2부에 재학생들의 시로 구성되어 있다. 박성룡은 「ATELIER」, 정현웅은 「음악」, 박봉우는 「순금의고독」, 윤삼하는 「나무의 사상」, 정재완은 「눈오는밤에」로 참여하였다. 문예부 2세대들인 김석돌은 「노을」과 「상」, 문순태는 「꽃 소묘」와 「선」, 이안범은 「바람」과 「황혼」, 손세민은 「추억」, 민용태는 「자정」, 하은호는 「바위」, 윤재성은 「소리」와 「강」, 김용상은 「토요일풍경」, 이성부는 「별」

80_ 『光高詩集』, 전남일보사인서관, 1958. (표지화 : 박경석, 컷 : 양수아)
81_ 〈광고타임스〉 제 14집, 1957. 7. 20.
82_ 〈광고타임스〉 제 14집, 1957. 7. 20.

과 「이름」, 김영호는 「맥랑」 등을 실었다. 김현승이 시집의 서문을 쓴 것은 주말마다 그를 찾아다니며 시를 지도받은 인연 때문이었다.

> 近年에 이르러 全南의 文學徒가 그 어느 地方보다도 뛰어나게 文壇에
> 進出하여 그 가진바 力量을 과시하고 있음은 周知의 事實이거니와 그 文
> 學徒의 태반이 光州高等學校의 出身이라는 것도 또한 周知의 事實이다.
> 囑望할 수 있는 이 有能한 作家들은 특히 詩部面에 赫赫한 業績을 쌓
> 고 있을뿐 아니라 母校의 이러한 傳統은 後進學徒들에게 勇氣를 북돋아
> 주며 自信을 갖추게 함에 큰 힘이 되어 계속하여 많은 새 싹들이 이 部面
> 에 刻苦精進하고 있음을 볼 때 매우 마음 든든한 일이다. 이러한 事實은
> 母校의 名譽를 繼承한다는 그러한 하욤있는 것에만 그치지 않고 나아가
> 明日의 우리 文學과 文壇을 爲하여도 실로 慶賀할만한 일이 될 것이다.[83]

김현승은 광고 문예부 1세대들은 "전남의 문학도가 그 어느 지방보다도 뛰어나게 문단에 진출하여 그 가진바 역량을 과시하고 있음은 주지의 사실이거니와 그 문학도의 태반이 광주고등학교의 출신이라는 것"을 강조함으로써 문예부원으로서 자긍심을 부추겼다. 광고 문예부의 "전통은 후진학도들에게 용기를 북돋아 주며 자신을 갖추게 함에 큰 힘"이 된다는 것을 알고 있었다. 이성부가 김현승 시인을 평생 '스승님'으로 모신 것은 이때부터 시작되었다. 광고 문예부 2세대들에게 김현승은 절대적인 영향을 미쳤다. 광고 문예부 2세대들이 주로 『현대문학』에

83_ 김현승, 「序」, 『光高詩集』, 전남일보사인서관, 1958, 10쪽.

김현승의 추천을 받아 등단한 경우가
많았는데 김현승은 32명이나 추천하
여 등단시켰고 이들은 일명 '수색사
단'을 형성하였다.[84]

광주고 시집 『광고시집』

이성부는 "지난날 우리의 존경하는
여러 뫼들이 닦어놓은 옥토위에서 우
리는 우리의 가난한 씨를 뿌려두게 되
었다. 아니, 그 씨는 분명 풍요한 기류
와 푸른 하늘 아래 발아를 계속하고
있는지도 모른다. (…) 문득 지나가는
세월과 함께 반짝이는 저 별처럼 시의
학교에도 행운이 있"[85]으니 '우리의 주변에는 끊임없이 솟구치는 시의
마음들'을 모으기에 힘썼다.

이성부는 광주사범 부설중학교 재학 중 이미 『학원』에 「별」을 발표하
기도 하였다. 문학 지망생이었던 그에게 광고 문예부 1세대들의 문학
적 활동과 명성, 세간의 관심은 반드시 가야 할 학교로 지목되었다. 그
렇기 때문에 그는 문예반 활동에 임하는 자세가 애초부터 달랐다. 1학
년 때 〈광고타임스〉의 편집을 맡았다는 것, 〈광고타임스〉에 「바위」[86]
와 「소각」을 발표하였고, 「눈시울의 미학」[87]이라는 시론을 발표하였다

84_ 김현승의 추천을 받고 문단에 나온 시인에 주명영, 임보, 박홍원, 낭승만, 이성부, 김대
환, 정현웅, 문병란, 김광회, 박봉섭, 최학규, 손광은, 이기원, 김규화, 정의홍, 최만철, 권
영주, 조남기, 오규원, 박경석, 이환용, 이운룡, 이생진, 박정우, 이병석, 진헌성, 강우성,
오경남, 문순태, 진을주, 김충남, 이병기 등 32명이다. (백수인, 『대학문학의 역사와 의
미』, 국학자료원, 2002, 18쪽 참조)
85_ 이성부, 「후기」, 『光高詩集』, 전남일보사인서관, 1958, 62~63쪽.

는 점에서도 남달랐다. 〈전남일보〉에 시와 평론을 발표하였을 뿐만 아니라 '전국학도문예현상모집'에서 시 분야에서 일등을 하는 등 일찍부터 문학적 재능을 발휘하였다.[88]

여기
어쩔수없이 흘러 가야만 하는
한줄기 江물이 있다.

어디를 향하여 흘러가자는 이 부름인가.
멀어버린 이름들을 부르다가
몸채로이 살아져 버리는
이 부드러운 몸놀림.

– 문순태(2년), 「線」 부분

소설가이기 전에 시인이었던 문순태의 시 「선」은 강물의 흐름을 따라가는 시선이 부드럽다. 그러나 그 강물은 "어쩔수없이 흘러 가야만 하"는 신세다. 주체적으로 흐르고자 해서 흐르는 것이 아니다. "어디를 향하여 흘러가자는 이 부름"에 "몸채로이 살아져 버리는" 존재이다. 강물은 직선으로 흐르지 않아 "부드러운 몸놀림"을 하면서도 거대한 '선'을 만들어 낸다. 앞 강물을 따라 흘러가는 이것은 강이 아니라 선대와 후대

86_ 〈광고타임스〉 14집, 1957. 7.
87_ 〈광고타임스〉 20호, 1959. 7. 20.
88_ 〈광고타임스〉, 19호, 1959. 4. 1(문순태는 1등, 문인식이 가작에 당선되었고, 소설분야에서는 손세민이 3등을 하였다.)

를 잇는 역사가 된다는 인식에 바탕하고 있다. 그가 역사문제에 천착하여 소설가로 변모하게 된 단초는 이 작품에서부터 엿볼 수 있다. 〈광고타임스〉에 발표한 「자취生의 변」은 자취생활의 세밀한 묘사에 "가끔 철인이 되어보고 명상가 방랑가도 되어 비천운명론자도 되어보고 또 창작에 만족을 느끼는 소박한 예술가의 심경도 되어보고 싶다"[89]는 심경을 담담하게 그리고 있다. 그는 「아카샤」[90]라는 소설을 쓰기도 하였다.

광고 문예부의 눈부신 활동에 광고 학생들은 "세칭 '시인의 학교'로 명명되어 많은 수의 시인 소설가를 길러낸 본교"[91]라는 자부심이 대단하였다. 이는 기본적으로는 광고 문예부 1세대들의 문학적 성과에 대한 세간의 평가가 반영된 것이지만, 또한 후배들에게 문예부 활동을 독려하는 것이기도 했다. 광고 문예부는 신입생들을 환영, 문예작품을 공모하면서도 "현상모집에 입선한 학생은 본교의 빛나는 문예부의 계승자로서 활동하게 될 것"[92]이라고 자부심을 불러일으켰다.

광고 문예부 1세대들이 등단하여 자자한 명성을 날리고, 2세대들이 각종 문예작품 공모대회를 휩쓸었던 때야말로 '광고문예의 황금시대'였다. 당시 문단의 혜성이었던 광고 문예부 1세대 선배들이 『광고시집』 발간에 동참함으로써 광고 문예부 2세대들은 "분명 풍요한 기류와 푸른 하늘 아래 발아를 계속하"였다. 광고 문예부 1세대들의 활동은 문예부 2세대들의 활동에 모범이 되었고, 2세대들이 창작에 진력할 수 있게 하였다. 그 광고 문예부 2세대들은 1960년 4·19혁명을 주도하였다. 광고

89_ 〈광고타임스〉 14집, 1957. 7.
90_ 〈광고타임스〉 20호, 1959. 7. 20.
91_ 〈광고타임스〉, 19호, 1959. 4. 1
92_ 〈광고타임스〉, 19호, 1959. 4. 1

는 "광주 4·19 민주혁명 발상지"[93]로 4·19혁명은 시정신과 시세계에 지대한 영향을 끼치게 되었다.

광고 문예부 2세대들도 1세대들 못지않았다. 2세대의 대표 주자였던 이성부는 경희대 재학 중이던 1962년 『현대문학』에 김현승의 추천으로 등단하였고,[94] 문순태는 1965년 『현대문학』에 김현승의 추천으로 등단하였다. 이후 『한국문학』에 소설 「백제의 미소」가 당선되면서 시인 대신 소설가로 명성을 쌓았다.[95] 민용태는 1968년 『창작과비평』에 「밤으로의 작업」으로 등단하였다.[96] 문예반에서 활동한 이이화도 "담임이자 국어담당 유공희 선생이 문학평론가의 길을 가보라"고 했으며 "문예반 담당 송규호 선생"은 "내가 살아가는 동안 잊을 수 없는 스승"[97]이라고 했다. 이이화는 광고 문예반 출신의 역사학자이다. 문예반에 나중에 가담한 조태일도 1964년 〈경향신문〉에 「아침 선박」이 당선되어 등단하였다.[98] 그래서 1950년대와 1960년대, 그리고 1970년대의 시문학사에 "착실하고 근면한 「연륜」을 쌓아 우리 시단에 「백장미」처럼 조촐하고 「봄을 맞이하는 과수원」처럼 찬란하고 「청담」처럼 맑고 「유성」같이 번

93_ 이병렬, 「광주, 4·19상징 시내버스 탄생」, 〈광주일보〉, 2012. 4. 19.(이 버스는 금남로에서 광주 4·19발상지인 광주고, 5·18항쟁의 거점인 전남대를 거쳐 살레시오고까지 운행한다. 광주광역시에서는 419번을 단 버스노선을 개통하여 그 정신을 계승하고 있다.)

94_ 이성부(1939~2012)는 시집으로 『이성부시집』(시인사, 1969), 『우리들의 양식』(민음사, 1974), 『백제행』(창작과비평사, 1976), 『前夜』(창작과비평사, 1981), 『빈산 뒤에 두고』(창작과비평사, 1989), 『야간산행』(창작과비평사, 1996), 『지리산』(창작과비평사, 2001), 『작은 산이 큰 산을 가린다』(창비, 2005), 『도둑산길』(책만드는집, 2010)이 있다.

95_ 문순태(1941~)는 소설집 『달궁』, 『타오르는 강』(소명출판, 2012)등을 비롯하여 다수의 소설집이 있다.

96_ 민용태(1943~)는 시집으로 『時間의 손』(문학사상, 1982), 『시비시』(민음사, 1984), 『푸닥거리』(문학세계사, 1989), 『나무 나비 나라』(문학사상사, 2002), 『봄비는 나폴리에서 온다』(문학아카데미, 2008) 등이 있다.

쩍이는 존재들"[99]이 되었다.

송규호宋圭鎬(1921. 9. 4.~2013. 8. 3.)는 1954년 광주고등학교에 국어교사로 재직하면서 문예부 지도교사를 지내며 광주고등학교 6회부터 18회까지를 가르쳤다. 당시 광주고등학교에는 박연구, 이성부, 문순태, 조태일, 박석무, 임형택, 이일화 등이 문예부원으로 활동하였다. 광주고등학교에 재직 시절인 1958년 11월 교가 「광고의 노래」를 썼다. 그의 창작활동은 광주고등학교 재직 시절부터였는데 그는 첫 수필집 『마음의 고향』을 1980년에서야 냈다. 이후에 그는 수필집 11권과, 시집 2권을 더 냈다.

광고 문예반 출신들에게 등단은 활동을 위한 공식적인 절차였을 뿐이고 정말 중요한 것은 이들이 시문학사를 변모시켰다는 점이다. 그래서 시문학사에는 사상과 이념을 넘어 통일을 노래한 자리에 광고 문예부 1세대들이, 4·19혁명을 통해 건강한 시민의식으로 무장하고 민중들의 삶을 형상화한 자리에는 광고 문예부 2세대들이 있다. 광주고등학교의 문예반 활동이 광주전남 지역의 시문단사뿐만 아니라 우리의 시문학사를 변모시켰다는 것을 확인한 만큼 문학적 자양이 형성되기까지의 일련의 습작기가 얼마나 중요한지 알 수 있다.

광주고 문예부와 광주의 문학청년들에게 문학적 상상력을 제공한 김현승은 1950년대 광주문학의 중심에 있었다. 1955년 한국문학가협회

97_ 이이화, 〈한겨레신문〉, 2010. 11. 4. (이이화는 『광고시집』에 작품을 발표하고 있지는 않지만 문예반 학생이었다. 『光高』7집(1958)에 이이화는 '李自鳴'이라는 필명으로 「遺書五章」이라는 글을 발표하였다.)

98_ 조태일(1941~1999)은 시집으로 『아침 船舶』(선명문화사, 1964), 『식칼론』(시인사, 1970), 『國土』(창작과비평사, 1975), 『가거도』(창작과비평사, 1983), 『자유가 시인더러』(창작과비평사,1987), 『산속에서 꽃속에서』(창작과비평사, 1991), 『풀꽃은 꺾지 않는다』(창작과비평사,1995), 『혼자 타오르고 있었네』(창작과비평사, 1999)가 있다.

99_ 박흡, 위의 글, 9쪽.

중앙위원이었고, 전라남도 제1회 문화상을 수상하였으며, 1957년 한국문학가협회 상임위원으로 활동하면서 1958년 한국시인협회상 제1회 수상을 거부할 만큼 시와 문학을 중심에 놓고 살았다.

그는 해방 후부터 1960년대 초까지는 인간의 내면적인 세계로 관심을 쏟으면서 기독교 정신을 기조로 한 시세계를 보여준다. 그리고 1960년대 후반부터는 기독교 정신을 바탕으로 인간의 고독에 천착했다. 광주에서 후학을 기르면서, 문학청년들의 습작을 도와주고 지도하면서 1934년 첫 작품을 발표한 이후 23년 만에 첫 시집 『김현승시초金顯承詩抄』(사상사, 1957)를 냈다. 그의 고집스러운 순교자적 시정신이 빚어낸 산물이었다.[100]

광주의 아동문학

한국전쟁은 이념과 사상에 의해 남과 북으로 분단된 것도 모자라 서로를 향해 총칼을 겨눈 민족의 비극이었다. 한국전쟁은 많은 어린이들을 희생시켰고 고아로 만들었으며 헐벗고 굶주리게 하였다. 그럼에도 불구하고 어린이들에게 희망을 주고자 애쓴 광주전남의 작가들의 노력은 멈추지 않았다. 광주전남 동요·동시 2세대들인 여운교와 허연, 고재승 등은 동요 동시집을 발간하여 어린이들의 마음을 치유하기 위하여 노력하였다.

100_ 그는 이후 서울 숭실대로 옮겼고, 시집으로 『옹호자(擁護者)의 노래』(선명문화사, 1963), 『견고(堅固)한 고독(孤獨)』(성문각, 1970), 『김현승전집』(관동출판사, 1974), 『마지막 지상에서』(창작과비평사, 1975) 등을 냈다. 『김현승시전집』(민음사, 2005)도 있다. 김현승기념사업회가 결성되어 매년 광주에서 김현승 추모사업을 진행하고 있다.

여운교呂運敎(1928.~)는 전남 장흥 출신으로 동시집 『봄 여름 가을 겨울』[101]을 펴냈다. 그리고 동시집 『그리운노래』[102]와 동화집 『아버지의 선물』[103]을 냈다. 1954년 1월 10일 "전화戰禍로 거칠어지고 거칠어진 이 나라의 어린이들에게 무엇을 주어야 하며, 어떻게 그들을 이끌어 나가야 할 것인가를 진지하게 연구하고 토의하는 모임을 가지고자" 창립된 한국 아동문학회 회원으로 중앙의 아동문인들과 함께 활동하였다. 그의 동요 「빗방울」과 「어린이날 노래」는 『한국동요전집』[104]에 실려 있다. 여운교는 서석초등학교 문예부 교사 시절, 시인 문병란을 가르친 은사였다. "4학년 때 광주의 명문 서석초등학교로 전학하여 한글로 글을 쓰고 동시 동요를 지었다. 문예반 특별활동 시간에 문예반 지도교사였던 여운교 선생께서 「가을의 산길」을 보시고 격찬하셨으며 5학년 때 쓴 「고향계신 어머니」라는 동요는 정용상 선생에 의하여 작곡되었다"[105]고 한 만큼 그는 문병란의 문재를 알아보고 광주를 대표하는 시인으로 성장하게 하였다.

그리고 이 시기 또 한 명의 동요·동시 작가로 허연이 있다. 허연은 광주사범을 졸업하고 언론사의 신문기자로, 문화부장으로 바쁜 나날을 보내면서도 어린이들을 위해 헌신했다. 그는 동요동시집 『새싹』을 냈다. 『새싹』[106]은 총 3부로 1부 '장에 갔어요'에는 15편, 2부 '일어나라'에는 11편, 3부 '물장수 할머니'에는 17편으로 총 43편의 동요동시가 상재되었다.

101_ 여운교, 『봄 여름 가을 겨울』, 호남어린이사, 1952.
102_ 여운교, 『그리운 노래』, 향문사, 1956.
103_ 여운교, 『아버지의 선물』, 향문사, 1957.
104_ 『한국동요전집』, 세광출판사, 1981.
105_ 문병란, 「내가 아끼는 나의 시」, 『서은문학 연구소』 참고.
106_ 허연, 『새싹』, 호남공론사, 1954.

어린이 세계는 참으로 아름답습니다.

겨울 동안 잠자고 있던 나뭇가지에서 땅에서 움 터 나오는 새싹은 어여쁘고 그 얼마나 귀여워요 무럭무럭 자라서 가지 가지의 꽃을 피우고 푸른 그늘을 이루면 온 세계는 새로운 노래를 부릅니다. 어린이는 '새싹' 입니다.

아무리 가난한 집에서 태어났다 할지라도 꽃 피울 앞날이 얼마나 든든한 새싹들입니까. 나는 언제나 어린이의 세계가 부러워 아름다운 어린이 동산을 노래 부릅니다. 돌이나 꽃하고도 말할수 있었고 막대기 말을 탄체 마음놓고 동네를 휘갈기고 다니던 때가 참부러워요. 어린이 세계는 참말과 참다운 일밖에 없어요. 온갖 괴로움을 참으시면서 공들여 가르치셨고 언제까지나 어린애같은 아들이 잘되기만 비시는 부모님을 생각하기 위해서도 나는 힘미치는 대로 어린이 마음 세계에 들어가 어린이 노래를 부르면서 참다운 사람이 되고 싶습니다. 여러 어린이 귀여운 '새싹' 나도 자라나는 '새싹' 속에 끼어 주어요.

허연은 어린이를 선망의 대상으로 삼았다. 그 핵심은 "돌이나 꽃하고도 말할 수 있었고 막대기 말을 탄체 마음 놓고 동네를 휘갈"길 수 있다는 것이었다. 그래서 "어린이 마음 세계에 들어가 어린이 노래를 부르면서 참다운 사람"이 되고자 하였다. 전쟁이 휩쓸고 간 자리에 꿈과 희망을 주고자 어린이를 '새싹'으로 호명하였다. 허연은 〈호남신문〉 문화부장으로 재직하면서 어린이를 위한 지면을 마련하는 등 광주전남 지역의 어린이들을 위한 노력을 아끼지 않았다. 그는 시인으로서뿐만 아니라 〈전남일보〉의 문화부장으로서도 아동문학의 발전에 힘을 보탬으로써 작가들의 성과를 확산하는 데 기여하였다. 이때 〈전남일보〉는 "어린이날의 의의를 더욱 깊게 하고 장차 이 나라의 주인공이 될 어린이들의 지적 교양을 높임으로써 문화백년대계에 기여하고자"[107] '호남어린이 예술제'를 개최한다는 사고를 내고 6월 13일 동방극장에서 첫 행사를 치렀다. 아동극, 글짓기, 사생대회, 무용, 음악 5개 부문이었다. 이때의 심사위원은 허백련, 오지호, 김현승, 옥파일 등이었다. 한국전쟁 후의 동심에 적극적인 행보를 함으로써 상처받은 어린이들의 마음을 어루만 지고 동심을 회복하는 데 기여하였다.

이 시기에 잠깐 활동하였던 동시작가로 고재승이 있다. 고재승은 1930년 전후에 광주광역시 남구 이장동에서 출생하여 광주사범학교를 졸업하고 교단에 있었으나 6·25 한국전쟁 때 부역했다는 혐의로 교단 으로 돌아가지 못하고 일찍 작고하였다. 그는 동시집『솟적새 우는 밤』 [108]에 75편의 동요와 동시를 남김으로써 광주 아동문학의 형성에 힘을 보태었다. 그가 일찍 세상을 떠나는 바람에 문학적인 조명을 받지 못했 으나 "세련된 수사修辭로 결코 유치하거나 진부한 동심천사주의가 아닌 현실을 바탕으로 한 지극히 자연발생적인 동시를 산출하"였으며 "안이 한 자세로 쉽게 쓴 시가 아닌 시적 요건을 갖춘 진정한 의미에서의 동 시"[109]를 썼다는 평가를 받고 있다.

김신철金信哲(1933. 9. 8.~2001. 9. 14.)은 1956년에 동시「건져드릴 까」[110]로〈전남일보〉신춘문예에 당선되면서 동요와 동시뿐만 아니라 동화까지 영역을 확장하였다. 1964년부터 1966년까지 글쓰기와 동화

107_〈전남일보〉, 1956. 4. 8
108_ 고재승,『솟적새 우는 밤』, 광주문화사, 1957.
109_ 심윤섭,『문학춘추』, 1999. 가을.

를 지도하기 위하여 광주전남 지역의 835개 초등학교를 순회하는 등 아동문학의 발전을 위하여 노고를 아끼지 않았다. 그는 차원재, 박석창 등과 함께 〈전남일보〉에 동시를 발표해 나갔다.[111] 박석창은 임학송과 함께 낸 2인 시집 『시든 영산홍』[112]에 그동안 발표한 동시 14편을 묶었다. 차원재도 〈전남일보〉에 동시를 연재하는 등 동요동시 문단의 발전에 기여한 바 크다. 그 덕분에 광주에서 아동문학가들은 역동적으로 활동했다.

한편 〈호남신문〉은 어린이들을 위한 지면을 크게 확대하여 〈호남 어린이 신문〉을 섹션으로 발행할 정도로 동심에 심혈을 기울였다. 당시 문화부장이었던 시인 이해동의 노력이 있었고 〈전남일보〉는 허연이 문화부장으로 재직한 시기에 어린이란을 확대하였다. 뿐만 아니라 다양한 아동물을 게재함으로써 어린이들의 문화적 역량을 키웠다. 이때 최상옥[113]도 신생보육학교를 맡아 운영하면서 동심에 귀를 기울였다. 동화집 『꽃씨뿌리는 마음』과 『최상옥동요집』[114]을 발간하였다. 1953년 어린이

110_ "어머나 달 아가씨 어찌하다가/뒷동산 옹달샘에 빠져버렸나/조리로 조심조심 건져드릴까/함박으로 조심조심 건져드릴까//어머나 샛별도령 어찌하다가/뒷동산 옹달샘에 빠져버렸나/두손으로 조심조심 건져드릴까/신작으로 조심조심 건져드릴까"(김신철, 「건져드릴까」 전문)

111_ 그는 동요동시집 『장미꽃』(향문사, 1956)과 『은하수』(향문사, 1957)와 『코스모스』(교학사, 1963) 등을 발간하였다. 그는 전남 아동문학회회장과 한국아동문학회 부회장, 월간 아동문학사 회장 등을 역임하였고, 전남도문화상과 한정동 아동문학상 등을 수상하였다. 이 외에도 그는 5권의 동화집을 남겼다.

112_ 박석창, 임학송 『시든영산홍』, 향문사, 1957.

113_ 최상옥의 부친은 〈동아일보〉 편집국장이었던 최원순이며, 어머니는 광주 최초의 여의사인 현덕신이며, 최상옥의 아들은 조선대 미대학장을 지낸 화가 최영훈이다. 이 동요집의 표지화는 최영훈이 그렸다.

114_ 최상옥, 『최상옥동요집』, 신생보육학교 (출판일의 표기가 없어서 출판 시기는 알 수 없다. 현덕신이 설립한 신생보육학교의 첫 졸업생 1957년 2월 23일에 배출했으니 시기도 그 즈음으로 추정된다.)

날을 계기로 아동문학의 활성화는 현장 중심으로 뛰어들었다. 이들의
활동은 1960년대 들어 두각을 나타냈고 1961년 전남아동문학연구회를
창립하여 초대회장에 최상옥, 부회장에 허연, 총무에 조성원이 헌신했
다. 그 후 1967년 3월 김신철이 창립한 호남아동문학회와 통합하여 전
남아동문학회가 되었다.

『초점』시 동인회와 시화전

1950년대 광주는 문학의 도시였다. 특히 시문학을 중심으로 작품활
동이 활발하였고 동인지도 생겨나게 되었다. '초점시동인'도 그때 결성
되었다.

> 시를 즐겨 쓰고 차를 좋아하는 친구 몇 사람이 다방에 앉아 우연히 이
> 루어졌는데 어느날 판문점다방에서 김평옥, 이경인, 임학송, 세 사람이
> 앉아 차를 마시다가 임학송이 불쑥 항상 만나서 커피만 마실 것이 아니
> 라 시를 한 편씩 써 가지고와 서로 돌려 읽어보고 토론도 해 보는 게 어
> 떻겠느냐고 제안을 했다. 그래서 그게 좋겠다고 합의한 끝에 우리는 만
> 나는 족족 시 한 편씩을 써 가지고 와 돌려 읽곤 했다.
> 그러던 어느날 이경인이 "이렇게 아니라 시 쓰는 친구 몇 사람 끼워넣
> 어 시동인회를 만드는 게 좋겠다"고 발언을 하자 거참 좋은 생각이라고
> 찬동을 했다.[115]

115_ 이경인, 「초점시동인 – 광주전남 최초의 시화전」, 『문학춘추』, 2005. 33쪽.

'시를 즐겨 쓰고 차를 좋아하는 친구'들인 초점시동인은 "김평옥은 조선대 철학과 교수, 김악은 남전의 영업주임, 이경인은 호남신문 문화부장, 조성원은 서석초등학교 주임교사, 최인수는 고등학교 국어교사, 박석창은 전남일보 문화부장, 임학송은 조선대 대학원 국문학 전공 중, 고철은 호남신문사 기자"였다.

이경인은 '시 쓰는 친구 몇 사람 끼워넣어 시동인회를 만'들자고 한 장본인으로 초점시동인 결성에 결정적인 역할을 하였다. 『초점』시동인의 발족을 기념하는 낭독회를 1956년 8월 10일 여의주다방에서 문총전남지부와 재광 삼 신문사와 광주방송국 후원 아래 개최하였다.[116] 초점시동인들은 '아카데미다방'에서 자주 만났으며, 〈전남일보〉 주최, 광주사범대 학후원으로 광주전남 최초의 시화전을 신성다방에서 열기도 하였다.[117] 당시 신성다방은 박용철의 미망인인 임정희 여사가 경영하고 있었다. 신성다방은 광주의 문인, 화가들의 아지트였다. 시화전의 그림을 그린 화가들은 오지호, 양수아, 박래현, 조복순, 강용운, 배동신, 박행남 등으로 광주화단의 중심인물들이었다. 이 시화전은 전남에서는 처음 열린 시화전이었지만[118] 신성다방의 벽을 다 메꾸고도 남을 정도였으며 시화전 작품은 모두 매진되었다.[119]

향토문화의 창달을 위하여 결합된 초점시동인은 첫째 생명의 가치추

116_ 〈전남일보〉, 1956. 8. 9.
117_ 이 시화전은 〈전남일보〉 주최, 〈광주사범대학〉 후원으로 추진되었으며 그림은 광주사범의 김인규가 맡아주었다는 이해동의 회고와 그림은 각자 알아서 해결하기로 하였다는 이경인의 회고에 다소의 차이가 있다. 그리고 이경인은 초점시동인회의 시화전으로 회고한 반면 이해동은 〈호남신문〉을 그만두게 되어 고별시화전을 연 것으로 회고하고 있다. 이런 차이에도 불구하고 시화전이 신성다방에서 열린 것은 분명한 사실이다.

구를 위한 하나의 봉화라고 할 수 있다. 오로지 인간을 위한 실존의 감격을 가지고 모순에의 항거와 불퇴전의 예술혼을 문자 그대로 '초점'에 집결시켜 미력이나마 굳굳이 정진할 자세를 갖추고 있는 것이다.[120]

　"향토문화의 창달을 위하여" "생명의 가치추구를 위한 하나의 봉화"가 되고자 했던 초점시동인은 "인간을 위한 실존의 감격을 가지고 모순에의 항거와 불퇴전의 예술혼"으로 시화전을 열었다. 그것을 계기로 1958년 가을 '초점시동인'[121]은 전북의 '전북시인회'와 공동으로 황금동 콜박스 아래의 '2호실다방'에서 합동시화전을 개최하였다. "이 시화전에는 전북 대표로 고은 등이 참여했으며 전남 대표로는 이해동, 이경인, 최인수, 김평옥, 김악, 임학송, 박석창, 김현석, 고철 등 모두 20여명이 40여 점의 작품을 출품하여 대성황을 이루었다."[122] 『초점』시동인의 시화전이 문단사에서 중요한 것은 이후 대학이나 중고등학교의 문화행사가 되는 이정표 구실을 했기 때문이다. 『초점』 시동인은 김악의 제안에 의해 1957년 3월에 발족하였으며 회장은 김평옥, 부회장은 이경인이 맡았다. 김악은 "6·25 한국전쟁 때 한동산 입산했다가 하산한 사람으로 작품 제목이 「백골白骨의 시」였고 전란의 와중에 자신이 몸소 체

118_ 광주전남출신의 문인들이 연 최초의 시화전일 수는 있으나 이미 1956년 7월 16일부터 1956년 7월 23일까지 군산의 토요동인 주관, 호남의 삼 신문사의 후원으로 자매다방에서 열린 적이 있다. 군산에서 전시한 후 순회전시를 한 것이다. 「시화전에 화제 집중」, 〈전남일보〉, 1956. 7. 18. 참조
119_ 이준행, 앞의 글, 87쪽.
120_ 김평옥, 「새로운 文學精神의 武裝 – 초点同人詩畵展에 際하여」, 〈전남일보〉, 1956. 9. 30.
121_ "초점시동인들의 시 경향은 대체로 정서가 담긴 순수한 것이 못되었다. 부조리한 세태를 풍자하는 어쩌면 반사회적이요, 현실비판적인 측면이 농후했다" (이경인, 위의 글, 94쪽.)
122_ 이준행, 앞의 글, 87쪽.

험한 것을 시로 형상화한 작품"[123]을 전시하였다.

김악金岳(1917. 10. 15.~1973. 4. 5.)은 본명이 김흥수金興洙다. 광주보통학교와 광주서중을 졸업하였다.[124] 광주서중에서 야구부 코치와 감독을 지냈으며, 해외 원정경기를 다녀온 국가대표 선수로도 활동했다. 1946년도에는 광주서중의 야구부 감독으로 야구단을 이끌었다.[125] 뿐만 아니라 그는 일본 동경미술학교로 유학을 다녀왔다. 일본 동경미술학교에서 유학 중 결혼하여 귀국함으로써 대학을 중퇴, 오지호 화백과 자주 무등산에 올라 그림을 그린 것이나[126] 추상미술의 선구자인 광주사범의 양수아와 함께 1951년 호남예술위문단의 일원으로 지리산에 입산했다가 하산할 만큼 양수아와는 각별한 관계였다.[127]

그는 『신문학』에 작품을 발표하면서 동인활동과 병행하여 지방의 신문에 작품들을 발표하면서 시작활동을 활발하게 했다. 김악의 시들은 크게 전라도에 대한 사랑으로 일관된다. 고향에 대한 그의 애착은 전라

123_ 이경인, 「초점시동인회– 이 고장 최초로 시화전 전시–」, 『광주전남 문단 동인사』, 한림, 2005, 94쪽.

124_ 광주일고에 확인한 결과 광주고등보통학교 학적부는 6·25때 소실되어 확인할 수 없었지만 총동창회명부에 13회 졸업생으로 기록되어 있어 광주고등보통학교를 졸업한 것이 확인되었다. 편의상 광주서중으로 기술하기로 한다.

125_ 광주제일고등학교·광주제일고등학교동창회, 『광주고보·서중·일고 80년사』, 2003, 726~729쪽.

126_ "지산동의 오화백 댁은 무등산의 서록에 자리한 초가 삼간으로 추라하기 이를 데 없었다. 민혁이 맨 처음 이 집을 찾은 것은 김악 시인과 동행했을 때다. 그후 김시인은 옥사하고 말았지만 해학이 남다른 시인이었다. 높은 토방머리에 올라 작은 술상 마루에 오화백을 빙 둘러앉아 풋고추에 막걸리잔을 기울였던 기억이 새삼스러웠다." 안도섭, 『방황의 끝』, 은혜미디어, 1996, 159~160쪽.

127_ 딸 김경희는 "사상적인 문제로 지리산에 있었다기보다는 다치고 아프고 배고픈 이들을 그냥 두고 올 수 없었다고 자주 이야기하였다. 아버지는 언제나 모든 사람은 평등하다고, 어렸을 때 집안 일을 거들던 이들에게도 공부를 가르쳐 주었으며 그들이 해야 할 일들을 우리들에게 시켰다. 아버지는 그런 분이다. 그것은 사람은 모두 평등하다는 가르침이었다. 술을 마시고도 항상 같은 이야기였다."고 한다.

도의 사상과 감정에 대한 내밀한 감응을 포착하고 있다. 시의 제목들만 보더라도 그가 얼마나 '전라도'에 천착하고 있는지[128] 선명하게 드러난다. 『영토』[129]와 『키르쿡크의 석유』[130] 두 권의 시집을 냈다. "반골기질이 강한 김악은 시를 써온 지 삼십여 년 – 이른바 추천이니 현상이니 하여 등장하는 중앙문단과는 담을 쌓고 혼자 시집을 내는 것으로 자족하는 시인이었다.

김악 무등산에서 자녀와 함께

(중략) 그는 문단이라는 것과는 등을 돌리고 시를 쓰는 고집스러운 시인이었다. 그는 평소 문단 무용론을 주장했다. 문단이라는 것이 잡지나 무슨회를 만들어 끼리끼리 상 나눠 먹기, 무슨 특혜 해가며 흉하게 돌아가는 꼴을 아예 보기 싫"[131]어 했다.[132]

그는 '향토의 시인'[133]이었다. 그는 「전라도사람들」이라는 시를 통해서 전라도 사람들은 "억세게 죽지 않는" "모진 기아속에서도" "육피를

128_ 김악의 두 번째 시집 『키르쿡크의 石油』는 6부로 구성되어 있으며 23편의 시가 실려 있다. 『키르쿡크의 石油』의 출판 기념회는 1959년 6월 12일 전일회관에서 개최되었다. 전남일보의 기사는 "아직 전남 문단이 불모의 상태에 있을 때 시집 『영토』를 발간하여 많은 시학도들에게 刺戟을 주고 계속해서 꾸준히 정진해 온 우리 향토의 시인 김악 (…)세계의 관심을 집중케하고 있는 시대적 상황 속에서 세계인으로서의 건전한 호흡을 하면서 향토를 사랑하는 진실한 정신으로 엮어낸 시집"이라고 적고 있다.

129_ 김악, 『키르쿡크의 石油』, 동원사, 1959.

130_ 김악, 『領土』, 동해당, 1956.

131_ 안도섭, 『방황의 끝』, 은혜미디어, 1996. 115쪽.

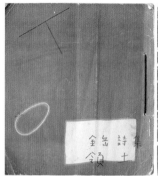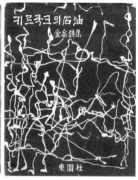

김악 시집 『영토』, 『키르쿠크의 석유』 그의 시들은 크게 전라도에 대한 사랑으로 일관된다. 고향에 대한 그의 애착은 전라도의 사상과 감정에 대한 내밀한 감응을 포착하고 있다.

들어내고도""엄동설한속에서도" 기어이 살아온 사람들로 표상하였다. 그는 "나의 어머니-/조국이여/오늘, 사특한 耆를 버리기 위하여"(「조국」) "힛트러-의 것도 제국주의의 것도/더군다나 독재주의의 것도/아닌 너도 너도 아닌/아득한 날부터 부르짖었던 우리의 것"(「그날이 오면- 八·一五에 부치는 노래」)을 목 놓아 부르기도 했다. "그의 작품에는 불의를 보고 참지 못하는 '레지스탕스 정신'이 깃들어 있"고, 그의 시는 "피와 대결의 시"[134]였다. 김현승의 제안으로 동인지 '시인지대'를 결

132_ 그는 1970년 어느 날 행방불명되었는데 서대문형무소에 수감되었다가 대전교도소로 이감되었다. 안도섭에 의하면 주로 술에 의지하고 살았는데 그의 단골 술집인 '진주집'에서 합석한 사람이 정보원인 줄 모르고 그동안 썼던 대학노트를 보여주었다가 바로 수감되게 되었다고 적고 있다(안도섭, 「시인의 죽음」). 여러 증언과 정황으로 보면 그는 불의와 타협하지 않았던 사람인 듯하다. 박흡은 그를 '진보성향의 시인'이자 의리의 사나이로, 그리고 박정희 정권 당시 미발표 시를 압수당한 것으로 기억하고 있다.

133_ 박흡, 「키르쿠크의 석유와 애향시인 김악-잡초같이 모질게 살려는 의지」, 전남일보, 1959. 6. 13.

성하고 작품을 모았는데 발간을 앞두고 전쟁으로 인해 작품이 분실되어 무산되었지만 "그 동인지가 출판되었다면 전남 최초의 동인지였을 것이다."[135] 그때 참여한 시인은 김현승, 박흡, 이동주, 심인섭, 김악, 강대경, 박기동, 박정온 등이다.

　이경인李耕人(1927. 4. 20.~2007. 1. 3.)은 〈전남일보〉에서 기자로 첫발을 내딛었고, 1955년 2월부터 〈호남신문〉으로 자리를 옮겨 1956년 2월 교정부장으로, 1957년부터 1962년 8월 31일 〈호남신문〉이 폐간될 때까지 문화부장으로 재직하였다. 그리고 1969년부터 (1971년 8월 3일부터) 〈전남매일신문〉 논설위원으로 1981년 11월 29일 종간일까지 논설위원으로 재직하였다.[136] 또한 〈전남매일신문〉논설위원으로 재직하는 동안 전남매일신문사 부설 전매통일문제연구소 자료조사역도 겸임하였다.[137] 〈전남일보〉와 〈전남매일신문〉이 5공화국의 강제통합조치에 의하여 〈광주일보〉로 통폐합되면서 이경인은 1982년 광주일보사에서

134_ 임학송, 「피와 대결의 시-『영토』를 내신 김악 형님께」, 〈전남일보〉, 1957. 2. 10. 임학송은 조선대학교 대학원을 졸업하고 전남일보에 근무하였으며 문공부 국립영화제작소 감독과 KBS TV드라마 연출가, 서울예술대학교 방송연예과 교수를 역임하였다. "조그마한 영토 위에 그래도 싸움은 계속하고 있었습니다. 날카로운 절규와 그리고 창칼이 부디치는 금속성 소리며-며칠간을 까마-득하게 먹을 것을 잊어버린 초라한 전사의 모습과 사체로 배를 채우던 적과 가마귀떼들만이 눈부시도록 하늘을 날고고저 쪽 강변에 대진하고 있을 따름입니다. 마음 약한 '떼끼촌'의 아가씨들은 그리운 그 님이 돌아오길 기다리고 옷고름에 눈물을 남몰래 닦고 울타리 넘어 기다리디 지친 눈빛을 세울 때가 한두 번이 아니었습니다 (…) 이제 낡은 비극은 끝났습니다. 새로운 비극 – 그것은 희극일런지도 모르겠습니다 – 만이 남아 있습니다. 끝끝내 '대결' 하다 쓰러지면 피를 흘리며 '콩크리트' 바닥에 '시'를 적던 악형님, 삶과 인생과 그리고 숙명이란 원수를 앞에 놓고 '대결'이라는 반항을 계속하고 정열에 원놈을 불사르면서 굽히지 않는 의기를 우리도 배워야겠습니다."

135_ 박정온, 「해방공간 – 6·25 전후의 광주·목포의 문인들」, 『광주전남문학동인사』, 한림, 2005. 72쪽.

136_ 광주전남언론인동우회, 『광주전남언론사』, 삼화문화사, 1991. 382~442쪽.

137_ 광주전남언론인동우회, 『광주전남언론사』, 삼화문화사, 1991. 420쪽.

이경인과 그의 시집 『생명의 분류』 이경인은 광주전남 지역의 문화의 텃밭을 놓은 주역이자 문단의 숨은 공로자였다.

정년을 맞이하고 퇴직하였다.

 그가 〈호남신문〉의 문화부장으로 재직하며 첫 번째 한 일은 박봉우의 소설 「백조의 연가」를 연재한 것이다. 그리고 독자와 학생문예원고를 모집하였으며 한편으로 「호남어린이란」을 문화면에 넣기도 하였다. 이어 단편 소설 릴레이를 시작하였는데 임병주의 「안개속의 별」, 승지행의 「목과」, 임수일의 「각혈」, 이문희의 「광인무」를 연재하면서 문화면을 풍부하게 장식하였다. 또한 김금남의 「소요의 길」, 이해동의 「수박과 여치」, 임병택의 「물」, 서태관의 「매미와 여치와 개미」, 정소파의 「태양에의 대결」, 정봉래의 「번하희제」 등의 수필을 연재하였다. 뿐만 아니라 각 학교와 직장문예를 연재하였고, 해외작가들의 단편소설을 연재하기도 하였다.[138] 한 사례로 시인 고은이 자주 찾아왔던 일화를 보면 알 수

138_ 광주전남언론인동우회, 『광주전남언론사』, 삼화문화사, 1991. 173~177쪽.

있다.

초점시동인의 시화전이 있은지 서너달 뒤 허연과 함께 승복을 입은 30세쯤 되어 보이는 젊은 중이 신문사로 나를 찾아왔는데 허연이 나에게 인사를 시켰다. 차 한 잔 하자기에 다방으로 갔었다. 고은이 동광사(東光寺)에서 수행을 하고 있는데 문학수업을 하고 있다는 허연의 소개 말이었다. 이윽고 세 사람은 선술집에 가서 막걸리를 마시고 헤어졌다.

이틀 뒤 고은이 신문사를 찾아와 시 2편을 써왔는데 검토를 해서 웬만하면 신문지상에 실어달라는 것이다. (중략) 이튿날 그의 시를 읽어보았다. 「산사의 종소리」였던가 싶은데 간결하지는 못하나 표현기법이 특이한 데가 있었다. 그래서 문화면에 실어주었다.

그러자 이튿날 또 찾아왔다. 우리는 예의 애꾸눈 집으로 갔다. (술집 여주인의 눈이 사시여서 그렇게 불렀다) 웬만큼 술기운이 돌자 중답지 않게 입담도 좋았고, 남녀간에 얽힌 와이담(외설)도 잘했다. (나는 마음 속으로 저런 사람이 어떻게 행자가 되었으며 중다운 중노릇을 할 수 있을까 생각해 보았다 -그 후 환속하고 말았지만) 고은 그는 자주 신문사로 나를 찾았고, 그 때마다 두어 편씩 시를 써 가지고 왔다. 그때마다 신문에 내 주었는데 한번은 '이(虱)(몸 속의 작은 벌레)라는 시를 써 가지고 왔는데 괴상망측한 시제였으나 표현은 제법이었다.[139]

시인 고은이 시를 들고 그를 자주 찾아왔다. 그가 문화부장이자 시인

139_ 이경인, 「초점시동인 – 광주전남 최초의 시화전」, 『문학춘추』52, 2005. 9. 37~38쪽.

으로 분명한 위치에 있었음을 확인시킨다. 고은이 등단하기 전으로 "간결하지는 못하지만 표현기법이 특이"했고 "표현은 제법"이었다고 평가했다. 그의 평은 지금도 여전히 유효하다. 이경인은 이때 고은이 시인으로 대성할 것을 알아차린 것이다. 그래서 시를 들고 찾아오는 대로 실어주었고, 그 혜안대로 고은은 서정주의 추천을 받아 등단하여 대한민국을 대표하는 시인이 되었다. 이경인은 그만큼 작가들에게 작품을 발표할 수 있는 지면 할애에 신경을 썼다. 그는 광주전남 지역에 문화의 텃밭을 놓은 문단의 숨은 공로자이기도 하다. 그는 1957년 시집 『생명의 분류』을 낸 시인이자 수필가였다.[140]

중앙문인과 광주문인, 문학좌담회

전남일보사가 주최한 좌담회 '중앙중진中央重鎭과 재광在光 문인文人과의 문학좌담文學座談'에서 중앙의 문인대표들과 지방의 문인대표들은 외형적으로는 동등하고 평등한 발언권을 갖고 합리적이고 객관적인 담론공간에서 만났다. 그러나 평등한 발언권을 가졌지만, 중앙문인들이 좌담회의 주도권을 장악하고 있기 때문에 그 자체로 종속관계가 될 위험성이 존재했다. 특히 당대를 대표하는 중앙의 문학인일 경우에는 그들이 가진 헤게모니가 집단으로 표출되는 장이 될 위험성은 더욱 높다. 1957년 12월, 전남일보사가 주최한 문학좌담회 참가자는 다음과 같다.

140_ 한국문인협회 전남지부의 부회장을 역임하기도 하였다. 이경인은 시집 『生命의 奔流』외에 시론과 수필집 『그날의 氣流』(세종출판사, 1983)가 있으며 편역한 『삶의 바른 길』(교문출판사, 1984)과 『바른마음 바른행실』(교문출판사, 1988) 번역서로 『두뇌가 건강해야 오래 산다』(동원출판사, 1995) 등이 있다.

중앙문인단측 박종화(예술원장), 김동리(작가), 오영수(작가)[141]

　　　　손소희(작가)[142], 한말숙(작가)[143], 김양수(평론가)[144]

　　　　천상병(평론가)[145], 윤병로(평론가)[146]

재광문인측 김현승(시인), 장용건(극작가), 박흡(시인), 허연(시인)

본사측 김남중(사장), 이원기(편집국차장), 이해동(문화부장)

사회 이편집국 차장

때 구뇌 십육일[147]

곳 오두막 이층

　먼저 좌담회에 참석하고 있는 중앙문인측을 보면 문학판의 헤게모니를 장악하고 있는 문학인들이다. 특히 예술원 원장인 박종화, 김동리의 참여는 좌담회의 성격을 한눈에 엿볼 수 있는 중요한 단서다. 이들이 행

141_ 오영수(1909. 2. 11.~1979. 5. 15.)는 1954년 『현대문학』 창간 당시의 편집장이었으며 『현대문학』의 소설부문 추천위원이기도 했다.

142_ 손소희(1917. 9. 12.~1987. 1. 7.)는 한국전쟁시 부산에서 피난 시절부터 김동리와 동거하였으며, 이후 결혼하였으니 좌담회 당시 이들은 부부였다. 이호철에 의하면 손소희는 동거 당시 남편이 있었던 기혼녀였으며, 김동리의 본처가 이들의 동거 사실을 알고 부산이 시끄러웠는데 부산중앙일보가 특종보도 하였다. 후에 손소희는 "대구로 증발해 버릴 채비를 한창 하고 있을 때 부산 바닥을 송두리째 깨 버릴 수 있을 정동의 폭발물이 터졌다. 그 기사는 20%의 사실에 80%의 픽션이 섞여 우리의 결합을 세상에 광고해준 격이 었다.… 그것은 나와 김동리씨 결합이 가져다 준 보상이었고 형벌이기도 하였다"고 소회를 밝혔다고 한다. (이호철, 「이호철 문단골 60년 이야기」, 〈한국일보〉, 2011. 5. 17.)

143_ 한말숙(1931. 12. 27.~)은 1957년 4월 『현대문학』에 「神話의 斷崖」를 김동리가 추천하여 등단하였다. "그 시절 여성작가가 손꼽을 정도로 적었고, 문단에서 『현대문학』의 권위는 대단했다. 쟁쟁한 작가들이 그 문예지를 장식하고 있었다. 조연현 선생님은 평론가이며 그 문예지의 주간이었고, 김동리, 황순원, 오영수 선생님이 소설 부문 추천을 맡고 계셨다. 선생님들은 신인들을 아낌없이 격려해 주셨다."(한말숙, 『사랑할 때와 헤어질 때』, 솔과학, 2008)는 한말숙의 회고에 『현대문학』을 중심으로 움직이는 문단 권력의 한 단면을 엿보인다. 그녀의 남편은 가야금 명인 황병기다.

144_ 김양수는 1955년 『현대문학』에 「랭보전」이 추천 완료되어 등단하였다.

광주 문인들과 함께(1950년대) 왼쪽 세 번째 김현승, 네 번째는 김남중. (조선대 박물관 제공)

사하는 문학권력의 자장이 지방에까지 미쳤다는 것을 좌담회 내용을 통해 확인할 수 있기 때문이다. 한국전쟁이 치열하게 전개되던 시기의 광주전남 지역문인들의 '호남문학을 말하는 좌담회'로부터 약 6년이 경과한 후에 중앙과 지방의 문인들이 한자리에서 문학좌담회를 연 때는

145_ 천상병(1930. 1. 29.~1993. 4. 28.)은 1952년 『문예』에 「강물」, 「갈매기」가 추천되어 문단에 등단하였다. 『문예』의 창간 당시 주간이 김동리였으며 편집장이 조연현이었다. 김동리가 〈서울신문〉으로 자리를 옮겨 편집고문직에 있었고 조연현이 주간을 맡았기 때문에 천상병이 이 좌담회에 참석한 것은 자연스러운 것이었다.

146_ 윤병로(1935. 5. 28.~2005. 12. 15.)는 1957년 『현대문학』에 「리얼리즘의 현대적 방향」으로 추천완료 되어 문학평론가로 등단하였다.

147_ 1957년 12월 16일을 일컫는다.

전후 충격에서 벗어나 복구에 총력을 기울이면서 안정을 찾기 시작한 때이다.

문학좌담회의 주제인 '중앙중진과 재광문인과의 문학좌담'에서 확인되듯이 보이지 않는 권력관계가 좌담 이전에 이미 작동한다. 전남일보의 사장은 모두 발언에서 "민족문학의 진로"와 "지방문학의 대중화", 그리고 "파벌적 문단" 등 당시 한국문단이 안고 있었던 제 문제를 거론하면서 "한국문단이 필시 광주에 이동"된 듯하다고 큰 의미를 부여하였다. 이때의 '중앙'은 지역의 상대적인 공간이 아닌 헤게모니를 쥐고 있는 것을 지칭하는, '한국문단'을 통칭하는 '중앙'이었다.

이 좌담회가 광주에서 열렸던 만큼 중앙문학과 지역문학 담론이 생략될 수는 없었다. 비가시적으로 작동하는 중앙문단의 자장과 상대적으로 먼 거리에 위치에 있는 지역문단의 문제가 그것이다. '문학에 있어서의 지방과 중앙과의 관계와 추천제'는 '중앙의 추천지에 가까운 사람일수록 추천이 빠르다'는 세간의 떠돌이 담론을 공적인 장에서 논의하게 만들었다. 『현대문학』과 『자유문학』이 추천제를 통해 시인들을 배출하고 있던 시점이었고 그것이 계속 유지되는 상황에서 『현대문학』지가 만부 이상을 돌파하여 기록을 올리고 있는 것을 새삼 확인시키고 있는 것은 권력의 작동을 멈출 수 없다는 것으로 읽힌다. 이는 좌담회에 참석하고 있는 중앙의 신예들인 천상병, 한말숙, 윤병로, 김양수, 윤병로가 『현대문학』 출신이라는 점과 같은 맥락에 있다. 중앙문단의 새내기들을 대동하고 좌담회에 참석한 것은 이들에게 문학판 권력이 '문협'을 중심으로 작동하고 있다는 것을 재차 강조하는 것으로 보인다.

전남일보사가 주최한 이 문학좌담회가 끝나고 난 이후 광주전남의 지역문학은 『현대문학』쪽으로 중심축이 기운다. 특히 1958년과 1959년에 집중되고 있는데 문학좌담회에 대한 중앙문인들의 투고가 이어지는 것도 같은 맥락이다. 박종화는 「3·1정신과 민족문화의 진로」[148]를, 윤병로는 「단체와 동인운동의 전망」[149]이라는 글을, 이철범은 「한국시인의 동향」[150]을 발표하였다. 더불어 연말에 진행한 「문단을 위한 앙-케트」[151]에 김동리, 조연현, 윤병로, 오영수, 박경리, 박재삼 등이 참여하고 있다. 그 이후 〈전남일보〉에는 중앙문인들의 작품이 여러 편 실렸다. 김광섭의 「사천삼백년대四千三百年代의 문화와 기대」[152], 유치환의 「학생극의 장래」[153], 이희승의 「삼일운동과 우리문학」[154], 조지훈의 「초혼가」[155]와 김용호나 양명문 등의 작품들도 여러 편 눈에 띈다. 하지만 집중적으로 중앙문인들의 작품이 게재된 것은 문학좌담회 이후의 일이다. 그리고 광주전남의 지역문학인들이 『현대문학』을 통해 등단한 사례가 많아지게 되었다.

광주문학, 소설가의 등단

광주문학사에서 소설가로 등장하게 되는 최미나崔美娜(1932. 8. 14.~2014. 12. 14.)는 광주에서 태어나 자랐으며 전남여고를 졸업하였다. 1959년 3월 단편 「고개길」이 『현대문학』에 추천되면서 등단하였다.

148_ 〈전남일보〉, 1958. 3. 1.
149_ 〈전남일보〉, 1958. 12. 24.
150_ 〈전남일보〉,1958. 12. 7.
151_ 〈전남일보〉, 1958. 12. 13., 1958. 12. 15., 1958. 12. 17.
152_ 〈전남일보〉, 1956. 8. 15.
153_ 〈전남일보〉, 1957. 1. 1.
154_ 〈전남일보〉, 1957. 3. 1.
155_ 〈전남일보〉, 1957. 3. 1.

추천한 작가는 김동리였다. 그는 추천소감에 "여자로서 감당하기 어려운 체험을 포함한 엄청난 상식과 양지의 벼랑 위에 피는 순정의 꽃…….
이렇게 생각하니 아득합니다. 어차피 금줄에 숯을 달고 태어난 나였으니 칭찬 받는 모든 여성들의 대열에 끼여 침선을 익히고 사례편람이나 통독해서 대가집 들보를 휘고 펴는 맏며느리쯤 되는 것이 호강이었을지 모릅니다. 그렇다고 기복이 심한 나의 운명을 탓하지 않습니다. 나는 애지테숀(Agitation)을 경멸합니다. 천하가 홍동해도 내 뜻을 지키는 그런 신념에서 살렵니다. 그것이 나의 문학적 분만에도 보건이 될겝니다. 새로운 것에 대한 갈망이 누구보다 강합니다. 그러나 포말로 사라지는 새로움보다는 노상 눈익힌 것이면서 언제나 싫증이 나지 않는 것, 이런 것을 구하는 중입니다. 제복을 입었던 나의 푸른 계절에는 선머슴들 틈에 끼여 웅변으로 또박 또박 상을 타기도 했습니다. 우리 편의 시를 제치고 산문은 택한 것도 기왕에 여자의 구실을 못할 바에는……하는 생각이었던지도 모릅니다. 김동리 선생님의 추천을 받았다는 데 무한한 영광을 느낍니다."고 썼다. 그리고 바로 『현대문학』 8월호에 「그림자」를, 1960년 3월 「합류」를 발표하면서 소설가로 본격적인 작품 활동을 하였다.[156]

현재훈玄在勳(1933. 6. 13.~1991. 1. 28.)은 호가 운산雲山이며 광주에서 태어나 광주고등학교를 거쳐 1957년 고려대학교 철학과 재학 중 서울에서 친구의 헌책방 일을 하던 시인 신동엽을 만나 교류하였다. 현재훈은 신동엽과 1959년에 등단하였다. 그는 『사상계』 신인문학상에 단편소설

156_ 본명은 최은례(崔恩禮)이나 남편인 시인 이동주가 새로 '채워진 리본'인 '미나'로 부르면서 필명으로 썼다. 이때 이동주는 송정여중에서 전라북도 이리에 있는 남성고등학교로 전직하여 재직하고 있었다. 1963년에 소설집 『합류』(선명문화사, 1963)를 냈고 전라북도문화상(1963)을 받았다.

현재훈 1959년에 시인 신동
엽과 함께 등단하였다. 동양
방송에서 프로듀서로 근무하
면서 소설을 썼다.

「분노」가 당선되었고, 신동엽도 「이야기
하는 쟁기꾼의 大地」로 〈조선일보〉로 등
단했다. 뜻을 함께한 친구 사이로 문학적
출발에서도 그들의 문학적 지향을 알 수
있다. 현재훈은 동양방송(TBC)에서 프로
듀서로도 근무하면서 소설을 썼다. 그는
「분노」로 문단에 등단한 이후 순문학의 본
령이라는 문예지 『현대문학』에 「기만자」,
『월간문학』에 「낙화」, 『한국문학』에 「부
녀」 등 추리 단편을 꾸준히 발표했다.

그뿐 아니라 평론지인 『서울평론』에
「족적」, 〈여성동아〉에 「목소리」 등 기회만 있으면 추리소설을 발표했
다. 사회파 추리소설의 원형이라고도 불리는 그는 장편 『누가 도요새
를 쏘았나』를 〈스포츠서울〉에 연재하였다. 이 작품을 통해 사회적 모순
에 대한 신랄한 비판과 남북문제를 넘나들어 사회파 추리의 진수를 보
여준 작가로 평가받고 있다. 그 후로 전작소설 「밤」, 「망각의 피안」, 대
하소설 『대석가』 등을 발표했다. 그 외에도 1960년에 단편소설 「환환」,
「묵회설默會設」, 「사자死者의 말」, 「기만자」, 「육교」, 「유적지流謫地」 등 왕
성한 활동을 했다. 1985년에는 12편의 추리소설을 담은 『절벽』으로 한
국추리작가협회의 제 1회 한국추리문학대상을 수상했다. 아래의 글은
1988년 8월 2일 밤 11시, 지리산 입구 쌍계사 계곡의 왕성 초등학교 분
교 한 교실에서추리작가협회의 여름추리학교 제1회 수업이 시작된 첫
날밤, 한국의 추리문학을 강연한 일부이다.

추리소설이 불모지에서 비바람에 시달리다가 오늘밤 이렇게 학교까지 열어 공식 행사를 하게 된 것을 생각하니 너무나 감격스러워 눈물이 나네요. 내가 추리 소설을 처음 문예지에 발표하자 장래가 촉망되는 작가가 왜 천박한 문학 장르에 발을 들여 놓느냐고 소위 순문학 작가들이 추리문학을 비하했을 때 정말 혼자서 눈물을 훔쳤습니다. 그런데 오늘 이런 자리를 우리가 만들었습니다. 추리소설학교가 열렸습니다. 순문학을 무슨 신주단지처럼 모시는 개뼉다귀들아, 들어라. 우리는 이제 추리문학의 깃발을 올렸다![157]

그는 제1회 여름 추리학교가 열릴 때까지 근 30년 동안 혼자서 추리소설을 쓰면서, 추리소설을 문학으로 인정하지 않은 폄훼를 견디어 낸 추리소설의 선구자로 '역량이 모자라는 문학 지망생이 추리소설 나부랭이나 쓴다'는 극단적인 모멸에도 아랑곳하지 않았다.

광주문학과 『학생문예』

한국전쟁 후 대한민국 정부는 국가재건을 목표로 움직였고, 국민들도 국가재건에 적극적으로 동참하는 것을 살아남은 자의 임무로 받아들이는 분위기였다. 한국전쟁을 거치는 동안에도 문예 창작활동이 활발하게 전개된 것과 마찬가지로 국가 재건기의 전후세대들도 전후복구뿐만 아니라 문예창작활동을 활발하게 전개하였다. 특히 광주전남은 타 지역보

157_ 이상우, 「현재훈의 눈물」, 『미스터리』 2012. 여름호.

『학생문예』

다 상대적으로 인민군으로부터 수복이 빨랐다. 때문에 타 지역보다 문예 창작활동이 활발하게 전개되었다. 『신문학』과 『시정신』의 발행에 이어, 광주고등학교 문예부 출신들이 발간한 『영도』의 탄생으로 이어지는 일련의 과정은 한국전쟁 직후 광주지역의 문학적 분위기를 대변해준다. 특히 『영도』는 이 지역 문학청년들에게 큰 영향을 미쳤다. 『영도』는 "젊은 문인들의 문학적 정열을 응집"시켰고, "전남문단의 기린아들"[158]을 키운 동인지였다. 그래서 『영도』는 "그 젊음과 우수한 작품으로 한국시단에 큰 화제가 되었다. 1950년대 중엽 강태열, 정현웅 말고도 박성룡, 박봉우, 주명영, 김정옥 등은 천상병, 김관식 등과 같이 서울 명동의 보에미앙이었다. 그들의 전성시대."[159]였다. 『현대문학』은 『영도』가 창간되었다는 광고를 무료로 실었고, 시인 김정환의 표현대로 "놀라운 센세이션"을 일으켰다.[160] 그들은 김현승이 살고 있었던 수색에 자주 드나들면서 일명 '수색사단'을 형성하여 한국 현대시문학사를 튼튼히 하는 데 기여하였다. 이런 분위기는 학생들에게도

158_ 손광은, 「현대시문학변천사」, 『全南文壇變遷史』, 전남문학백년사업추신위원회, 1997. 148쪽.
159_ 범대순, 「강태열 시인의 귀천」, 〈탑뉴스〉, 2011. 8. 25.
160_ 〈오마이뉴스〉, 2003. 7. 24. (「술을 통해 우주와 교신하는 시인, 강태열」이라는 제목의 기사로 강태열과 5시간의 인터뷰를 기사화 한 것으로 『零度』와 동인들, 친분이 두터웠던 시인들에 대한 평이 함께 실려 있다.)

지대한 영향을 미쳤는데 그것을 확인할 수 있는 자료가 『학생문예』이다. 『학생문예』의 서지사항과 차례를 살펴보면 다음과 같이 정리된다.

『학생문예』 청자문화사, 1959. 10. 15. 편집 겸 발행인 : 김일로

주간 : 김포천

김일로「창간의 말」   **김현승**「시인의 위치와 책무」

이가림「십대의정신분석학」   **윤삼하**「시의 이해」

박봉우「순금의 고독」   **권일송**「로–강씨에게 부치는」

- **시** 양재윤「달무리」   김만선「목숨한톨」   김석돌「혼녀」

  김홍주「강」   윤재성「대리석」   정용환「오후」

  윤현자「종소리」   하이영「가을로 향한 자세」

  김현승「시선후평」   유공희「소설선후평」

  오화룡「나의 시력(직가수업)」

  유 상「실재상황의 해명(작가순례)」

- **수필, 기행, 일기**

  김 설「달맞이꽃」   윤 균「조용한마음」   최 지「희상」

  정선자「색깔없는눈동자」, 「강을 생각하면서」

  전춘옥「비가오면」   박성구「시가」

  이어시「대흥사기행」   민용태「일기초」

- **소설** 김동리「팥죽」   문순태「회오리」   손세민「묘자리」

- **표지화 : 양수아, 내용컷 : 임병성**

『학생문예』는 1959년 10월 15일에 발행되었고 편집 및 발행인이 김일로, 주간은 김포천이었다. 김일로는 언론인으로 문집 『흙과 펜과 내 사랑 광주』[161]가 있다. 김포천金抱千(1934. 3. 31~)[162]은 광주공업고등학

교 교사로 재직하던 1959년 〈동아일보〉 신춘문예에 필명 '김천金天'으로 「발동기」가 당선되었다.

　도대체 감격이란 게 없다. 시시하게만 생각된다. 날씨가 추워서가 아니다. 감정이 식어서가 아니다. 처음 당하는 일이 아니어서 그럴는지도 모른다. 한걸음만 더 내딛었더라면하는 안타까움이 있다. 그러나 답보하는 자신을 스스로 비웃고 싶은 생각은 없다.

　크고 화려한 꽃 한 송이만을 피우게 하려고 평생을 벼르고만 있다가는 마침내 작은 꽃 한 송이도 피우지 못한 채 죽기 쉬울 것이다. 크고 화려한 한 송이 꽃을 피우게 하려면 작은 꽃일지라도 마치 그것이 최대의 것인 것처럼 최대의 노력을 그곳에 아끼지 않아야 할 것이요 또한 그것은 끊임없는 노력이어야 할 것이다. 작품 제작도 마찬가지일 것이다. 위해한 명작 한 편만을 쓰려고 평생을 벼르고만 있다가는 마침내는 졸작 한 편도 남기도 못한 채 타계하기 쉬울 것이다. 작은 작품일지라도 마치 그것이 자기가 생각하는 최대의 작품인 것처럼 최대의 노력을 그곳에 아끼지 않아야 할 것이요, 또한 그것은 「마라톤」이어야 하리라고 생각한다. 이것은 결코 어리석은 자위일 수 없다. 그러나 딱하기는 하다. 좀 더 지독한 비정의 철학이 있어야겠다. 그러나 그것은 오히려 긍정적인 방향일 것이다.

　언젠가 한번은 중량 있는 작품이 생산되리라는 가느다란 희망 속에서 스

161_ 김일로(金一鷺, ~)는 1952년 〈광주신보〉, 〈선남 매일신문〉 기자 능을 거쳤다. 분집으로 『흙과 펜과 내사랑 光州』(한마당, 1986)를 남겼다.
162_ 김포천(金抱千, 1934. 3. 31)은 1951년 광주사범학교와 1955년 전남대 국문학과 졸업하였고, 1950년 〈동아일보〉와 〈한국일보〉 신춘문예에 희곡이 각각 당선되었다. 1963년 광주MBC에 입사하여 광주MBC사장을 거쳐, 광주비엔날레 이사장 등을 역임하는 등 지역사회에 기여하였다.

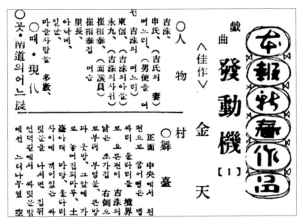

김포천 작품 등단 광주공업고등학교 교사 시절에 필명 '김천'으로
쓴 「발동기」가 〈동아일보〉 신춘문예에 당선되었다.(〈동아일보〉,
1959. 1. 26)

스로 소리 없이 미소해보는 때가 있다. 너무 급히 서두르지 말자. 그러나

더욱 쉬지도 말자.[163]

「발동기」의 심사를 맡은 이해랑은 "처음 신씨와 동리 아낙네와의 대
화가 좀 지루한 감을 주기는 하였으나 연극 전체를 통하여 극적 흐름에
무리가 없다. 최가의 폭력에 억눌린 길수가 집안과 동리 사람들의 금세
터진 듯한 불평과 불안한 저항 등이 여실하였으며 무엇보다도 말없이
고민하던 주인공의 행동이 도도한 크라이막쓰가 정리되어서 막 막음의
극적 분귀기를 잘 살리었다."[164]고 평가하였다.

163_ 김천, 「입선소감―서둘지 말고 쉬지도 말자」, 〈동아일보〉, 1959. 1. 26.
164_ 〈동아일보〉, 1959. 1. 26.

그는 신극운동을 보다 적극적으로 전개코자 시인들을 중심으로 '시인극장' 창립에도 참여했다. 연 4회의 소극장 공연과 연 2회의 대극장 공연을 목표로 하고 10월에 창립공연을 가질 이 단체의 대표는 김용호였고 총무는 신동엽, 섭외는 권용태, 기획은 최일수가 맡았다. 회원으로는 신기선, 임성남, 최현, 박현숙, 김남조, 송혁, 김소영, 안장현, 강태열, 김포천, 강선영, 조순, 박봉우, 박경창, 최불암, 주성윤, 김현직, 노문천, 허연 등이 참여했다.[165] 뿐만 아니라 방송극의 질적 향상을 도모하려는 뜻에서 현역방송작가 7인으로 구성된 '방송극예술연구회' 발족에 참여하여 동인지 『방송극』 1집을 냈다. 김희창, 이호원, 박서림, 정진건, 백전교, 안희복, 김포천이 회원이었다.[166]

이 『학생문예』의 특징은 크게 세 가지로 정리할 수 있다. 첫째는 지역작가들의 작품들이 실렸다는 점이다. 둘째는 학생들의 작품이 발표되었다는 점이다. 셋째는 지역작가들이 작품을 심사하여 학생들의 작품을 장르별로 골랐다는 점이다. 이것은 학생들의 작품을 작가들이 선별하여 실었고, 학생들은 이 과정을 통과하기 위한 문학적 수련을 열심히 하였다는 뜻이며, 지역의 문학청년들이 문학인으로 성장하게 기성문인들이 든든하게 지원하였다는 뜻이다. 실제로 여기에 작품이 실린 문순태와 민용태는 등단하여 문학사와 문단사에 기여한 작가들이다. 김일로金一鷺는 창간사에서 『학생문예』를 창간하는 이유를 썼다.

이 고장 젊은 문학도들이 무등의 기개를 갖고 문학을 통해 세계에 대

165_ 〈동아일보〉, 1966. 9. 3.
166_ 〈동아일보〉, 1967. 11. 16.

든 것이다. 광주학생운동의 맑은 민족혼을 이어받은 전남학도들의 고민이고 사색이고 꿈이고 힘이 뭉쳐오른 것이다. 이 벅찬 새로움에 나의 가슴도 뭉클해진 것을 느끼고 문학의 씨앗을 뿌리고 가는 학도들의 뒤를 따라 보는 것이다. 전남은 허고 많은 새로운 힘을 역사에 빛내어왔다. 지금 또 이고장의 젊음들이 새로운 역사를 향해 씨앗을 뿌리려 나서는 것이다. 나는 기도하는 마음으로 발간에 착수하는 것이다.

발간에 앞서 다만 이 고장을 통해 이 세대에 이 세계에 보탬이 되어야 한다는 욕심 이외로는 빗나갈 수 없다고 다짐해 보는 것이다.

위 글에서 확인되는 것은 "이 고장 젊은 문학도들이 무등의 기개를 갖고 문학을 통해 세계에 대든 것"으로 광주전남 지역의 문학청년들이 『학생문예』의 주역임을 소개하고, 그것을 "무등의 기개"로 추켜세워 문학 활동에 의미를 부여하고 있다. 뿐만 아니라 "광주학생운동의 맑은 민족혼을 이어받은 전남학도들의 고민이고 사색이고 꿈이고 힘이 뭉쳐오른 것"이 『학생문예』이며 "전남은 허고 많은 새로운 힘을 역사에 빛내어" 왔듯이 문학을 통해 "새로운 역사"를 쓰는 통로가 되기를 "기도하는 마음"으로 창간한 것임을 알 수 있다.

표지화를 그린 양수아梁秀雅는 「표지화의 말」을 통해 "우리들의 생활 주변에는 너무나 많은 불화음들이 흔들거린다. 그러나 이 무질서 속에서도 언제나 하나의 순순한 질서들은 존재한다. 또 이 조화되지 않은 우리의 일상들도 우리의 고차적인 정적 작업으로 순화시킬 수 있다. 모든 것들은 미화시킬 수 있는 가능─허지만 그것들은 모두 관조의 세계에서 스스로 몸을 흔들어 스러지거나 또는 하나의 고귀한 체중을 지닌다."고 썼다. 지역의 문단과 화단이 함께 지역의 청년들을 위하여 함께 고민하였음을 보여준다.

　　문학에 뜻을 둔 고등학생들끼리 조그만 모임을 진즉 하나 가져보고 싶
었던 것이 이번에 여러 학생들의 꾸준한 염원과 여울러 문학동호인들의
아낌없는 뒷밀음을 얻어 비로서 열매를 맺게 되었는바 '학생문학회'라
이름했습니다.
　　우리가 이러한 모임을 갈망하게 된 것도 문학이야말로 가시만이 엉킨
장미 줄기에서 소담스러운 꽃봉오릴 꿈꾸는 마음일 것이며 또한 늘 낙반
하는 감정의 심연에서 가을하늘처럼 맑고 푸르른 감정의 균형을 잡으려
는 노력이며 보람을 놓쳐버린 삶의 길 위에서 한줄기 광명을 더듬어 화
안한 자리에 서려는 그 마음이 불꽃처럼 타오르기 때문입니다.

「학생문학회를 조직하면서」라는 이 글에는 학생들이 자발적으로 모임
을 만들었다는 것을 알 수 있다. 그리고 고등학생들끼리 모임을 만들었는
데 '학생문학회'라 이름 하였고, 여기에는 '문학동호인들'의 후원이 있었
다는 것을 알 수 있다. '문학동호인들'은 『학생문예』 창간호에 글이 실려
있는 문학인들을 지칭한 것으로 보인다. 김현승과 오화룡, 박봉우, 윤삼
하, 권일송 등이 여기에 해당한다. 그리고 작품이 실리지는 않았지만 '시
부'와 '산문부'의 지도위원들도 '문학동호인들'이라고 할 수 있다. 「원고
모집규정」을 통해 시, 소설, 평론, 희곡, 수필 등 5개의 장르에 걸쳐 원고
를 모집하였다는 것을 알 수 있다. 또한 투고할 수 있는 자격은 '도내에
거주하는 대학생 및 고등학생'으로 한정하고 있어 광주전남 지역의 문학
인을 육성하고자 하는 의도로 발행하였다는 것을 알 수 있다.
　　학생들이 자발적으로 문학회를 조직하려는 움직임을 알고 교사들이

유공희와 그의 문집 『물 있는 풍경』. 실존주의에 대한 유공희의 강의를 들은 문순태는 실존주의와 죽음에 대한 내용의 단편을 쓴다.

학생들과 함께 '학생문학회'를 조직하는 데 일조하였는데 그것이 『학생문예』 창간으로 이어진 것을 알 수 있다. 이는 1950년대 초반의 광주전남 문단의 분위기를 이어받은 학생들이 문학적 연대를 통해 "서로의 작품세계를 배우고 더 나아가서는 참된 문학의 의미를 찾으려는" 노력으로 평가된다. 1950년 후반 광주전남의 지역문단, 특히 광주문단의 분위기를 잘 보여주고 있다.

　학생들의 문학회 활동이 구체화된 『학생문예』는 작품 발표의 장을 마련하는 것에 1차적인 목적이 있었다. 당시 광주고등학교 3학년이던 문순태는 소설 「회오리」를 발표하였다. 간단하게 내용을 정리하면, 교도소 수감자인 '나'와 이감온 수감자인 '고수머리'의 수감생활이 서사의 맥으로 수감생활 중 '고수머리'가 생을 마감하고 '나'도 이감되는 이야기다. 광주고등학교 국어교사였던 유공희는 「소설선후평」에서 문순태의 「회오리」에 대해서 "이 작품의 핀트가 어디에 있는지가 분명하지 않다. 싸르트르의 어떤 작품을 연상시키는 감방안의 기묘한 생활, 어처구

니가 없는 '고수머리'의 죽음 그리고 형무소에로의 이동, 달리는 트럭 뒤에 일어나는 부우연 먼지- 이런 것들을 통해서 인생의 무슨 부조리를 암시해보려고 한 것인가? 내 생각으로는 '고수머리'가 죽은 뒤에 주인 공이 해방감을 느끼면서도 웬일인지 다시 그 꼴사납고 귀찮던 '고수머리'라는 '인간'이 그리워진다는 인간의 숙명적인 고독을 솜씨있게 다듬어 냈더라면 상당한 작품이 되었으리라고 생각한다. 그리고 묘사에 있어서 수식어가 너무 난잡하다. 필요 이상의 수식은 도리어 효과를 던다. 그러나 이 작품은 그래도 솜씨가 있다고 여겼다."는 평을 했다. 문순태는 후에 다음과 같이 회고하였다.

3학년 때였다. 유공희 선생님은 송규호 선생님이 결근한 날 보강을 위해 우리 반 교실로 들어오셨다. 나는 놀라고 반가워서 엉겁결에 박수를 치고 말았다. 선생님은 칠판에 '실존주의'라고 크게 썼다. 그리고 한 시간 동안 실존주의에 대한 이야기를 하셨다. 키에르케고르의 「죽음에 이르는 병」에서부터 샤르트르의 「구토」, 까뮈의 「이방인」, 카프카의 「변신」 등에 대한 이야기였다. 인생은 고통이라는 열차를 타고 절망이라는 터널을 지나 죽음이라는 종착역에 이른다는 키에르케고르의 말이 명치 끝에 닿았다. 이날 선생님은 마지막에 "인간은 누구나 죽는다. 모두가 완 왜이 티켓 한 장식을 들고 죽음으로 가고 있다. 그러므로 생은 무의미한 것인지도 모른다. 그러나 한 번밖에 살지 못하니까 아무렇게나 살자는 것이 아니라, 한 번밖에 살지 못하니까 의미 있게 살자는 것이다. 이것이 실존주의의 진정한 철학정신이다"라는 말로 끝을 맺었다. 이 말은 지금까지 내 삶의 방향타 역할을 해주었다.[167]

문순태가 이 작품을 쓰던 무렵 유공희의 강의 내용인데 이론 강의를 토대로 해서 쓴 작품으로 추정된다. 「회오리」는 '실존주의'와 '죽음'의 문제를 다루고 있기 때문이다. 이는 가르침에 충실하고자 하였던 학생의 창작활동의 면모를 보여주는 것으로 고등학교의 문예교육이 문학청년들에게 미치는 영향의 정도를 가늠케 한다. 광주고등학교 2학년이었던 민용태는 「일기초」를 발표하였다. 학생들의 작품을 선정한 '문학동호인들', 즉 선배문학인들도 학생들을 위하여 『학생문예』에 동참하여 작품을 발표하였다.

김현승의 청탁에 의해 실렸을 것으로 추정되는 김동리의 소설 「팥죽」도 실려 있다. 한국문학의 주류였던 김동리가 작품을 발표함으로써 학생들에게 주는 의미는 각별한 것이었다. 김현승은 「시인의 위치와 책무」로 시인으로서 반드시 갖추고 있어야 할 정신적 자세가 어떠해야 하는지, 오화룡은 「나의 시력(작가수업)」을 통해 시인으로 걸어온 길을 담담하게 제시하였고, 윤삼하는 「시의 이해」로 시가 무엇인지를 정리하여 문학인으로 성장하는 데 갖추고 있어야 할 기본적인 것을 상기시켰다. 박봉우도 「순금의 고독」이라는 시로, 권일송도 「로-강씨에게 부치는 가을의 편지」로 창작의 모범을 보여주었다. 『학생문예』가 창간된 것은 자연발생적이지만 교육계가 적극적으로 협력하여 발간한 것임을 알 수 있는 「지도위원 및 학생문예 참가교 명단」을 제시하고 있다.

〈지도위원 (시부) 주기운(전남여고), 문도채(광주농고), 이재만(광주사

167_ 문순태, 「한 시간의 실존주의 강의」, 『물 있는 풍경』, 시학, 2008.

오화룡 함경북도 경성 출신으로 혜화전문을 졸업하고 일찍이 '시인부락' 동인으로 활동하였다.

범), 김병래(숭일고등), 송규호(광주고교)(산문부)김포천(광주공고), 윤형성(조대부고), 박능규(광주일고), 김종규(광주상고), 조복남(광주여고), 윤종만(간호여고), 손금만(사례지오고)//〈참가학교〉(대학부) 전남대학교문학부, 조선대학교문학부, 광주사범대학문학부/(고등부)광주사범학교 문예부, 광주공업고등학교 문예부, 학다리고등학교 문예부, 목포고등학교 문예부, 광주여자고등학교 문예부, 광주제일고등학교 문예부, 사례지오고등학교 문예부, 신생보육고등학교 문예부, 조선대학교부속고등학교 문예부, 간호여자고등학교 문예부, 수피아여자고등학교 문예부, 전남여자고등학교 문예부, 광주숭일고등학고 문예부, 광주고등학교 문예부

　이상의 지도위원과 참가 학교를 보면 지도위원이 재직하고 있는 학교의 문예부는 빠짐없이 참가 학교 명단에 있다. 다만 대학부의 경우에는 예외로 자유롭게 참가한 것으로 추정된다. 그리고 전라남도와 전라남도교육회가 나란히 '축 발간'이라는 광고를 실었는데 이들이 후원했음을 알 수 있다. 자발적인 형태의 학생문학동우회를 넘어 지역의 학교와 지역의 행정과 교육단체가 합심하여 문학청년들을 기르기 위한 어떤 면에서는 조직적인 활동의 결과라고 할 수 있다. 『학생문예』는 『영도』 동인들의 활동으로 촉발된 새로운 것에 대한 문학적 도전이 광주지역 학생들에게 고무적인 문예활동을 촉발하였으며, 1950년대 후반의 광주의

문학적 분위기를 자세하게 알 수 있
게 해준다. 교사였던 오화룡吳化龍
(1915. 3. 30.~1972. 9. 10.)은 함경
북도 경성 출생으로 혜화전문을 졸업
하고 일찍이 '시인부락' 동인으로 활
동한 오랜 시력을 가지고 있었다.[168]
광주는 문학적으로 뛰어난 교사들 덕
분에 많은 작가들을 배출하게 되었다
고 해도 과언이 아니다.

정재완 시집 『하늘빛』

　박형구朴馨丘(1932. 10. 25.~)는
1957년 〈전남일보〉 신춘문예에 소설
「찔레꽃 필 때」로 문단에 이름을 올리면서 소설가로 등장하였다. 이후
언론인으로 전남일보 문화부장을 역임하고 광주문화방송 보도부장으
로 재직하였는데 7편의 단편소설을 묶어 첫 단편소설집 『환상 그 빗속
을 향하여』를 1975년에야 냈다.[169] 1982년에는 〈서울신문〉에 평론 「가
성문화와 시사성문제」가 당선되기도 하였다. 전남대 철학과에 재학 중
이던 학생 정재완鄭在浣(1936. 9. 1.~2003. 9. 26.)도 『현대문학』에 추
천을 받아 등장한다. 추천 받은 첫 작품은 「날개」다.

168_ 오화룡, 『오화룡시집』, 국제출판사, 1972
169_ 소설집으로 『환상 그 빗속을 향하여』(세운문화사, 1975), 장편소설 『구름아, 저 구름』
(1979) 『그 지성의 창변』(1988), 등이 있다. 동화집으로는 『별난 나라 여행기』(1984), 시
집으로는 『종이여 울려』(1997), 수필집으로는 『통일을 외치는 금강산』(2000), 동화집
『용마와 별옷』(2001) 등이 있다.

지는 꽃잎이었는지, -언제부터선가
흩날리는 몸짓은 있어야 했다.

그를 위하여는 바람인지 스러지는 구름인지
멀리서 울부짖는 소리, 바닷물결소리.
그런 하염없는 것들 또한 있어야 했다.

너무 찬란한 彩色이었다.
歲月이란 애당초
이름하지 않았어야 옳았을게다.

永遠일네.
푸르름은 또 얼마를 흘러도
다시 切切한 부름……

- 그리움은 그런
못견디는 모습으로 있어야 했다.

　　청마 유치환은 이 작품을 추천하면서 "잡초 속에서도 백합이 필 수 있
듯이 솜씨의 무난함을 물리치고 절로 발견한 감성의 순수 그것에 틀림
없다"[170]는 평을 했고, 추천을 완료하면서는 "이 시인의 순후한 리리시
즘은 정작 순수한 은선의 음향 같다. 어쩌면 그의 이 순도는 침통한 시
대공기 속에서는 아주 부적한 것인지도 모른다. 그러나 아무리 부적할
지라도 시인의 감성은 최량으로 순수하여야만 옳을 것이다. 이 순수가

시대와 인간의 근본바탕에 눈을 돌리어 미치게 이를 때 그 예지 앞에는 하나하나 조심스럽게 빗겨져 나오는 진실이 없을 수 없을 것이요. 따라서 그것이 마침내 시에서 시인에게서 바라는 일이기 때문이다. 그날을 기대해서 이 시인은 우리에게 실망을 주지 않으리라 나는 믿는다."고 기대감을 피력하였다. 이에 정재완은 "손살에 모래알처럼 자꾸만 빠져 나가려는 한 가닥이 이 목숨의 진실성을 붙잡고 이미 들어선 길에 연찬을 게을리하지 않고 온 세상이 커다란 기계인 양 그 안에 인간들은 기름의 값어치 밖에 안 되는 암담한 세기에 인간성의 영원한 본향을 찾아 일깨우는 시인의 사명에 미력을 다하겠습니다."[171]고 소감을 밝혔다.[172]

170_ 유치환, 「시천후평」, 『현대문학』, 1958. 7.

171_ 정재완, 「친료소감」, 『현대문학』, 1960. 3.

172_ 시집으로 『하늘빛』(향문사, 1962), 『저자에서』(형성출판사, 1972), 『빗발같이 햇발같이』(형설출판사, 1975), 『흙의 가슴』(형설출판사, 1981), 『믿음과 노래』(청록출판사, 1987), 『사랑 안에 살면』(청록출판사, 1993), 『지상의 날에』(전남대출판부, 1990), 『사람 새』(전남대 출판부, 2001), 『넘어가는 해』(전남대 출판부, 2001)와 유고시집 『그 무수한 나의 새 다시 만날 수 있을까』(시와사람, 2004)가 있다. 동시집으로 『해바라기』(형설출판사, 1975), 『온 세상 어린이』(전남대 출판부, 2001)가 있다. 전남대학교 국어교육과 교수로 재직했다.

1960년, 눈부신 비약

1950년대 광주문단이 일으킨 반향에 힘입은 세대들이
중앙문단을 거의 장악하는 수준으로 등장하여
한국문학을 가격하는 모습을
그 등단과 추천 과정으로 요약했다.

제7장

1960년, 눈부신 비약

한국 현대시는 한국전쟁을 겪은 후 고은, 구상, 김관식, 김규동, 김수영, 박봉우, 이동주, 조병화 등이 등장함으로써 시적 경향이 다양화되기 시작하였고 전통적인 서정의 세계를 넓히고자 노력하면서 새로운 언어와 새로운 시 정신을 구현하기 위한 움직임이 활발하였다. 그러던 중 일어난 1960년의 4·19혁명은 한국 현대시의 흐름에 큰 변화를 일으킨다. 4·19혁명은 3·15부정 선거를 규탄하는 시위 도중 마산에서 행방불명되었던 김주열 학생이 바다에서 주검으로 떠오르면서 대학생들과 고등학생들이 중심이 되어 이승만 대통령을 하야시킨 민주주의 혁명이다. 4·19혁명은 한국현대사의 정치적인 지형의 변화에서 머무르지 않고, 문학의 현실 참여라는 새로운 흐름에 물꼬를 텄다. 자유와 민주라는 인류 보편의 가치를 형상화하는 데 심혈을 기울이는 전환점이 된 것이다. 시는 오로지 시여야 한다는 관념과 전후 시의 정서적 폐쇄성, 정치적 이념성 등을 거부하고 진실한 삶의 가치를 구현하는 것에 몰두하였다. 그런

서정주 「혁명찬」 '혁명 100일 잔치 겸 광복절 경축 시화전'에 출품된 작품이다.(《경향신문》, 1961. 8. 24.)

가 하면 1960년 '혁명 100일 잔치 겸 광복절 경축 시화전'이 중앙공보관에 개최되었는데 김현승도 작품을 전시하였다.[1] 전시에는 유치진, 박목월, 박두진, 조지훈, 박남수, 신석초, 김범부, 서정주가 함께했다. 서정주는 「혁명찬革命贊」이라는 시를 출품하여 전시했다.

1_ 《경향신문》, 1961. 8. 24.

광주문학을 위한 좌담회

1960년대에 들어서면서 전남매일신문사 주최의 '전남문단형성에의 길'[2]이란 좌담회가 열린다. 『신문학』 창간으로부터 10년이 지난 후에 열린 광주문단의 좌담회였다. 참석자는 다음과 같다.

> **참석자** 이항렬(소설가)[3], 정소파(시인), 황양수(시인)[4]
> 양동주(사학가)[5], 백완기(문예평론가)[6], 조성원(아동문학가)
> 김현석(시인)[7]
> **본사측** 회의록 : 양재윤

1960년의 4·19혁명이 문학에 미친 영향이 지대하였듯이, 1961년 5·16쿠데타 또한 문학판에 많은 변화를 몰고 왔다. 위 문학좌담회가 열린 것은 1961년 12월 2일이니 3공화국이 막 출범한 시기였다. 앞에서 살폈던 '호남문학을 말하는 좌담회' 이후 10년만에 '전남문단형성에의

2_ 〈전남매일신문〉, 1961. 12. 2.
3_ 이항렬(본명 이계환, 1909~작고)은 전남 곡성 출신으로 체신이원양성소를 마치고 1953년 『자유문학』에 「은행나무와 목수」가 추천되어 등단하였다. 단편 「供笑」, 장편소설 『흐르지 않는 강』 등을 썼다.
4_ 황양수(1922~작고)는 전남 보성 출신으로 성균관대 법학부, 조선대 문리과대학 문학과를 졸업하였다. 광주고 등의 고등학교 교사, 전북영명여중 교장을 역임하였다. 숙명여대와 원광대에서 강사로 출강하기도 하였다. 1953년 시집 『문』을 내면서 문단에 나왔으며 1958년 『자유문학』에 추천을 받았다. 이 외에도 『오후의 기도』, 『10월의 목장』, 『形相의 노래』, 『인생의 향연』, 『내 영혼의 노래』 등이 있다.
5_ 양동주는 광주서중에서 교사를 지냈으며, 『광주학생독립운동사』, 『항일학생사』를 썼다. 자세한 이력은 아직 알려져 있지 않다.
6_ 백완기(본명 : 백용기 1914~1981)는 광주 출신으로 호는 江庭이다. 만주 신경법정대학을 중퇴하였다. 1959년 〈한국일보〉 신춘문예에 평론 「現代文藝의 새로운 方向」이 당선되었다. 『신문학』, 『젊은이』 동인으로 활동하였으며, 문집은 남기지 않았다.
7_ 김현석(1927~작고)은 광주숭일고 교사를 지냈으며 시집으로 『내 마음에 드는 풍차』가 있다.

길'이라는 주제의 좌담회였다. 이 좌담회의 목적은 10년간의 광주전남 문단의 변화양상을 점검하고 지역문단의 흐름을 추적하기 위함이었다. '호남문학을 말하는 좌담회'는 한국전쟁이 한창이던 때, '전남문화형성에의 길'은 5·16쿠데타 직후에 열렸다. 두 좌담회는 역사적 혼란기에 열렸다는 공통점을 갖는다. 이데올로기의 투쟁에서 어느 쪽으로 줄을 서느냐 하는 문제는 향후 문단생활의 생명에 지대한 영향을 미칠 가능성이 높다. 이렇게 정치적으로 민감한 시기에 문학인들은 입장을 분명히 하지 않으면 안 되었다. 그런 의미에서 문학좌담회는 지역문단의 담론을 파악할 수 있는 거의 유일한 통로이다. 그래서 좌담회에서는 문학을 매개로 공통분모를 형성하고 있는 이들이 공동의 주제를 가지고 한자리에 모여서 여러 목소리를 내지만 사실은 하나의 담론을 생산해내는 과정을 그대로 노출하게 된다. 특히 이들이 생산해내는 그 담론이라는 것이 역사적인 맥락이나 문학사적인 맥락과 유기적인 관계성을 맺고 있다는 사실에 주목해야 한다. 전남매일신문사가 문학좌담회 '전남문단형성에의 길'을 여는 이유는 이러하다.

중앙문단에서는 여러 가지 군소문학단체를 통합하자는 운동이 목하 전개중이다. 작가나 시인들이 종래의 '섹트'적 파벌의식은 물론 세대별 적대시나 '이즘'의 대결을 지양하고 문단을 좀더 화해있는 순수문예활동의 광장 및 국가적 공동과제해결의 계기로 삼자는 것이다. 이와 같이 한 나라안의 군소문학단체를 해사통합하는 암중모색이야말로 과취한 혁명정부의 청안이었고 이 땅이 장래할 문학사에 낙관적인 시준을 기약해주고 있다는 것이다. 여기에 앞서 우리 地方에도 무엇인가 기필코 하나의 움직임이 없어서는 아니 되었다 붕괴 일보전에 공전하는 우리 전남문

단에도 좀더 높은 차원의 문인가족과 공동작업에의 길이 애타게 그리워
지는 것이다. 여기에 우리는 전남문단형성에의 가장 중축적위치에 놓여
있고 문단경력이 많은 작가, 시인제씨들을 한자리에 모시고 그들의 고견
을 참고하기로 하였다.

　이 문학좌담회는 "나라안의 군소문학단체를 해산통합하는 암중모색
이야말로 과취한 혁명정부의 청안"에 부응하고자 "우리 地方에도 무엇
인가 기필코 하나의 움직임이 없어서는 아니 되"겠다는 다급함 때문에
열었다. 이른바 '혁명정부'의 눈 밖에 나서는 안 되겠다는 정치적인 의
도로 좌담회를 연 것이다. 힘의 논리에 굴복하는 언론사의 한 양태와 정
치로부터 자유롭지 못한 문학인들의 양태는 정치권력의 눈치를 보는 모
습을 적나라하게 노출하고 있다. 광주전남 지역의 문단이 중앙 추수적
이고 정치적인 힘의 논리에 순응하는 모습의 한 단면이다. 이런 양태가
적어도 1960년대 초반까지 이어졌다. 문학좌담회는 광주전남 지역의
문학담론이 생산되는 일련의 과정을 보여주면서 광주전남문단이 지향
했던 문학담론이 어떤 것이었는지를 여실하게 드러내고 있다.

　"군소 문학단체를 해산통합하는 암중모색이야말로 과취한 혁명정부
의 청안"이라는 좌담회의 목적은 "문화계의 모든 파벌과 영웅주의를 해
소시키는 가분야별 단인단체"[8]를 구성하는 것이었다. 위 좌담회가 열리
기 전인 1961년 6월 17일 군부는 포고령 제6호를 공포하여 기존의 모든
정치, 경제, 사회, 문화, 예술 단체를 해산시켰으며, 위 좌담회가 열린 3

8_조연현, 『조연현문학전집1』, 어문각, 1977, 342~343쪽.

일 뒤인 1961년 12월 5일 공보부와 문교부의 명의로 해체 이전의 각 단체의 대표 30여 명을 불러 문화예술단체의 단일화 지시를 내렸다. 그리고 12월 30일 한국문인협회라는 통합 단체의 결성대회를 열었다.[9] 이것을 계기로 당파 혹은 파벌싸움은 종지부를 찍게 되었지만, 힘의 균형은 『현대문학』지 중심의 '문협파'로 기울었다. 이런 속사정 속에서 광주전남지방의 문인들도 무엇인가 움직이는 모습을 '혁명정부'에게 보여줘야 할 필요가 있었다.[10]

그래서 사회자는 "중앙에서는 목하 '문단통합'이니 '문학단체의 일원화'니 하는 문제가 거의 성숙단계에 접어들어 역진들에게 많은 기대를 걸고 있"다는 언설로 좌담회의 포문을 열었다. 중앙문단의 동향을 전제한 것부터 이미 정치적이고 중앙추수적임을 단적으로 시사하는 바 이후 이어지는 좌담회 참석자들의 토론 내용은 지역문단의 한계를 여실하게 보여준다. 새로운 문학담론의 장을 열어야 할 '전남문단형성에의 길'을 정소파는 "전남문단도 한번 통합해봤으면 하는 의욕은 앞섰지만 그럴듯한 계기"가 없었다고 전제한 후 "작품제작이전의 그 무엇- 이를테면 인간 대 인간의 호흡기관으로써의 세대별 동인운동을 결속하고 다음에 그 세대별 동인운동을 조합 관리할 대표위원을 선출하는 등 하나의 명령계통과 '입법화'"를 제안하였다. 이에 좌담회 참석자들은 동의하고 있다. '전남문단형성에의 길'이라는 좌담회를 열고 있다는 것 자체가 광주전남문단의 퇴행적 현상이었음을 시사한다. 그들은 중앙문단의 움직임을 예의주시하면서 중앙문단에서 멀어지지 않으려는 행보를 한다.

9_ 홍기돈, 「김동리와 조연현」, 『근대를 넘어서려는 모험들』, 소명출판, 2007. 참조.
10_ 홍기돈, 「위의 글」, 참조.

광주의 지역문단은 여전히 좋은 작품을 생산해야 한다는 담론만을 재생산하고 있었다. 뿐만 아니라 앞의 좌담회가 갖고 있었던 문학이 정치적인 이데올로기로부터 자유롭지 못한 한계도 여전했다. 광주전남의 지역문단이 10년이 지난 시점에서도 반복, 재생되는 작품의 수준을 운운하는 것은 지역작가라는 한계를 스스로 구획하고 거기에 안주했기 때문이다. 일종의 취미 정도로 여기는 작가들이 수없이 많은 요즘의 현실과 좌담회가 열렸던 50여 년 전의 현실은 크게 다르지 않다.

그럼에도 불구하고 좌담회가 의미 있는 것은 역사적으로 혼란기였던 때였으나 문학인들은 여느 때나 마찬가지로 문학을 향한 열정을 누그러뜨리지 않고 있었다는 사실이며, 그것도 지역의 문학을 주제로 머리를 맞대고 동일화 담론을 생산해내고 있다는 사실이다. 이들이 생산한 담론이 중앙문단에 대한 추수적이고 다분히 정치적인 의도와 목적을 가진 좌담회였을지라도 시대를 감당하는 문인들의 내적인 고민과 크게는 현대문학사의 변곡점을 넘는 문인들의 행보를 탐색할 수 있다는 점에서 그 의미가 있다고 할 수 있다.

정치적으로 어려운 시기에 광주에는 그야말로 문학의 전성기, 문학의 르네상스시대가 도래한다. 1950년대의 문학을 향한 고투와 노력이 빛을 발하여 광주는 비로소 현대문학의 산실로 그 지평을 확장하게 된다. 문학이 넘실거리는 도시, 광주는 지역사회와 선배들의 문학지도와 학생들의 창작열이 광주를 지배하게 됨에 따라 그 뒤를 이으려는 준비된 문학청년들이 연이어 문예지에 추천을 받았고, 신춘문예에 당선되었다. 신진 문학청년들이 우후죽순격으로 문단에 등장하면서 광주는 바야흐로 문학의 중심도시로 전국이 주목하는 공간이 되었다. 그도 그럴 것이 문학청년들이 한순간에 폭발적으로 등장하게 되는 문학사에서 특별한

다형문학회 『지상의 별들』

일이 펼쳐지면서 광주는 한국현대문학을 대표하는 도시가 되었다.

이때 시인 김현승은 조선대를 떠나 서울 숭실대로 자리를 옮겼다. 서울의 숭실대는 평양의 숭실전문대를 이어 개교한 학교이기 때문에 김현승의 모교나 마찬가지다. 김현승이 숭실대 교수이면서 『현대문학』의 추천위원이었듯이, 한국전쟁기에 조선대에서 교수를 지냈던 서정주도 동국대학교 교수로 재직하면서 많은 시인들을 추천하여 문학적 영향력을 확대했다. 광주가 문학의 도시로 부상하게 된 것은 이들의 영향이 크게 작용하였다.

시인 김현승의 추천으로 등단한 시인들은 주명영, 임보, 박홍원, 낭승만, 이성부, 김대환, 정현웅, 문병란, 김광회, 박봉섭, 최학규, 문순태, 손광은, 이기원, 김규화, 정의홍, 최만철, 권영주, 조남기, 오규원, 박경석, 이환용, 이운룡, 이생진, 박정우, 이병석, 진헌성, 강우성, 오경남, 진을주, 김충남, 이병기 등 32명이나 된다. 이들은 '다형문학회'를 조직하여 다형문학회지 창간호 『지상의 별들』[11]을 내기도 하였다.

11_ 다형문학회, 『地上의 별들』, 신아출판사, 1996.

문순태 소설가와 그의 소설집 『고향
으로 가는 바람』 광주고등학교에서
문예부원으로 활동했던 그의 등장
은 광주문학사에서 소설문학의 새
로운 이정표가 되었다.

1960년대, 등단한 작가들

소설가 문순태文淳太(1941. 3. 15.~)의 등장은 광주문학사에서 소설문
학의 새로운 이정표가 된다. 광주고등학교 재학 중 이성부와 함께 문예
부원으로 활동하면서 문학인으로 성장을 도모하였다. 1960년 『농촌중
보』 신춘문예에 단편소설 「소나기」가 당선되었다. 그리고 1965년 12월
에 시 「天才들」이 『현대문학』에 김현승의 추천을 받았다. 김현승은 "표
현에 기복이 있어 전편이 고르지 못하지만, '마른 목재와도 같이/단단
한 체격으로,/불면의 오랜 단맛을 즐김'과 같은 우수한 시적 표현도
있음을 버릴 수 없다."고 추천 후기에 썼다. 추천을 받은 뒤 문순태는
서울 신촌의 김현승 시인을 찾아갔다. "나는 아직도 시의 맛을 커피의
맛만큼 모르네. 자네는 앞으로 진짜 시의 맛을 알게 될 걸세. 결국 시의
맛이나 커피의 맛이나 고독의 맛은 똑같지만 말야."라고 했다.

그보다 먼저 문순태는 시인 김현승이 조선대 교수로 재직하고 있을 때
시를 공부하기 위해 양림동 집으로 자주 찾아다녔다. "광고 시절에 나는
박봉우 형을 따라서 이성부와 함께 양림동에 있는 선생의 집을 자주 찾

이성부 시집 출판기념회(1969. 10) 왼쪽부터 조태일, 이문구, 이성부, 정진규, 김종철.
이성부 시비(광주고등학교 교정) 날카롭지 않은 듯하면서도 강한 힘을 갖고 있는 그의 시는
늘 시대를 향한 비수가 되었다.

아가서 손수 끓여준 진한 커피를 거푸 두 잔씩 얻어먹곤 했다. 커피를 유별나게 좋아한 선생은 큰 대접으로 하나 가득 끓여 마시기도 하였다. 지금 생각하면 우리들은 시를 보이는 것보다는 커피를 얻어 마시기 위해 자주 찾아갔었는지도 모를 일이다."[12]는 회고에서 보듯, 박봉우와 이성부와 문순태는 자주 김현승 시인의 집을 찾아다녔던 것이다. 그때 김현승은 문순태에게 "자네는 커피도 좋아하지 않고 시도 쓰지 않으면서 무슨 맛으로 사나. 나중에 크게 후회할 걸세."하고 눈물이 핑 돌도록 꾸중을 하곤 하였다. 그 꾸중으로 결국에는 시의 추천까지 받게 된 것이다.[13]

　　이성부李盛夫(1942. 1. 22.~2012. 2. 28.)는 그는 1960년 〈전남일보〉 신춘문예에 「바람」으로 당선되었으며, 1961년 『현대문학』에 김현승의 추천으로 「소모의 밤」, 「백주」, 「열차」를 발표하며 등단하였다. 그리고 1967년 〈동아일보〉 신춘문예에 「우리들의 양식」이 당선되었다. 뿐만 아니라 박봉우, 박성룡 등 광주고 출신들이 주축이 되어 결성했던 동인지 『영도』의 복간에도 참여하였다. 그런 쉼 없는 시작의 과정을 통해 그는 그만의 시세계를 구축할 수 있었다. 날카롭지 않은 듯하면서도 강한 힘을 갖고 있는 그의 시는 늘 시대를 향한 비수가 되었다. 그의 첫시집 『이성부시집』을 비롯하여 『우리들의 양식』, 『백제행』은 초기 시세계를 집약적으로 보여준다. 세 권의 시집은 시인이 깊이 천착하고 있는 것이 무엇인지 명시적으로 드러난다. 그런 점에서 그는 온몸으로 전라도를 사랑한 시인이

12_ 〈경향신문〉, 1980. 6. 18.
13_ 문순태는 1965년 전남매일신문사에 입사하여 신문기자로 활동하면서 1974년 『한국문학』 신인상 모집에 「백제의 미소」가 당선되면서 소설가로서 본격적인 작품 활동을 시작하였다. 송기숙, 한승원, 주동후 등과 동인지 『소설문학』을 발간하였다. 소설집으로 『징소리』, 『철쭉제』, 『된장』, 『41년생 소년』, 『생오지 뜸부기』, 『타오르는 강』 등이 있다.

조태일 시인과 시집 『국토』
그는 『詩人』을 편집할 때 양
심적인 시인이나 양심적인 정
직한 시를 그리워했다.

다. 이성부에게 전라도와 광주는 시의 토양이며 시의 귀착점이다.[14]

　조태일趙泰一(1941. 9. 30.~1999. 9. 7.)은 1964년 1월 1일 〈경향신문〉 신춘문예 당선작이 된 「아침船舶」[15]으로 등단하였다. 그리고 일간지 신춘문예 출신들이 모여 만든 '신춘시' 동인에 가입해 작품을 발표해 나간다. 이 '신춘시' 동인[16]은 1963년 4월 1일 발행된 1집을 시작으로 19집까지 발행되었는데 조태일은 제4집부터(1964. 2. 20.) 참여하였다. 새로운 시운동을 전개하기 위해 『시인詩人』이라는 시전문 문예지를 창간[17]하여 주재함으로써 김지하, 김준태[18], 양성우[19] 등 신예들을 배출하였

14_ 시집으로는 『이성부시집』(시인사, 1969), 『우리들의 양식』(민음사, 1974), 『백제행』(창작과 비평사, 1977), 『前夜』(창작과 비평사, 1981), 『平野』(지식산업사, 1982), 『빈산 뒤에 두고』(풀빛, 1989), 『야간신행』(창작과비평, 1996), 『우리 앞이 모두 실이다』(찾을모, 1999), 『지리산』(창작과비평, 2001), 『작은 산이 큰 산을 가린다』(창작과비평, 2005) 등이 있다.
15_ 조태일, 앞의 글, 앞의 글, 나남출판, 1996. 56쪽.
16_ '신춘시' 동인으로 강인섭, 권일송, 김원호, 김종철, 박봉우, 박이도, 박의양, 윤삼하, 이근배 등이 함께했다. 동인지인 『新春詩』의 편집은 서로 번갈아가면서 맡았는데 7, 8집의 편집은 군대 가기 전에, 17, 18, 19집은 군대 다녀온 후에 조태일이 맡았다.

다. 1969년 창간한 『詩人』은 당국의 압력으로 폐간될 때까지 총 14권을 발간했다.[20] 이 『詩人』의 창간과 시인사의 경영은 "몸 주고 마음 바쳐 하나에서 열까지 혼자 좌우했던 이십 청춘의 열정을 순정의 등불처럼 불태운 선업"[21]으로 자비 출판을 원하는 시집이나 교지 등의 일감을 소개해 주는 조건으로 남일출판사에서 인쇄를 했다. "『詩人』지를 편집하면서도 돌아가는 시국에 관심을 갖지 않을 수 없었다. 양심적인 시인이나 양심적인 정직한 시들이 그리웠다"[22]고 한 조태일의 언급은 역사의

17_ 이 『詩人』지의 창간사나 마찬가지인 편저자의 말을 인용하면 다음과 같다.
"月刊詩誌 『詩人』은 詩와 詩人의 양심이며 얼굴이다. 더 뚜렷한 말로 하자면 모든 人間의 양심이며 얼굴이다. 新文學이라는 것이 있어 온 지 반세기가 되는 동안, 시지 비슷한 것들이 더러 있어 왔다. 그것들은 그러나 약속이나 한 듯이 희미하게 쓰러져 갔다. 그 원인이 경제적인 여건에 더 많이 있는 것처럼 오해 되고 있지만, 양식이 있는 판단으로는, 그들 詩誌의 無性格과 그것을 주간해 온 몇 사람의 몇 푼 안 되는 私的인 권위주의나 공리주의가 빚은 원인 말고도, 더 깊이 파고들어 가서, 詩人들 자신의 썩음에 있지 않았나 생각된다. 이런 요소들은 人間이 있는 곳엔 의례 뒤따르기 마련인 것으로, 그에 대한 無自覺을 自覺하고 그것을 이기는 곳에 詩誌의 진정한 번성이 있는 것이 아닐까? 참 어려운 일이겠지만 그 어려움을 극복하고 더 나아가서는 그 어려움을 불러들이면서 까지 싸우겠다는 용기와 실천만이 모든 안일주의를 추방하는 것이 아닐까? 하여, 지난날의 편파적이고, 근시안적인 얕은 태도를 무너뜨리고 정직한 詩와 詩人像을 한꺼번에 세울 수 있는 광장을 여기에 마련해 본 것이다. 뜨겁고 아픈 채찍도 정답게 여길 것이다."(『詩人』, 1969. 8)
이 편저자가 조태일이었으므로 이 편저자의 말은 곧 조태일의 시와 시인으로서 가져야 할 정직함과 양심에 따른 행동과 실천적인 모습을 알 수 있게 한다. 이후 바람대로 『詩人』은 양심 있는 시인들을 배출할 수 있었고 정직한 시의 시인상을 세울 수 있었다.
18_ 『詩』는 1969년 11월호에 김준태의 「머슴」, 「詩作을 그렇게 하면 되나」, 「서울驛」, 「新金洙暎」, 「아메리카」, '지하' 라는 이름으로 김지하의 「비」, 「황톳길」, 「가벼움」, 「녹두꽃」, 「들녘」을 실음으로써 한국현대시사에 빼놓을 수 없는 시인을 발굴해낸 문예지의 위상을 갖게 된다.
19_ 양성우는 『詩』 1970년 11월호에 「발상법」, 「증언」, 「광물성사랑」, 「혼교지곡」, 「장마」, 「귀뚜라미」를 발표하였다. 이 등단을 계기로 하여 조태일은 양성우의 시집 『겨울공화국』을 발행함으로써 결국 구속되는 사태로까지 이어지고 시집이 몰수되기도 한다.
20_ 『詩』는 1969년 8월 창간하여 1970년 11월호까지 발간된 월간시지이다. 중간에 발간해놓고 세상에 내놓지 못한 1970년 6월호와 7월호가 결호가 됨으로써 총 14권이 발간되었는데 당국의 압력으로 강제 폐간되었다.
21_ 이문구, 「흙의 웃음과 고집불통의 시인」, 『가거도』 발문, 1983. 136쪽.

1 손광은 2 2000년 '원탁 시낭송회'를 마치고 범대순 시인이 촬영한 사진. 뒷줄 왼쪽로부터 강인한, 김종, 진형성, 박홍원, 전원범. 앞줄 왼쪽부터 김영박, 김준태, 국효문, 문도채, 최봉희, 문병란, 오명규 등.

식과 시의식의 향방을 가늠할 수 있게 한다. "『詩人』지의 문학적 성격과 조태일 개인의 성품이 일치"[23]하고, "내 시보다 대중적이고 건강하고 씩씩하다"는 김지하의 발언은 인간 조태일의 대쪽같은 성격을 말하는 것이자 시정신을 의미한 것이다.[24]

손광은孫光殷(1936. 4. 6.~)은 1964년 『현대문학』에 「제3 廣場」, 「散策」, 「나의 反亂」이 추천되어 문단에 등단하였다.[25] 시인 김현승이 추천

22_ 조태일, 「태안사에서 가거도까지」, 앞의 책, 나남출판, 1996, 65쪽.
23_ 김지하, 「죽형 조태일 시인 추모 다큐」, MBC, 2005. 9. 2.방영
24_ 시집으로 『아침선박』(선명문화사, 1965) 『식칼論』(시인사, 1970), 『國土』(창작과비평사, 1975), 『가거도』(창직과비평사, 1981), 『자유가 시인더러』(창작과비평사,1985), 『풀꽃은 시들지 않는다』(창작과비평사, 1995), 『혼자 타오르고 있었네』(창작과비평사, 1999)등이 있다.
25_ 시집으로 『파도의 말』(현대문학사, 1972), 『고향 앞에 서서』(문학세계사, 1993), 『그림자의 빛깔』(시와사람, 2001), 『내 마음 속에 눈부신 당신』(한림, 2006), 『땅을 딛고 해가 뜬다』(한림, 2007), 『민속의 숨결 신명을 풀어라』(한림, 2010)가 있다. 전남대학교 국문학과 교수로 재직하였다.

범대순 시인과
시집 『흑인고수 루이의 북』

하였다. 박홍원朴洪元(1933. 9. 1.~2000. 1. 5.)도 김현승이 추천하여
1962년에 『현대문학』「고행苦行」, 「밤」, 「수난 이후」, 「종언終焉을 보며」
가 추천되어 등단하였다.[26] 범대순范大錞(1930. 6. 16.~2014. 5. 12.)은
1965년에 시집 『흑인고수 루이의 북』을 출간하여 등단하였다.[27] 문병란
文炳蘭(1935. 3. 28.~2015. 9. 25.)도 1959년 10월 『현대문학』에 「가로
수」가, 1962년 7월에 「밤의 호흡呼吸」, 1963년 11월에 「꽃밭」이 추천완
료됨으로써 등단하였다.[28] 그를 추천한 김현승은 「가로수」를 추천하면

26_ 시집으로 『설원(雪原)』(예문관, 1969), 『옥놀 호랑이』(형설출판사, 1973), 『나부용(龍)의
　　웅얼임』(시문학사, 1979), 『날개 펴는 老巨樹』(예원, 1991), 『참대의 시』(예원, 1994)가 있
　　다. 조선대학교 국문학과 교수로 재직하였다.
27_ 시집으로 『흑인고수(黑人鼓手) 루이의 북』(시사영어사, 1965), 『연가(戀歌) Ⅰ, Ⅱ 기타』(문
　　원사, 1971), 『이방에서 노자를 읽다』(예전사, 1986), 『기승전결(起承轉結)』(문학세계사,
　　1993), 『백의 세계를 보는 하나의 눈』(문학아카데미, 1994), 『세기말 길들이기』(예문관,
　　1997), 『北窓書齋』(시와사람, 1999), 『나는 디오니소스의 거시氣다』(전남대출판부,
　　2005), 『무등산』(문학들, 2014) 등과 산문집 『눈이 내리면 산에 간다』(전남대출판부,
　　2002) 등이 있다.

왼쪽부터 임보, 강인한, 이향아 시인

서 "추락하지 않은 감상과 과열하지 않은 희망이 적절한 언어를 통하여 지적인 균형을 이루고 있다."고 추천이유를 밝혔다. 추천을 완료한 문병란은 "절망한다는 것은 보다 더 아름다운 세계를 열망한다는 것이요, 보다 더 인생을 다채롭고 수다스럽게 만든다는 것이다. 이후 나에게 있어 첫 작업은 어떻게 하면 여지껏 써모은 시들을 모두 버릴 수 있는가

28_ 시집으로 『문병란시집(文炳蘭詩集)』(삼원출판사, 1971), 『정당성(正當性)』(세운출판사, 1973), 『죽순(竹筍) 밭에서』(인학사, 1977), 『호롱불의 역사』(일월서각, 1978), 『벼들의 속삭임』(양서조합, 1980), 『땅의 연가』(창작과비평사, 1981), 『새벽의 서(書)』(일월서각, 1983), 『동소산 머슴새』(일월서각, 1984), 『아직은 슬퍼할 때가 아니다』(풀빛, 1985), 『무등산』(청사출판사, 1986), 『5월의 연가』(전예원, 1986), 『못다핀 그날의 꽃들이여』(동아, 1987), 『양키여 양키여』(일월서각, 1989), 『화염병 뒹구는 거리에서 나는 운다』(실천문학사, 1989), 『지상에 비치는 니의 노래』(눈, 1990), 『견우와 직녀』(한길사, 1991), 『불면의언대』(일월서각, 1994), 『겨울 숲에서』(시와사회사, 1994), 『새벽의 차이코프스키』(계몽사, 1997), 『직녀에게』(시와사회사, 1997), 『인연서설』(시와사회사, 1999), 『꽃에서 푸대접하거든 잎에서나 자고 가자』(시와사람사, 2001)등이 있다. 산문집으로 『저 미치게 하는 푸른 하늘』(일월서각, 1979), 『새벽을 부르는 목소리』(동아, 1987), 『연애하는 사람은 강하다』(나라출판사, 1992) 등이 있다. 조선대 국어국문학과 교수로 재직하였다.

왼쪽부터 김종, 김만옥 시인.

하는 것이다. 그리하여 내가 완전히 인생을 절망해 버릴 수 있을 때 비로서 시의 세계는 나타날 것이오, 그제야 나는 한국어로 기도하고 노래할 것이다."고 시적 열망을 표출했다.

임보林步(본명 강홍기, 1940. 6. 19.~)는 1962년 『현대문학』에 「자화상」, 「나의 독재」, 「거만한 상속자」가 천료되어 등단하였다.[29] 시인 김현승이 추천하였다. 강인한姜寅翰(1944. 3. 26.~)은 1967년 〈조선일보〉 신춘문예에 시 「대운동회의 만세소리」가 당선되어 등단[30]하였고, 이향아李鄕莪(1938. 7. 24.~)는 1966년 『현대문학』에 「가을은」, 「찻산」, 「雪景」이 천료되어 등단하였다.[31] 그리고 김종金鍾(1948. 5. 19.~)은 1966년 월간 『문학시대』에 추천되면서 시인의 길을 걷게 된다.[32] 김만옥金萬玉(1946. 3.

29_ 시집 『林步의 詩들』(韓國文學史, 1974), 『山房動動』(한국문학사, 1984), 『木馬日記』(동천사, 1987), 『은수달사냥』(문학세계사, 1988), 『황소의 뿔』(신원문화사, 1990), 『날아가는 은빛연못』(시와시학사, 1994), 『겨울, 하늘소의 춤』(작가정신, 1997), 『구름 위의 다락마을』(우이동 사람들, 1998), 『운주천불』(우이동사람들, 2000), 『사슴의 머리에 뿔은 왜 달았는가』(영언문화사, 2002), 『자연학교』(고요아침, 2004), 『장닭설법』(시학, 2007) 등이 있다.

왼쪽부터 전병순, 주동후, 안영 소설가.

6.~1975. 9. 5.)도 1966년 『사상계』 제8회 신인문학상에 「아침 장미원」,
「떨어진 과실과 상징」, 「투신기」, 「내성內省」 등이 당선되어 문단에 등단하
였다. 조대부고 2학년 때 발간한 시집 『슬픈 계절의』[33]가 있다.[34]

한편으로 시에 비해 상대적으로 빈약했던 소설분야에 1960년대 들어
서면서 많은 작가들이 등장함으로써 광주문학은 비약적인 발전을 가져
오게 된다. 전병순田炳淳(1925~2005)은 1960년에는 단편 「뉘누리」가 『여

30_ 시집으로는 『이상기후』(가림출판사, 1966), 『불꽃』(대흥출판사, 1974), 『전라도시인』 (태·멘,
1982), 『우리나라 날씨』(나남, 1986), 『칼레의 시민들』(문학세계, 1992), 『어린 신에게』(문학
동네, 1998), 『황홀한 물살』(창작과비평, 1999), 『푸른심연』(고요아침, 2005) 등이 있다.

31_ 시집 『황제여』(선교회 출판부, 1970), 『동행하는 바람』(한국문학사, 1975), 『눈을 뜨는 練
쩝』(시문학사, 1978), 『물새에게』(문지사, 1983), 『껍데기 한 칸』(오상사, 1986), 『갈꽃과
달빛과』(홍익출판사, 1987), 『강물연가』(나남, 1989), 『어디서 누가 실로폰을두드리는가』
(오상출판사, 1993), 『종이등 켜진 문간』(문학세계사, 1997) 등이 있다. 호남대학교 국어
국문학과 교수로 재직하였다.

32_ 시집으로 『장미원』(1977), 『밑불』(1981), 『우리가 정말로 살아있다는 것은』 (1984), 『더 먼
곳의 그리움』(1993), 『방황보다 먼 곳에 던져둔 세월』(1993), 『배중손 생각』(1994), 『춘향
이가 늙어서 월매가 된다』(1995) 등이 있다. 화가로도 활발한 활동을 하고 있다.

원」에 당선되었다. 주동후朱東厚(1942~2004)는 1964년 〈전남일보〉 신춘문예에 소설 「바람 부는 날」이 당선되었으며, 1966년에는 「여름 파도」가 〈신아일보〉 신춘문예에 입선함으로써 등단했다.[35] 그리고 본명이 안영례인 안영安泳(1940~)은 전남여고 교사로 재직 중이던 1965년 3월 『현대문학』에 황순원의 추천으로 소설 「월요일 오후에」가, 1966년 2월엔 「아집」이 추천 완료되어 등단했다.[36] 황순원은 「월요일 오후에」를 추천하면서 "바다는 바다대로 강은 강대로 제 가짐새를 가져서 좋습니다. 여기 골짜기에 샘이 흐르고 있습니다. 아주 맑고 투명한 샘물이 솟고 있습니다. 이 골짜기의 샘은 바다나 강이 갖지 못하는 면을 지니고 있어 또한 좋습니다. 이 샘물 속에도 물고기는 살고 있습니다."라고 찬사를 보냈다. 이에 안영은 "눈이라도 한바탕 흩뿌려줄 듯이 무겁게 내려앉은 하늘이며, 듬직한 제 자태를 자랑하듯 솟은 무등. 모든 것이 새삼, 왜 이토록 아득하게 느껴지는 것일까요. 꽃과 음악과 시와 그러나 이제 그보다 더 소중한 것이 있습니다. 쓴다는 것, 그것은 분명히 기쁨이라기보다는 오히려 크낙한 고통이라는 것을 압니다. 그러나 그것을 버리고는 또 세상을 살아갈 수가 없는 것도 함께 압니다. 물론 제 경우에. 문학의 경지에서 새로 난 나. 기는 데끼지는 걸어가보겠습니다."고

33_ 김만옥, 『슬픈 계절의』, 국제출판사, 1964.
34_ 요절한 그의 삶에 김준태를 비롯한 문학동료들이 유고시집 『오늘 죽지 않고 오늘 살아 있다』(청사, 1985)를 냈고, 시전집 『오늘 죽지 않고 오늘 살아 있음은 가락에 영그는 그리움이다』(새미, 2007)가 발행되었다.
35_ 주동후는 한승원, 주길순, 이명한, 이계홍, 김만옥, 김신운과 『소설문학』 동인을 창립했다. 소설집 『혼의 소리』, 시집 『혼자 있을 때 혼자다 아니다』, 수필집 『미리 사는 사람』, 『광양이야기』, 시문집 『광양으로 오게』 등을 출간했다.
36_ 창작집 『가을 그리고 산사山寺』(1974), 『아픈 환상幻想』(1981), 『그날, 그 빛으로』(1984), 『둘만의 이야기』(1988)가 있다.

왼쪽부터 송기숙, 한승원, 백시종 소설가.

추천 완료 소감을 피력했다. 광주문학에서 소설작가가 많지 않던 시절, 안영의 등장은 실로 반가운 기대였다. 그 기대를 저버리지 않고 등단 해에 『현대문학』에 「해후」와 「희생자들」을 연이어 발표하였다.

　그때 전남대 교수로 재직하기 이전 목포에서 문학 활동을 시작한 송기숙宋基淑(1935~)도 1966년 11월 『현대문학』에 단편소설 「대리복무」를 발표하면서 본격적으로 창작을 시작했다.[37] 한승원韓勝源(1939~)도 1966년 〈신아일보〉 신춘문예에 「가증스런 바다」가 입선되었고 초등학교 교사 발령을 받았다. 그리고 1968년 〈대한일보〉에 「목선」이 당선되면서 바야흐로 광주에 소설가들이 풍성해지기 시작했다.[38] 본명이 백수남인

37_ 장편소설로 『자랏골의 비가』(창작과 비평사, 1977), 『암태도』(창작과 비평사, 1981), 『녹두
　　장군』전 12권(창작과 비평사, 2000)이 있고, 소설집으로는 『백의민족』(형설출판사, 1972),
　　『도깨비잔치』(백제출판사, 1978), 『재수없는 금의환향』(시인사, 1979), 『개는 왜 짖는가』(한
　　진출판사, 1984), 『테러리스트』(한겨레출판사, 1986), 『어머니의 깃발』(심지출판사, 1988),
　　『파랑새』(전예원, 1988), 『들국화 송이송이』(문학과 경계, 2003) 등이 있다.

백시종白始宗(1944~)도 1966년 〈전남일보〉에 장편소설 당선되었고, 그해 5월에 김동리가 『현대문학』에 「햇빛아래」를 추천하면서 화려하게 등장하였다. 김동리는 "이 작품을 발견하고 나는 기쁜 마음으로 천에 넣는다. 우리는 흔히 극한상황이란 말을 많이 쓰지만 이 작품에서와 같이 그것을 실감할 수 있는 경우도 드물 것이다. 진실로 오래간만에 새로운 수작을 얻은 셈이다."고 극찬하였다.

문도채 시인

한편 1967년에는 광주문학에 동인의 역사를 새로 쓰게 되는 '원탁문학회'가 결성되었다. '원탁문학회'는 동인지 『원탁문학』을 발행하였는데 권일송, 문병란, 박홍원, 범대순, 손광은, 윤삼하, 정현웅, 김현곤, 송선영, 허연, 황길현 등이 창간동인이다. 이후 '원탁시문학회'로 이름을 변경하여 『원탁시』를 발간했다. 원탁시동인회는 현재까지 『원탁시』를 발간하는 최장수 동인지로 신기록을 이어가고 있다. 문도채文道采(1928. 6. 6.~ 2004.)는 1968년 『시문학』에 「어떤 흐름 속에서」를 발표하면서 등단하였다.[39] 김재흔金在欣(1935. 6. 21.~)은 수피아여고 교사시설 『현

38_ 광주에서 고등학교 교사로 재직하면서 1971년 단편 「명청강과 이거식」, 「거미와 시계와 교사들」을 발표하고 1972년 첫 소설집 『승원 창작집』을 출간했고, 1972년 주길순, 주동후, 이명한, 이계홍, 김만옥, 김신운과 '소설문학' 동인을 창립했다. 소설집 『한승원 창작집』(1972), 『앞산도 첩첩하고』(1977), 『여름에 만난 사람』(1979) 『신들의 저녁노을』(1980), 『신화』(1981), 『불의 딸』(1983), 『포구』(1984), 『우리들의 돌탑』(1989), 『해산 가는 길』(1997), 『희망사진관』(2009) 등이 있고, 장편소설 『흑산도 하늘길』(2005), 『추사1, 2』(2007), 『다산 1, 2』(2008) 등이 있다. 지금도 고향인 장흥에서 활발한 활동을 하고 있다. 딸이 맨부커상을 받은 소설가 한강이다.

왼쪽부터 김재흔, 김준태 시인, 강무창 소설가.

대문학』에 1967년 9월 「매화사」가, 1968년 6월 「개화기」가 신석초의 추
천으로 등단[40]하였고, 김준태金準泰(1948. 7. 10.~)는 1969년 조태일이
주재한 『시인』지에 「참깨를 털면서」 외 4편이 추천되어 등단하였다.[41]
이후 그의 시는 시대를 향해 있게 되면서 광주 시문학의 중심으로 떠오
른다. 1969년에 강무창姜茂昌(1938.~)은 〈전남일보〉에 소설 「딸하나」가
당선되었다. 그리고 1969년~1970년까지 약 14개월간 원고지 2천장 정
도의 장편, 중편, 단편들을 〈전남매일신문〉에 연재했다[42]. 정을식鄭乙植

39_ 시집으로 『쌈지』(순천문화사, 1972), 『처음 써 보는 사랑의 시(詩)』(세운문화사, 1976), 『남
도연가(南道戀歌)』(시문학사, 1980), 『달력을 넘기면서』(문원각, 1987), 『무등산 너덜경』
(1990), 『산은 산대로 나는 나대로』(1992), 『황혼, 벤치에 앉아서』(예원, 1997)이 있고, 수
필집으로 『진흙과 모래』(1984), 『조용한 강자』(1985) 등이 있다. 『원탁시』 동인이기도 했
다. 시집 『매장시편』의 시인 임동확은 그의 사위다.
40_ 시집으로는 『잃어버린 풍경』(향문사, 1963), 『음악하는 이파리』(조광사, 1971), 『농향가』
(현대문학사, 1976), 『무녀덕담』(신라출판사, 1979), 『전라도』(월간문학사, 1979), 『부활
의 아침』(시문학사, 1986), 『사랑앓이』(둥지, 1990〉, 『섬진강』(청학, 2003), 『나이가 들면
서』(새한, 2003) 등이 있다.

왼쪽부터
정을식, 박경석 소설가

(1949.~)도 〈전남일보〉 신춘문예에 단편소설 「음충」이 당선되어 등단했다. 박경석朴景錫(1937. 6. 13.~)은 1969년 『현대문학』에 「강설降雪의 연가戀歌」가 추천되어 등단하였다.[43]

이 시기 중앙문단에서는 참여와 순수논쟁이 뜨겁게 진행되고 있었다. 1960년대를 대표하는 문학 담론은 김수영과 이어령이 벌인 순수 참여 논쟁이다. 이어령과 김수영은 〈조선일보〉와 『사상계』를 통해 '불온시不

41_ 1969년 〈전남일보〉 신춘문예, 1970년 〈전남매일〉 신춘문예에 당선되었다. 시집으로는 『참깨를 털면서』(창작과 비평사, 1977), 『나는 하느님을 보았다』(한마당, 1981), 『국밥과 희망』(풀빛, 1983), 『닮이나 꽃이나』(청사, 1980), 『넋풀이』(진혜인, 1900), 『꽃이, 이제 지상과 하늘을』(창작과비평), 『칼과 흙』(문학과지성사, 1995), 『지평선에 서서』(문학과지성과, 1999)가 있고, 산문집 『인간의 길을 묻고 싶다』(모아드림, 1991), 『달이 뜨면 고향에 가겠네』(인동, 1991), 『한 손에 붓을 잡고 한 손에 잔을 들고』(이화출판사, 2000), 『5월과 문학』(남풍, 1988), 『오월에서 통일로』(빛고을, 1989) 외에도 다수의 저서가 있다.

42_ 그는 장편 『노송의 그늘』(1970)과 단편집 『4층집 옥상』(1982), 『화려한 휴가』(1988), 『세종대왕님 전상서』(1991)가 있고 꽁트집 『사랑굿 한마당』(1991), 동화집 『은혜갚은 호랑이』(1992), 『산집에 세워진 교회당』(2002) 등을 냈다.

43_ 시집으로 『황제(皇帝)와 시(詩)』(관동 출판사, 1974), 『아내의 잠』(민음사, 1987), 『차씨 별장에 두고 온 가을』(창작과비평사, 1992) 등이 있다.

왼쪽부터
진헌성, 양성우 시인

穩詩' 논쟁을 벌였다. 이어령은 「'에비'가 지배하는 문화 – 한국 문화의 반문화성」(〈조선일보〉 1967. 12. 28.), 「오늘의 한국 문화를 위협하는 것 – 누가 조종을 울리는가」(〈조선일보〉 1968. 2. 20.), 「서랍 속에 든 불온시를 분석한다 – '지식인의 사회 참여'를 읽고」(『사상계』 1968. 3.), 「문학은 권력이나 정치 이념의 시녀가 아니다 – '오늘의 한국 문화를 위협하는 것'의 해명」(〈조선일보〉 1968. 3. 10.), 「불온성 여부로 문학 평가는 부당 – "논리의 현장 검증 똑똑히 해 보자"」(〈조선일보〉 1968. 3. 26.)를 통해 작가의 소심증과 빈곤한 상상력을 문제 삼았다. 이에 김수영은 「지식인의 사회 참여 – 일간 신문의 최근 논설을 중심으로」(『사상계』 1968. 1.), 「실험적인 문학과 정치적 자유 – '오늘의 한국 문화를 위협하는 것'을 읽고」(〈조선일보〉 1968. 2. 27.), 「불온성에 대한 비과학적인 억측 – 위험 세력 설정의 영향 묵과 못 해」(〈조선일보〉 1968. 3. 26.) 등을 통해 작가의 상상력을 억압하고 검열하는 권력이 오히려 문학을 위축시킨다고 주장하였다. 이 순수와 참여 논쟁은 4월 혁명 이후 민주주의와 자유에 대한 시민의식의 변화, 사회 참여에 대한 인식의 변화를 상징적으로 보여준 사건이다.

이런 변화가 시대와 함께하고 있을 무렵, 1970년에는 전남문인협회가 결성되어 기관지로 매년 『전남문학』을 발간했다. 회원들의 시, 소설, 평론, 희곡, 수필 등이 수록되었다. 이때 진헌성陳憲成(1932. 12. 19.~)은 1969년 주기운과 함께 2인 시집 『조용한 화음』을 냈고, 1970년 『현대문학』 3월호에 「강江바람」. 4월호에 「바람」, 7월호에 「눈」으로 김현승의 추천을 완료하였다. 양성우梁成祐(1943. 11. 1.~)도 중앙여고 교사로 재직 중인 1970년에 조태일이 주재한 『시인』지에 「發想法」, 「證言」, 「鑛物性 사랑」, 「魂交之曲」 등을 발표함으로써 문단에 등단하면서[44] 광주문학의 저력을 보였다.

1974년 자유실천문인협의회가 출범하기 전까지 광주와 전남의 문인들은 한국문인협회 전남지부에 소속되어 활동했다. 한국문인협회 전남지부는 1974년 『전남문단』을 서울 세운문화사에서 발간했다. 이 창간호에는 허연, 차의섭, 진헌성, 주기운, 정재완, 정소파, 전원범, 이영권, 오명규, 양성우, 송선영, 범대순, 박홍원, 문병란, 문도채, 김현곤, 김만옥의 시와 한승원, 황방현, 이명한, 김시운의 소설, 심종언, 구창환의 평론과 한옥근의 희곡이 실려 있다. 1970년부터 1980년까지 전남문인협회의 회장은 허연, 정소파에 이어 범대순, 박홍원이 자례를 이었다. 한편 기조에서는 1070년 8월 시조예술동호인회가 『영산강』을 펴냈다. 그

44_ 시집으로 『발상법』(한얼문고, 1972), 『신하여 신하여』(한국문학사, 1974), 『겨울공화국』(창작과비평사, 1975), 『북치는 앉은뱅이』(1980), 『청산이 소리쳐 부르거든』(실천문학사, 1981), 『5월제』(1986), 『그대의 하늘 길』(창작과비평사, 1987), 『세상의 한가운데』(1990), 『사랑의 다른 이름』(일월서각, 1994), 『사라지는 것은 사람일 뿐이다』(창작과비평사, 1999), 『물고기 한 마리』(문학동네, 2003), 『아침꽃잎』(책만드는집, 2008) 등이 있다.

정흠, 김영자, 문도채, 문삼석, 송선영, 정소파, 최일환, 허연 등 12명이 동인으로 활동했다. 1974년 한국시조작가협회 전남지부의 기관지로 『녹명』이 출간되었는데 후에 『시조문예』로 제호를 바꾸고 이름도 호남 시조학회로 바꾸었다. 1977년 정소파, 경철이 중심이 된 민족시연구회 의 『민족시』도 발행되었다. 1974년 11월 한국문인협회 전남지부에는 80여 명의 회원들이 활동했다.

이 시기에 유신정권의 언론탄압과 검열에 동아일보 기자 180여 명이 1974년 10월 24일 자유언론실천선언을 채택하였고, 11월 15일 고은, 신 경림, 염무웅, 조태일, 이문구, 박태순, 황석영 등이 서울 청진동의 귀향 다방에 모여 시국현실을 논의하고 염려하여 선언문을 발표하기로 하였 다. 전국적인 문인들의 모임인 한국문인협회와 다른 조직의 필요성이 대두되어 자유실천문인협의회를 출범시키기로 결정하였다. 전국적인 '문학인선언'에 동참할 문인들을 규합하여, 11월 18일 오전 10시경, 서 울 광화문 세종로에 있는 의사회관 앞에서 「자유실천문입협의회 101인 선언」을 발표하였다. 그 자리에 고은, 이호철, 백낙청, 염무웅, 조태일, 박태순, 이문구, 황석영, 송영, 조해일, 윤흥길, 최민, 양성우, 이시영, 송기원 등이 참석하여 유신체제와 맞서게 되었다. 「자유실천문인협의 101인 선언」은 다음과 같다.

오늘날 우리 현실은 민족사적으로 일대 위기를 맞이하고 있다. 사회 도처에서 불신과 불의, 부정과 부패가 만연하여, 정직하고 근면한 사람 은 살기 어렵고 거짓과 아첨에 능한 사람은 살기 편하게 되어 있으며, 왜 곡된 근대화정책의 무리한 강행으로 인하여 권력과 금력에서 소외된 대 다수 국민들은 기초적인 생존권마저 안심할 수 없는 지경에 이르고 말았다. 이러한 모순과 부조리는 반드시 극복되어야 한다.

그러나 그것은 몇몇 정치가의 독단적인 결정에 맡겨질 일이 아니라 전 국민적인 지혜와 용기에 의해서만 가능한 일이라고 믿고, 이에 우리 뜻 있는 문학인 일동은 우리의 순순한 문학적 양심과 떳떳한 인간적 이성에 입각하여 다음과 같은 주장을 결의 선언하는 바이며, 이러한 우리의 주장이 실현되는 것만이 국민총화와 민족 안보에 이르는 길이라고 선언하는 바이다.

결의

1. 시인 김지하씨를 비롯하여 긴급조치로 구속된 지식인, 종교인 및 학생들은 즉각 석방되어야 한다.

2. 언론, 출판, 집회, 결사 및 신앙, 사상의 자유는 여하한 이유로도 제한될 수 없으며, 교수, 언론인, 종교인, 예술가를 비롯한 모든 지식인은 이 자유의 수호에 앞장서야 한다.

3. 서민 대중의 기본적 생존권을 보장하기 위한 획기적인 조처가 있어야 하며, 현행 노동제법은 민주적인 방향으로 개정되어야 한다.

4. 이상과 같은 사항들이 원천지으로 해결되기 위해서는 사유민주주의의 정신과 절차에 따른 새로운 헌법이 마련되어야 한다.

5. 우리는 이러한 행위가 다기다락에도 이용되어서는 안 될 문학자적 순수성의 발로이며, 또한 어떠한 탄압 속에서도 계속될 인간본연의 진실한 외침이다.

이 「자유실천문인협의 101인 선언」에 강태열, 김남주, 박봉우, 문병란, 문순태, 이성부, 조태일, 송기숙, 양성우, 한승원, 최하림, 이시영,

송영, 이청준이 참여하여 광주전남 문인들의 문학적 양심을 견고하게 하였다. 박정희 정권의 유신체제에 맞서 광화문 한복판에서 문인들이 모여 성명서를 낭독하면서 "유신헌법 철폐하라", "시인을 석방하라"는 구호를 외친 것은 문학인의 양심선언이자, 독재정권에 대한 정면 도전이었다. 때문에 이들은 시집과 소설집이 판매금지 당하는 어려움을 겪었다. 이들의 활약은 많은 독자들의 호응과 공감을 얻었으며, 1980년대 민중문학으로 나아가는 발판이 되었다. 광주문학은 시대와 민중과 통일을 향한 걸음으로 한국현대문학사의 변혁을 준비해 나갔다.